地球の歩き方 **D14** ● **2024～2025年版**

モンゴル

Mongolia

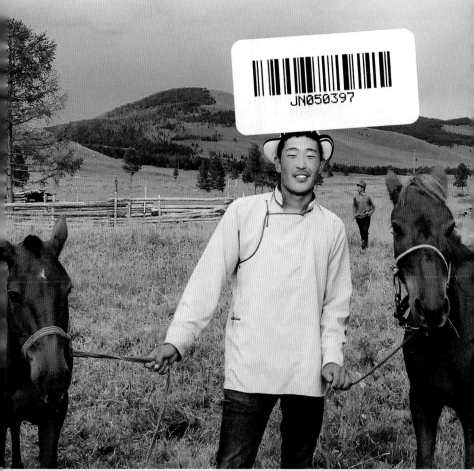

JN050397

MONGOLIA CONTENTS

出発前に必ずお読みください！ 旅のトラブルと安全対策…238、239

歩き方の使い方

本書で用いられる記号、略号

MAP P.00-A0
地図の掲載ページと位置

住 住所や位置

交 交通手段、行き方

電 電話番号

Free 無料通話番号

FAX ファクス番号

E メールアドレス

URL ウェブサイト

開 開館時間

営 営業時間

休 休館、休店日

料 入場料、宿泊料金。学生料金を適用する際は学生証を提示のこと

カード 使用可能クレジットカード

鮮やかなモザイク壁画

1971年に建てられた。コンクリート製の円形。内側はモンゴルと2連両人民の友好、相互援助をイメージしたモザイク壁画になっている。両軍兵士が大日本帝国とナチスドイツの旗を踏み折っているのが印象的だ。2018年に完成したザイサン・スクエア・モールから行けるようになった。頂上からはウランバートル市を一望できる。麓の西側にあるブッダ像も人気の観光スポット。

図 なし
料 無料

ザイサン・スクエア・モール
かつてザイサン・トルゴイまでは階段を上らなければならなかったが、ザイサン・スクエア・モールのエレベーターで通れるように行けるようになった。モールではショッピング、食事、映画なども楽しめる。みやげ物店もある。ザイサンエリアは新スポットとして注目

ボグド・ハーン宮殿博物館

ボグド・ハーン宮殿博物館
住 ハンオール区15番ホロー
交 4：52番・4：72番バスなどでエムシーエスビー・ブーダル・MCSии буудал オオルギル・MCSии буудал オオルギル・ラシャン・ソフィラカ Oрхи гэлин сумал で下車、オルギルス・スーパーマーケットは
電 70001926、(011) 342195
URL www.bogdkhaanpalace.mn
開 9:00〜19:00(冬季10：00〜17:00)
休 無休(冬季は火・水曜)
料 8000Tg 5歳以下無料
写真撮影 2万5000Tg
ビデオ撮影 7万Tg

ボグド・ハーン宮殿

ガンダン寺
住 バヤンゴル区16番ホロー
交 1：39番バスなどでガンダン Гандан 下車
電 77369999
開 観音堂9:00〜17:00
セレモニーは9:00〜12:00
料 7000Tg
観音堂内の写真 (スマホ) 無料
観音堂内のビデオ撮影 5万Tg

モンゴル最後の皇帝ボグド・ハーン8世の宮殿　MAP 折込裏-C3

ボグド・ハーン宮殿博物館
Богд хааны ордон музей

大モンゴル国最後の皇帝、活仏ボグド・ハーン8世が亡くなるまで過ごした宮殿。1893〜1903年に建設された。境内には木造の寺院や門、図書館などがあり、内部は曼荼羅や仏教美術などを集めた博物館となっている。有名な活仏ザナバザル作「21ターラー菩薩」は、一番奥のラヴリン寺に展示されている。門外には2階建ての冬の宮殿があり、ボグド・ハーンゆかりの品々が多数展示されている。

モンゴル仏教の信仰の中心地　MAP 折込裏-B1、P.40-A2

ガンダン寺
Гандантэгчэнлин хийд

正式名称をガンダン・テグチンレン寺院といい、1838年、活仏ボグド・ハーン5世によって建立されたチベット仏教寺院。極左政権期に寺院としての機能が奪われていたが、1944年に回復し、社会主義時代にもモンゴルの人々の信仰の中心だった。観音堂では旧暦１日からラボグド・ハーン8世(ただ

電話番号

ウランバートル市の一部を除き、原則的にモンゴル国内の固定電話は1か7で始まる8桁の番号となっています(「7」が固定電話番号、続く3桁が県局番)。

8桁の電話番号の場合は、同一地域内からかける場合も8桁が必要です。
ウランバートルの6桁番号など8桁の番号以外は、市外や携帯からかけるときに市外局番が必要です。

現地語表記

モンゴルでは、原則的にキリル文字(ロシアンアルファベット)が使用されています。しかしローマ字(アルファベット)やモンゴル文字が使われていることもあります。

本書では、見どころや店名などを表記する際、原則としてキリル文字と日本語で二重表記しています。名称の現地発音については、ハルハ・モンゴル語のウランバートル標準発音のカタカナ表記を参考に付けましたが、一部例外もあります。

ホテル、ゲストハウス

フォー・シーズン・ツアー＆ゲストハウス ゲストハウス
Four Season Tour & Guesthouse MAP P.40-A3

経験豊かなオーナーが、過去で避暑地との暮らしや乗馬など各種ツアーを競争的にアレンジ。春のチャーターや6〜20名のグループツアーも。エンフタイヴァン(平和)大通り沿いで交通も便利。自炊可、英語可、全4室。

住 Peace Ave. 25-14, 3th Khoroo, Chingeltei District
電 88252588, 94993536
E tours@
fourseason.mn fourseason.mn
URL fourseason.mn
料 US$9 ⑤US$16 ⑦US$22 (トイレ・シャワー共用、朝食付き)
カード JMV

モンゴルならではのツアーに参加しよう

D ドミトリー　**S** シングルルーム
W ダブルルーム　**T** ツインルーム
SU スイートルーム　**DX** デラックスルーム
(S) 1部屋1人使用　(T) 1部屋2人使用
S サービス料　**EX** エキストラベッド
※D以外は原則として1部屋の料金。税金は含まれていません
Tg トゥグリク(モンゴルの通貨単位)
US$ アメリカドル
元 中国の人民元
CC 使用可能クレジットカード
　A：アメリカン・エキスプレス
　J：JCB
　M：Mastercard
　V：Visa
📶 Wi-Fiあり　**📶** Wi-Fiなし

レストラン、カフェ

カリフォルニア アメリカ料理
California Restaurant MAP P.40-A3

広々とした空間、気さくやスタッフの対応。通常で1日中賑わいが絶えない。おしゃれなテラス席があり、店内の雰囲気もよい。料理はボリュームがあり、ピザや肉料理をゆっくり楽しめる。

住 Seoul str., Central Guadaquanan
電 (011) 319031
URL www.facebook.com/pages/
California-Restaurant/15472599
7897579 (携帯) 94993535 (日・月曜〜2300)
休 無休 **カード** AJMV **図** 英・写

緑が多く楽しげな雰囲気

ショップ

フスグ フェルト雑貨、アパレル
Husug MAP P.41-C3

「使えるモノづくり」をモットーに、ウール、カシミヤなど、センスのよいフェルト製品を製作、販売。モンゴル産の素材にこだわり、すべてハンドメイド、シンプルなザインを重視。日立生産に取り組む。オーナーは日本語堪能。

住 2F, Shangri La Mall
電 99188555
E husug.mn
営 9:30〜22:00
カード AJMV

洗練されたデザインのフェルト製品が並ぶ

図 メニューの種類
　日：日本語メニュー
　英：英語メニュー
　写：写真付きメニュー
レストラン、ショップ、ホテルがそれぞれ色分けされています。

地図

ウランバートルは折込地図裏と P. 40～41 に掲載しています。各町の詳しい地図はそれぞれの町のページに掲載し、また折込地図の罫で囲っている部分は、そこに表示されているページにあります。なお、現在モンゴルでは、さまざまな理由から、一部の地域は正確な市街地図が公表されていません。本書に掲載されている地図には、取材者が計測して作ったものが含まれています。建物の大きさや間隔、距離など、実際とはある程度の誤差があることをご了承ください。

地　図

- ◉ 見どころ
- ♣ 遺跡
- Ⓗ ホテル
- Ⓒ ツーリストキャンプ
- Ⓖ ゲストハウス、旅館
- Ⓡ レストラン、食堂、カフェ
- 🍸 ナイトスポット (バー、クラブなど)
- Ⓢ デパート、商店、ザハ
- ⛺ ゲル
- Ⓑ 銀行、両替所
- ✉ 郵便局
- ✈ 空港
- 🚌 長距離バスターミナル
- 🚏 バス停
- 🚩 各国大使館
  （日本国大使館は [●]）
- ⊞ 病院
- 🄵 学校
- ⊗ 警察
- 卍 廟、寺
- 🄼 映画館
- @ インターネットカフェ
- ❶ ツーリストインフォメーション

遊牧民という表現

本書では牧畜を行っているモンゴルの方々を遊牧民と表記しています。文字どおりの遊牧は、現在、国境が確立しているため限界があり、移牧という表現が適切ですが、理解しやすい遊牧を使います。

特別保護地域への入場料について

特別保護地域へ入るには入場料（1000 ～ 5000Tg/ 人が目安、管轄によって異なる）がかかります。

■本書の特徴

本書はモンゴルを個人で旅する方に役立つよう、見どころ、アクセス、ホテル、レストランなどの情報を掲載しています。ツアーで旅行される際にも十分活用できるようになっています。

■掲載情報のご利用に当たって

できるだけ最新で正確な情報を掲載するよう努めていますが、モンゴルでは夏季とそれ以外のシーズンとでは旅行状況が大きく異なります。夏季には常時オープンしている見どころも、それ以外のシーズンには閉鎖されていることが少なくありません。現地の規則や手続き、サービス内容などもしばしば変更されたり、その解釈に見解の相違が生じることがあります。このような理由に基づく場合、または弊社に重大な過失がない場合は、本書を利用して生じた損失や不都合について、弊社は責任を負いかねますのでご了承ください。また、本書をお使いいただく際は、掲載されている情報やアドバイスがご自身の状況や立場に適しているか、すべてご自身の責任でご判断のうえでご利用ください。

■データの取り扱い

2023 年 8 ～ 9 月の取材調査データを基に編集されています。時間の経過とともにデータの変更が生じることがあります。特にホテルやレストランなどの料金は夏季以外のシーズンは変更されることが多いようです。したがって、本書のデータはひとつの目安としてお考えいただき、現地ではツーリストインフォメーションなどでできるだけ新しい情報を入手してご旅行ください。

■発行後の情報の更新と訂正

本書発行後に変更された掲載情報や訂正箇所は、「地球の歩き方」ホームページの本書紹介ページ内に「更新・訂正情報」として可能なかぎり最新のデータに更新しています（ホテル、レストラン料金の変更などは除く）。下記 URL よりご確認いただき、ご旅行前にお役立てください。

🔗**www.arukikata.co.jp/travel-support**

■外務省 海外安全ホームページ

渡航前に必ず日本外務省のウェブサイトにて最新の海外安全情報をご確認ください。
🔗www.anzen.mofa.go.jp/info/pcinfectionspothazard info_019.html#ad-image-0

ジェネラルインフォメーション

モンゴルの基本情報

モンゴルの国章

▶モンゴル百科→ P.139

▶旅のモンゴル語会話
→ P.240

国 旗
赤は繁栄を表す火を、青は平和と永遠を表す青空を意味する。左側の黄色い模様はソヨンボと呼ばれ国家を象徴し、上から炎、太陽、月、上下の逆三角形が槍、長方形が正直さを表す。その間に繁栄と警戒を示す魚、左右は城塞である。

正式国名
モンゴル国
Монгол улс（モンゴル語）
Mongolia（英語）

国 歌
モンゴル国歌

面 積
約 156 万 4100km²（日本の約 4 倍）首都ウランバートルの面積は約 4704 km²。国土は、北部の大部分でロシア、また東北から南西にかけて中国と国境を接し、東西の最大幅は約 2392km、南北の最大幅は約 1259km である。

人 口
345 万 7548 人（2022 年）人口密度は 1km² 当たり約 2.2 人。首都ウランバートルの人口は 169 万 1770 人（2022 年）で、1km² 当たり約 360 人と集中している。

首 都
ウランバートル
Улаанбаатар（モンゴル語）
Ulaanbaatar（英語）

国家元首
オフナー・フレルスフ
大統領（2024 年 1 月現在）
Ухнаагийн Хүрэлсүх（モンゴル語）
Ukhnaa Khurelsukh（英語）

政 体
大統領制、議会制民主主義（一院、複数政党制）

民族構成 ※2016年国勢調査中間報告
ハルハ族（84.5%）、カザフ族、ブリヤート族などモンゴル系少数民族

宗 教
チベット仏教が浸透している。バヤンウルギーなど西部のカザフ系住民はイスラム教徒。シャーマニズムを信仰する人も多い。

言 語
モンゴル語。表記はキリル文字（ロシアンアルファベット）だが、民主化以降、縦書きの伝統的なモンゴル文字の教育が義務化されている。英語や日本語など外国語教育も盛んだが、社会主義時代に教育を受けた世代にはロシア語が通じやすい。

通貨と為替レート

Tg

▶通貨と両替→ P.203

通貨単位はトゥグリグ(Tgまたは MNT)。100Tg ≒ 4.28 円、US＄1 ≒ 3416Tg で、日本円 100 円に対しては約 2334Tg（2024 年 2 月 1 日現在）。首都ウランバートルの両替所、銀行、ホテルなどでは日本円からの両替も可能。小額の Tg の再両替は不可能。モンゴルはモンゴル通貨の国外持ち出しを原則禁止している。

| 2 万 Tg | 1 万 Tg | 5000Tg | 1000Tg | 500Tg | 100Tg |

| 50Tg | 20Tg | 10Tg | 5Tg | 1Tg |

※コインもあるがほとんど流通していない

電話のかけ方

▶通信事情→ P.211

日本からモンゴルへかける場合 例 ウランバートルの (011) 123456 または 70001234 へかける場合

事業者識別番号		国際電話識別番号	モンゴルの国番号	市外局番（頭の 0 は取る）	相手先の電話番号
0033（NTT コミュニケーションズ） **0061**（ソフトバンク） 携帯電話の場合は不要	+	**010**	**976**	**11**（市外局番不要）	**123456** **70001234**

※ 携帯電話の場合は 010 のかわりに「0」を長押しして「+」を表示させると、国番号からかけられる
※ NTT ドコモ（携帯電話）は事前に WORLD CALL の登録が必要

公的に祝われる祝祭日は、モンゴル暦で祝われるツァガーン・サル（旧正月）、チベット仏教の日、チンギス・ハーンの日を除き、すべて新暦で祝う。

12月31日～1月1日	新年	
1月29～31日 (2025年の場合)	ツァガーン・サル（旧正月）	※モンゴル暦に基づき毎年日付が変わる
3月8日	国際女性の日	
5月23日 (2024年の場合)	チベット仏教の日	※モンゴル暦に基づき毎年日付が変わる
6月1日	子供と母の日	
7月 11日	国家記念日	
11～15日	ナーダム	
11月 1日 (2024年の場合)	チンギス・ハーンの日	※モンゴル暦に基づき毎年日付が変わる
26日	共和国宣言日	
12月29日	自由独立回復記念日	

※中国などの旧正月とは異なり、モンゴル暦に基づいて毎年チベット仏教の高僧が決定するため、2025年以降の日付は未定

週休2日制が一般的である。以下は一般的な営業時間の目安。ショップやレストランは店舗によって異なる。

銀行
　月～金曜　9:00～18:00頃

ショップ、デパート
　一般的に9:00～18:00(夏季は延長も)。

レストラン
　一般に11:00～22:00くらい（ランチタイムは13:00～14:00くらい）。無休

の店でもほとんどがツァガーン・サル（旧正月）には休みを取る。

コンビニエンスストア
　24時間営業、ほとんど無休。

コンビニエンスストアは旅行者にとっても強い味方

電圧とプラグ
　220V、50Hz。プラグの形状はB、B3、Cタイプ。Cタイプか主流だか、下の画像のタイプのコンセントなら日本のAプラグもそのまま挿せる。しかし万能タイプのアダプターを持参するのが無難。日本の電化製品のほとんどは変圧器がないと使用不可。

映像方式
　DVDやブルーレイなどの映像ソフト購入時は、リージョンコードに注意。DVDのリージョンコードは日本が2でモンゴルが5、ブルーレイは日本がAでモンゴルがC。ソフトとプレーヤーのコードが一致しないと再生できないが、いずれかがオールリージョン対応なら視聴できる。

　一般にチップの習慣はない。高級店での飲食代やホテル宿泊料などにはあらかじめサービス料が付加されている。特別なサービスを受けたときや、

無理を通してもらったときには気持ちで渡そう（目安は簡単な食事ができる2万～4万Tg程度）。

モンゴルから日本へかける場合　(例) (03)1234-5678または090-1234-5678へかける場合

※ホテルの部屋からは、外線につながる番号を頭に付ける

| 国際電話※
識別番号
00 | + | 日本の
国番号
81 | + | 市外局番と携帯電話の
最初の0を除いた番号
3または90 | + | 相手先の
電話番号
1234-5678 |

| モンゴルの
電話番号の
種類と取り扱い | 「1」「7」で始まる8桁の電話番号▶固定電話（ウランバートルの一部を除く）
「8」「9」で始まる8桁の電話番号▶携帯電話
モンゴル国内の通話▶8桁番号は市外局番不要、どこからでも常に8桁でかける。
　　　ウランバートルの6桁番号など、8桁の番号以外（個別に8桁に移行できていない場合）は市外や携帯からかけるときに市外局番が必要。
公衆電話▶携帯電話普及のためほぼ見当たらない（中央郵便局そばに設置されている）。
　　　（→P.211） |

飲料水

飲料水は必ず煮沸するか、売店やスーパーなどで売っているツェベル・オス（ミネラルウオーター）を利用する。湖や池の水は決して飲まないこと。

気候

▶モンゴルの気候と
　旅の持ち物→ P.201
▶持ち物チェック
　リスト→ P.202

大陸性気候で、基本的に年間を通じて乾燥している。夏は平均気温19℃前後で過ごしやすいが、30℃を超える日もある。地球温暖化の影響からか、急な雨に見舞われることもある。急に寒くなるので、防寒具や雨具も必要。10月下旬には気温が零下になり、12〜2月は－20℃以下になる日が多い。風が吹き荒れ砂嵐に見舞われる春は天気が不安定で旅行には不向き。

日の出・日の入時刻（ウランバートル）　※月初めのデータ

	1月	2月	3月	4月	5月	6月	7月	8月	9月	10月	11月	12月
日の出	8:41	8:21	7:36	6:35	5:40	5:04	5:03	5:33	6:13	6:52	7:36	8:19
日の入	17:16	17:57	18:40	19:24	20:05	20:43	20:55	20:29	19:37	18:37	17:40	17:08

ウランバートルと東京の月別平均気温と降水量

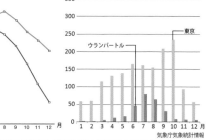

気象庁気象統計情報

日本からのフライト時間

成田国際空港から直行便で約5時間35分（年間を通じて運航）、関西国際空港から直行便で約4時間40分（6〜9月に運航）。ソウルからウランバートルまでの直行便が毎日複数の航空会社から出ているので、ソウルで乗り継ぐ方法もある。他に北京で乗り継ぐ方法もある。

5時間35分の空の旅

時差

日本との時差はウランバートルで1時間遅れ（日本が正午のとき、ウランバートルは11:00）、西部は2時間遅れ。

2015年にサマータイム制を採用したが、現在はなくなった。

郵便

▶通信事情→ P.211

ウランバートル中央郵便局の
郵便営業時間
月〜金曜　……8:00 〜 20:00
土・日曜、祝日……9:00 〜 19:00
日本までの航空郵便料金
はがき……3300Tg
封書　……3630Tg

小包……1kgまで3万5000Tg
　日本へは航空便なら約1週間から10日かかる。モンゴルでは、各家庭への配達サービスはない。日本など海外から届いた小包、EMSは中央郵便局留めとなり、電話連絡を受けて直接出向いて受け取る。

出入国

ビザ

2024年1月現在、渡航目的にかかわらず、30日以内の短期滞在の場合、ビザ（査証）を免除される。30日を超える長期滞在の場合、ビザを申請して取得する必要がある。

パスポートの残存有効期間

モンゴル到着時に6ヵ月以上あり、査証欄の余白が2ページ以上必要。

入国時に必要な書類

必要な場合は税関申告書を提出する。

▶パスポート→ P.196
▶ビザ→ P.197
▶モンゴルの入出国 → P.220

外国人登録

モンゴルに30日を超えて滞在する場合は、入国後1週間以内に外国人国籍庁において外国人登録を行うことが義務づけられている。登録時には指紋を採取される。さらに入国後14日以内に居住するホロー事務所への届出、21日以内に外国人国籍庁への在籍証明書（学校、会社が発行）の提出も必要。帰国（出国）する際には、登録抹消手続きを行う必要がある。外国人登録および登録抹消を怠った場合、出国の延期を余儀なくされたり、罰金が科せられたりする。

▶ビザ→ P.197

安全とトラブル

近年の経済の低迷にともない治安は悪化傾向にあり、ウランバートルのみならずこの傾向は地方都市や観光地へも拡大している。ひったくりや強盗、殺人などの凶悪事件が多発しており、ザハ（市場）、デパート、バスの中など人が多い場所ではスリの被害も多い。また、ウランバートルでは自動車の数が一気に増えたことにともない、交通事故も増加している。道路を横断する際は特に注意が必要。

警察 102、消防車 101、救急車 103
在モンゴル日本国大使館 (011) 320777

道路の横断は十分注意しよう

▶旅の情報収集→ P.198
▶旅の健康管理→ P.236
▶旅のトラブルと安全 対策→ P.238

トイレ

公衆トイレは少ないので、ホテル、レストラン、博物館などに立ち寄った際に済ませておくのがベスト。町なかにはコンビニエンスストアが増え、たいていトイレも併設している。基本的にトイレットペーパーは流すと詰まってしまうので、使用したあとは専用のゴミ箱に捨てること。

観光地へ向かう道の途中にロードサイドステーション（サービスエリア）も登場し、多くは水洗トイレが併設されている。地方のトイレは、掘った穴の上に小さな小屋を建てただけのものが多い。トイレットペーパーは置いていないので持参しておくとよい。

携帯電話

モンゴルの携帯電話は世界ほぼ共通のGSM方式で、SIMフリー対応のスマホがあれば現地の携帯電話会社のSIMカードを購入して利用できる。SIMカードは携帯ショップやキオスクなどで売られており、プリペイド方式のものは追加チャージもできる。SIMカード購入にはパスポート提示が必要。eSIM対応のスマホも利用可能。モンゴル国内で使うなら国際ローミングよりはるかに安い。おもな携帯電話会社にはMobiCom、Unitel、G-Mobil、Skytelの4社がある。

▶通信事情→ P.211

税　金

剰余価値税として、レストランでの飲食代や国際電話などに15%が加算される。町の商店やザハ（市場）などの買い物には税金はかからない。

TAX

度量衡

日本と同様に距離、重量にはメートル法（cm、m、g、kgなど）が使われている。

年齢制限

たばこ、アルコールは満21歳以上。

モンゴル早わかりナビ

モンゴルは東アジア北部に位置し、北は
ロシア、南・東・西部は中国に接する内
陸国。日本の約4倍の国土は西高東低
で、西にはアルタイ山脈、東には広大な
草原、南には乾燥した砂漠、北には緑豊
かなタイガを有する。河川や湖沼も数多
くあり、変化に富んだ地形によって、風
光明媚な見どころが点在する。

森林ステップに恵まれた風光明媚な中央エリア

広大な緑の草原と羊の群れ
モンゴル中央

　緩やかな丘陵地帯の草原とハンガイ山脈
の森林が広がる風光明媚な土地。草原地域
は典型的な遊牧生活が営まれ、大規模な羊
や馬の群れが見られる。モンゴル帝国の中
心地ハラホリン、モンゴル国の首都ウランバ
ートル、いずれもこの土地に栄えてきた。

モンゴル西部 Western Mongolia

モンゴル北部 Northern Mongolia

モンゴル中央 Central Mongolia

❶モンゴル最古の寺院エルデニ・ゾーを取り囲むスト
ゥーパ　❷世界で最も寒い首都といわれているウラン
バートル。スフバートル広場は市民の憩いの場

❶刺繍と織りはカザフの女性の大切な仕事。家族の幸せを託
す　❷躍動感あふれるカザフの騎馬競技。男女ペアが各自馬
に乗って併走するクズコアル（娘追い）　❸万年雪に覆われた
アルタイ山脈の足元でも人々の暮らしは脈々と続いている

多彩な遊牧文化がきらめく土地
モンゴル西部

　標高4300mを超えるアルタイ山脈地域と砂漠・ス
テップ・ツンドラが併存するオブス・ノール盆地地
域に代表される土地に、モンゴル、カザフ、トゥバ
などの各民族が暮らして
いる。アルタイ山脈地域に
多く住むカザフ人は独特
の生活習慣、言語、文化を
持つ。

森と緑に祝福された土地
モンゴル北部

　雨が多い湿潤な気候が広大な森林地域と湖、湿地を生み出した。土壌は黒土が多く肥沃なので、農業が盛んに行われている。工業発展を担う鉱業も盛んだ。ダルハド盆地とタイガの風光明媚な土地では、独自の生活が営まれている。

❶ダルハド盆地内は河川や湖沼、湿地が多く、植生も豊か　❷タイガ地域にはトナカイと暮らす人々（ツァータン）が独自の暮らしを営む

おもな都市や町
- ダルハン ▶ P.124
- スフバートル ▶ P.126
- エルデネト ▶ P.130
- ムルン ▶ P.132
- フブスグル湖 ▶ P.134

● ウランバートル

モンゴル東部
Eastern Mongolia

モンゴル南部
Southern Mongolia

おもな都市や町
- チョイバルサン ▶ P.100
- ハルハゴル ▶ P.102
- ダダル ▶ P.105

モンゴル民族のゆりかご
モンゴル東部

　標高1000 〜 1500mのなだらかな丘陵と広大な平原は羊や馬の飼育に適した土地。チンギス・ハーン伝説関連の見どころも点在する。森林地域に住むブリヤート人は独自の生活習慣、言語、文化を持つ。

❶モンゴル最大のメネン平原。ガゼルやオオカミや希少動物などが多く生息する　❷チンギス・ハーン生誕記念碑。東部は伝説由来の見どころが点在する　❸森林地域に暮らすブリヤート人の家屋。丸太がさまざまに利用される

自然も人も豊かなゴビ
モンゴル南部

　「短い草がまばらに生えている砂や小石がちの平原」を意味する「ゴビ」が永遠と続く。ゴビには栄養価の高い牧草やビタミン豊富な野生の果実が生育し、「不毛の土地」ではない。地平線と満天の星が印象的な土地だ。

おもな都市や町
- 南ゴビ ▶ P.112
- ダランザドガド ▶ P.114
- マンダルゴビ ▶ P.116
- ザミーンウード ▶ P.119

❶ツァガーン・ソブラガの眼下に広がるゴビは典型的な南部の風景。地平線から朝日が上る　❷非常に乾燥しているためラクダが家畜に適している　❸風によって地表に形成された砂紋は意外と固くて崩れない

モンゴル旅でしたい 16 のコト

モンゴルを初めて旅する人も、そうじゃない人も必見！「モンゴルの旅で何をしようか？」の答えが見つかる16のヒントを、写真付きで一挙ご紹介。ようこそ、モンゴルの旅へ。

モンゴル旅でしたい16のコト 1

騎馬民族の誇りをかけた熱き戦いにしびれる。

夏の祭典ナーダムは、6月後半から8月にかけて、モンゴル各地で行われる。メインの競技は相撲、競馬、弓射。夏のひととき、モンゴル全土が熱き戦いに沸き立つ。(→P.153)

1.毎年7月11〜13日に行われるのは国の祭典「国家大ナーダム」。ウランバートルの中央スタジアムが会場となる　2.掛け声を上げながら、鞭をふるう子供騎手　3.相撲は手の平以外の部位が地面についたら負け

モンゴル旅でしたい16のコト

遊牧民の最高の友、
馬に乗ってトレッキング。

「モンゴル人は馬上で育つ」というほど、彼らにとって、馬は切っても切れない存在。そんな馬に乗って見える景色は、また違った世界を教えてくれる。

モンゴル北部、フブスグル湖近くのハトガル村まで、湖から流れ出る川沿いをトレッキング

モンゴル旅でしたい16のコト

風まかせ。鳥の目で、
モンゴルの大地を見下ろす。

「気球に乗ってどこまでも……」
ただただ風の吹くまま、気の向くまま!? 上空は音のない世界。モンゴリアン・ブルーに染まった空を漂いながら、どこまでも続く大地を見下ろしてみる。鳥の目で。(→P.65)

バーナーで熱を与えるとゆっくりとバルーンが上昇していく

モンゴル旅でしたい16のコト

満天の星に、
ただただため息をつく。

モンゴルの草原で育まれた牛がミルクを与えてくれることは知っていたが、まさか夜の空でもミルクのような天の川を見せてくれるとは……。

ウランバートルから少し行けば、灯りのない真っ暗な草原が広がる。夏なら草原に寝転んで夜空の下で眠るのもいい

1.毎日朝と夕、牛の乳搾り。腕の筋肉がパンパン　2.ステイの後半、羊の追い込み方のコツがわかってきた

モンゴル旅でしたい16のコト

遊牧民の暮らしを覗いてみる。

遊牧民宅に実際にステイすると、朝夕の牛の乳搾り、羊の放牧、乳製品作りと忙しいのがわかるだろう。遊牧民の子供たちのようには動けないが、猫の手にはなれるはず!?

優勝者には馬1頭！
草原の海を駆け抜ける。

「賞品が馬1頭」。そんなマラソン大会が、あるんです。ハーブの清らかな香りに包まれながら、乗馬では味わえない自分の足の裏の感触をぜひ確かめてほしい。草原では雲だけが影を作る。(→P.68)

ときに草原に咲く花を愛でながら、ときに家畜のフンを避けながら

7 アジア最大のミステリー!? あの英雄の生誕地を訪ねる。

チンギス・ハーンにまつわる伝説は各地に残る。北東部ヘンティ県ダダルは生誕地として有名。お隣ビンデルも負けていない。アジア最大のミステリーの結論はいかに！？(→P.108)

ダダルにある「チンギス・ハーン生誕記念碑」。燃え盛る火をかたどっている

8 古の国際都市、カラコルムに想いをはせる。

ハラホリン（カラコルム）は、かつてのモンゴル帝国の首都。世界中からヒト・モノ・カネ・情報が集まり、国際都市として発展した。今は当時の栄華は見る影もないが、せめて、エルデニ・ゾー（モンゴルで現存する最古の仏教寺院）を眺めて、往時に想いをはせたい。(→P.69)

1.エルデニ・ゾーを取り囲む102の白いストゥーパ。境内の6基と合わせ、108となる　2.ゴルバン・ゾー（3つの寺）の中央寺

9 古代トルコ遊牧民たちの息づかいを感じる。

モンゴルには、トルコ系ウイグル帝国が築いた城郭都市が残る。また石人と呼ばれる石製人物像も見守るように草原にたたずむ。はるか昔、騎馬遊牧民たちはこのユーラシアの草原でどんな暮らしをしていたのだろう……。(→P.74～76、133、166)

1.オーシギン・ウブリン遺跡の鹿石　2.ハル・バルガス遺跡の城壁

モンゴル旅でしたい16のコト

聖なる山に
そっと足を踏み入れてみる。

モンゴル西部はモンゴル最高峰フイテン峰（4374m）をはじめとする4000m峰の山々が連なる。モンゴル人にとって、山は天（テンゲル）につながる聖なるもの。いっせいに花が咲きこぼれる様は、まさに天国のよう。山に足を踏み入れるときには、敬意を払うことを忘れずに。（→P.207）

アルタイ山脈最高峰フイテン峰に向かってポターニン氷河沿いを歩く

モンゴル旅でしたい16のコト

ゴビの大地で、
恐竜の世界を垣間見る。

モンゴルの恐竜化石の産出量は、世界でもトップレベル。ゴビと呼ばれる地域を中心に、産出されている。格闘したまま砂漠に埋もれて化石となった珍しい標本も見つかっている。次は何が発見されるか!?（→P.46、142）

南ゴビ県のバヤンザグは恐竜化石の産出地

モンゴルの自然の中を車で走っていると、羊や牛などの家畜のほかに、巣穴から巣穴へ移動するナキウサギや、湖で羽を休めるアネハヅルを目にすることがある。日本なら高い山に行かないと見られないような高山植物が、すぐそこに群生している。厳しい自然のなかで、野生の動植物たちも確かに生きている。（→P.24〜29）

1.森林地帯に生息するオオライチョウ
2.世界最大の野生の羊、アルガリ

モンゴル旅でしたい16のコト

家畜だけじゃない、
野生の動物たちも生きている。

モンゴル旅でしたい16のコト

14

黄金に輝くタイガの森で、トナカイに乗る。

フブスグル湖の西にあるダルハド盆地はタイガ地域。トナカイを飼育するトゥバ人たちが暮らしている。秋のタイガは木々が色づき、黄金色に輝く。そんなタイガのなかをトナカイに乗ってトレッキング。森と水の豊かな世界が待っている。（→P.136）

1.黄金色に輝くカラマツに抱かれた営地。「オルツ」と呼ばれる円錐形の移動式住居に住む
2.トゥバ人は20世紀半ばまでトナカイで移動する狩猟と採集の民だった

1.民族衣装に身を包んだ鷹匠たちが会場入り。腕には強い信頼関係で結ばれたイヌワシを載せて　2.狩りにきた鷹匠。遠くに見えるのはアルタイ山脈　3.鷹狩の道具の随所にカザフ模様が施されている

13

意地のぶつかり合い!? 鷹匠の祭典で、華麗な姿に酔いしれる。

モンゴル西部には、10万人以上のカザフ人たちが住み、独自の文化や習慣を守って暮らしている。「鷹匠文化」もそのうちのひとつ。厳冬期にイヌワシを用いて狩りをする。彼らの8割が住むというバヤンウルギ一県では、9月末から10月初めの第1週に、「イーグル・フェスティバル」が開催される。イヌワシを腕に載せた鷹匠たちが馬を走らせ、意地と誇りをかけて競技に挑む。(→P.96、176、180)

15

凍てつく大地で、 冬のモンゴルを楽しむ。

モンゴルの冬はいったいどれほど寒いのだろう。場所によっては−60℃に達し、湖、川、滝……あらゆるものが凍りつく。凍った湖の上は道路となり、祭りの会場となり……。そんな凍てついた大地でも人々の営みは続いている。(→P.135)

1.フブスグル湖の湖岸に漂着した氷は押し上げられてオブジェのよう　2.モンゴル北部のフブスグル湖の上で行われる「アイス・フェスティバル」。馬ゾリの馬もおめかし　3.ラクダを使ってのポロ競技は迫力満点

列車に揺られて、 地平線に沈む太陽を拝む。

移動手段をただのツールとするのはもったいない。モンゴル縦貫鉄道に乗って鉄旅を楽しむのはいかがだろう。景色の移り変わりとともに時間の流れが大地の広さを教えてくれる。

1.中国の食堂車。国境ごとにその国の食堂車に付け替えられる　2.モンゴルに入ると草原をぬうようにカーブを描きながら走る　3.ちょうど夕食時に地平線に夕日が沈んだ

16

© TBSテレビ

あの名シーンをもう一度……

ドラマ『VIVANT』のロケ地を巡る!

2023年に大きな話題を呼び人気を博したTBS系連続ドラマ『VIVANT』。
キャスト、ストーリー、ロケ地のどれをとっても、圧倒的なスケール感で視聴者を魅了した。
モンゴルでの2ヵ月半におよぶロケでは、北はモンゴル第3の都市・ダルハンから、
南は雄大なゴビの大自然にいたるまで、約1000kmを縦断して撮影を敢行。
ロケ地は旅行者にとっても訪れる価値のあるスポットばかりだ。
ぜひ足を運んで、あの名シーンに浸りながら現地の空気と匂いを味わってほしい。

モンゴル南部編

ロケ地 ホンゴル砂丘 →P.112

❶歩いても歩いても頂上に着かない…… ❷宿泊先で借りたソリで砂丘を滑り下りる ❸夕暮れの空の下、草を食むラクダたち ❹ラクダの足跡も探してみて ❺ラクダが好きな野生ネギ

Spot & Scene

ホンゴル砂丘はモンゴル最大級の砂丘。太陽が照りつける砂丘の上を、主人公の乃木がスーツ姿でさまよい歩く……。ドラマ冒頭のこのシーンはあまりにも印象的だった。扇風機とほうきで足跡を消しながらの撮影だったとか。

Travel Tips ✈

夏の日中に行くのはおすすめしない。足を砂に取られるし、照り付ける太陽をさえぎるものはないしで、自力で砂丘の頂上を越えるのはかなりの体力を消耗する。帽子と水は忘れずに。

Spot & Scene ❶

白い（ツァガーン）ストゥーバ（ソブラガ）と呼ばれる、地上60mほどの台地が4km以上連なる砂岩地帯。第1話で乃木がスマホをかざして電波を探すシーンで使われた。

Filming locations
ロケ地 2

ツァガーン・ソブラガ →P.118

❶巨大なテーブル砂岩と豆粒ほどの車　❷地平線から昇る朝日は格別
❸ツァガーン・ソブラガの下を四駆で走る　❹道を横切るラクダたちの姿も

Travel Tips ✈

朝焼けか夕焼けで巨大なテーブル砂岩が照らされる時間帯に訪れることをすすめる。砂岩の上から360°の地平線を見渡せる。足場が滑りやすいので、できれば登山靴のような靴がよい。

2　3

4

Spot & Scene ❶

世界で初めて恐竜の卵が発見されたことで有名な砂岩の丘。第2話で"奇跡の少女"ジャミーンを看病した洞窟のシーンはここ。スタジオでの洞窟内の撮影はモンゴルの赤い土を貼り付けて再現したとか。

Filming locations
ロケ地 3

バヤンザグ →P.112

Travel Tips ✈

広大な土地で高低差もあるので、健脚向き。柵がないところもあるので、歩くときには気をつけよう。カフェやおみやげ屋さんもある。2023年夏には恐竜フェスティバルも開催された。

❶恐竜化石を大量に含んだ地層が広大な道を造る　❷夕暮れ時は野生動物に出合えるチャンスも

奇岩が重なり合い、別の惑星に来たような景観を造り出す

ロケ地 4 *Filming locations* イフ・ガザリン・チョロー
→P.117

Spot & Scene

モンゴル最大の花崗岩地帯。第3話で乃木、警視庁公安部の野崎、医師の薫がラクダにまたがり、"死の砂漠"を横断するシーンが迫力抜群だった。ラクダが座り込む名演技も光った。

Travel Tips

基本的に徒歩での散策になる。うまく歩き回れば、アルガリやアイベックスなどに出合える。気温が上がる日中は岩山の尾根伝いを探すのがコツだ。岩の上からかなたの朝日、夕日を見晴らせるのも魅力だが、滑落に注意。

ちょっと裏話 その1

「バルカ共和国」とモンゴルの国境で追われる乃木たちを救出したモンゴルの国境警備隊。実は彼らは正真正銘のモンゴル国陸軍兵士たちだった。兵士約100名のほか、装甲車や武器もホンモノ。あのすごみはモンゴル国軍の全面的な協力の賜物だったのだ。

ちょっと裏話 その2

今回の取材時に宿泊したラクダ遊牧民のゲルキャンプで、ラクダに乗せてもらったときのこと。ラクダを引いてくれた娘さんに「日本のドラマでもラクダが大活躍していたよ」と話すと、「それ、うちのラクダです」とひと言。このラクダが、あのときのラクダだったとは……。

あとでお父さんのゾリゴーさんに話を聞くと、ロケの4ヵ月前からラクダを特訓していたという。25年以上の経験と現在も約100頭のラクダの世話をする現役ラクダ遊牧民のゾリゴーさん。彼なくしては、あの名シーンは生まれなかったといっても過言ではないだろう。

❶ラクダは意外に揺れる
❷ラクダに載せるカラフルな鞍
❸ゾリゴーさん一家

行き方

P.20～22で紹介しているスポットまで公共交通機関で行くことはできない。国内線や長距離バスで近くの県庁所在地（マンダルゴビやダランザドガド）まで行き、そこから四駆をチャーターするか、ウランバートルから四駆をチャーターして行く方法がある。旅行会社やゲストハウスはウランバートルに集中しているので、後者のほうが一般的。各種ツアーを企画している旅行会社もある。行程には舗装されていない道路もあるので、距離は近くても時間がかかる。すべて一度でまわろうとするなら、5～6日は必要。

ロケ地5 ブーダイホテル

→P.125

Spot & Scene

ダルハンにある4つ星ホテル。第1話で乃木、野崎、薫がチンギスから逃れるため、並べられたパトカーの上を走りながら在バルカ日本大使館へ逃げ込むシーンはここで撮影された。乃木と野崎が語り合うシーンはホテルの屋上。

ちょっと裏話
ダンプカーで大使館に突っ込むシーンを撮るためには遠くから走らせて勢いをつける必要があった。ダルハン市の全面的な協力のもと、交通警察の力を借りて交通量の多い道路を二日間封鎖して撮影したという。ダルハン市民も歓迎ムードだった。

行き方
ダルハンへは、列車や長距離バスなど、公共交通機関で行くことができる(→P.225〜228)。スフバートルとダルハンの間は乗合タクシーもある。道中の車窓からの景色がすばらしい。

Travel Tips

ブーダイホテルはサービスもよく快適に過ごせる。ホテルのあるダルハンの町は、人口とインフラのバランスが程よく、落ち着いている。馬頭琴の丘や大仏像の丘など、歩いて回れるスポットもあり、コンパクトな町だ。

❶ホテルの門。手に汗握るシーンを思い出す ❷ホテルのロビー。ロケでも使われた ❸ホテルの屋上から町を望む

ウランバートルとその近郊編

ロケ地6 テレルジホテル

→P.67

Spot & Scene

テレルジ国立公園内にある高級ホテル。第2話で隠しトンネルのあった日本大使館別館の廊下のロケ地として使われた。スタジオに地下通路の入口のセットを作り、合成して穴があるように見せたという。

行き方:P.66参照

❶迎賓館のような外観 ❷ホテルのラウンジからはテレルジ川を見下ろせる ❸ロビーや廊下に飾ってある調度品もすばらしい

ロケ地7 スフバートル広場

→P.45

Spot & Scene

ウランバートルの中心に位置する広場。ドラマでは架空の国「バルカ共和国」の首都「クーダン」の中心地として何度も登場。スフバートルの騎馬像の前で、馬に乗った乃木、野崎、薫たちが立ち止まったシーンも印象的だった。

地元民の憩いの場

ちょっと裏話
スフバートル広場の北側は政府庁舎。モンゴルの重要な政府拠点だけに、国内映画の撮影許可もなかなか下りない場所だ。今回、撮影許可が取れたことがいかに難しく奇跡的だったかは、想像にかたくないだろう。

ロケ地8 国立ドラマ劇場

→P.63

Spot & Scene

モンゴルの民族舞踊なども披露される国立ドラマ劇場。バルカ国際銀行の外観のロケ地として使われた。第1話でドラムがすれ違いざまに盗聴器を仕込んだのもこのあたり。

ロシア式の建築が目を引く

大自然でたくましく生きる
モンゴルの大地に息づく動物たち

モンゴルで出合える動物は、家畜だけではない。野生動物たちも、北西部のゴビアルタイ山脈などの山岳地帯、南東部の乾燥したゴビ地域、北部のタイガ（針葉樹林帯）など、特有の生態系のなかで、たくましく生きている。

> モンゴルではタヒと呼ばれているよ。たてがみが短くて立っているんだ。

オオカミ
Canis lupus

モンゴル全土に生息する。草原で家畜を襲う動物として恐れられる一方、近寄りがたい孤高さと威厳で、畏怖の念を抱かれている。

モウコノウマ
Equus ferus przewalskii

野生馬は絶滅したが、飼育下での計画的な繁殖により、再野生化した。ホスタイ国立公園などで生息している。

> 年に一度、出産のために、モンゴル北東部に大集結するよ。

コサックギツネ
Vulpes corsac

モンゴル全土に生息する。体長47〜65cm、尾長25〜35cm、体重約2.25kg。柔らかい体毛で厚く被われる。背面の毛衣は灰赤褐色。耳の先端が尖る。

モウコガゼル
Procapra gutturosa

モンゴル東部の大草原で、草を求めて移動する野生の牛の仲間。広大なエリアを不規則に放浪する。

シベリアンアイベックス
Capra sibirica

山岳地帯でも特に険しい尾根を好む。毛色が岩場に似ていて見つけるのが難しい。オスの角は1mになるものも。

コウジョウセンガゼル
Gazella subgutturosa

発情期にオスの喉元（甲状腺）が腫れたように見えることから名づけられた。モウコガゼルより少ない水で生きられる。絶滅危惧種。

アジアノロバ
Equus hemionus

アジアに生息する野生のロバ。約1万頭のうち約8000頭がモンゴルのゴビに群れで生息する。体は淡黄色、たてがみと尾は黒色、背中の中央に黒線がある。

アルガリ
Ovis ammon

アルタイ山脈を中心に広く分布する世界最大の野生種の羊。体長約2m、体重約180kg。オスの角が、ねじれながら前方外側に伸びている。

シベリアマーモット（タルバガン）
Marmota baibacina

モンゴルではタルバガンと呼ばれる。体長50〜60cm、体重6〜8kgの齧歯類。草原や半砂漠などの巣穴に生息する。絶滅危惧種。

ペストの保菌者ともいわれてるんだ……。

ウサギだけど耳が丸くて短いよ！

キタナキウサギ
Ochotona hyperborea

ユーラシア大陸北部に広く分布する。北海道にいるエゾナキウサギは亜種だが、鳴き声がやや異なる。丘陵の岩の隙間などに生息する。

シベリアシマリス
Tamias sibiricus

モンゴル北部の森林などに生息する。体長13〜16cm、尾長8〜13cm、体重50〜120g。頭部は灰色から赤茶色で、背中に縦縞模様が入る。

キタリス
Sciurus vulgaris

モンゴル北部に生息。体長15〜25cm、尾長15〜20cm、体重約400g。冬は灰色、夏は茶色の毛に生え変わる。冬は、耳に長い房毛が生える。

オナガホッキョクジリス
Urocitellus undulates

モンゴルの北部、西部に群れで生息する。体長21〜32cm、尾長10〜14cm、体重250〜580g。尾には茶色と黒色の縞がある。

キャンベルハムスター
Phodopus campbelli

中央アジアから北アジアにかけての大草原や半砂漠地帯に生息する。体長7〜13cm、体重30〜40g。ほかのハムスター同様に夜行性。

ヨーロッパアナグマ
Meles meles

タヌキに似ているが、体つきがずんぐりして、足が太くて短い。巣穴にひそみ、夜に出歩く。北部、中部の針葉樹林帯などに生息。

オオミミハリネズミ
Hemiechinus auratus

体はずんぐりし、針状の毛が生えている。口先は尖り、尾は短い。危険を感じると針状の毛を立てる。ゴビ地域に生息。

モンゴルは野鳥観察のメッカのひとつ。複雑な生態系のなかで、環境ごとに異なった野鳥たちが生息している。クロハゲワシやソウゲンワシなどの猛禽類をはじめ、アネハヅル、カモメなどの水鳥などをよく見かける。西部の湖沼は、シーズンになると渡り鳥たちの大群で埋め尽くされることもある。（→P.209）

クロハゲワシ
Aegypius monachus

体長1mを超え、全体が暗褐色で首すじには長い羽毛がある。耳の後方に肉色の皮膚が裸出している。おもに死肉を餌とする。

ソウゲンワシ
Aquila nipalensis

体長62～81cm。成鳥は全身茶褐色。獲物を丸呑みにするための大きな口は、目の縁あたりまで切り込まれている。

ヒゲワシ
Gypaetus barbatus

体長115cm。翼を広げると3m近くになる。喉部からヒゲのようにふさふさした黒い毛が生えている。山岳地帯に生息する。死肉を食べる。

シロエリハゲワシ
Gyps fulvus

食性は死肉や死にかけている大型の獣類。大型のハゲワシで開けた地域に生息する。名前は白いエリ状の羽毛が由来。嘴が強くて大きい。

ワキスジハヤブサ
Falco cherrug

体長43～56cm。ステップなどの平原に生息する。食性は動物食で鳥類、哺乳類を捕食する。鷹狩に使われる。

オオライチョウ
Tetrao parvirostris

オスの体長は約90cmで、全体に暗緑色。メスは体長約60cm。体が褐色のまだら模様で、胸に赤い帯がある。ユーラシア大陸北部の針葉樹林に生息する。

イワシャコ
Alectoris chukar

くっきりした白黒の縞が脇にあり、黒い帯が額から目、首、胸にかけて白い喉を縁取る。茶褐色の背、灰色の胸、薄黄色の腹をしている。

ノガン
Otis tarda

嘴と足は淡灰褐色で足は太い。側胸から胸にかけて茶色。メスはオスよりも小さくて草原や農耕地に生息する。

アネハヅル
Anthropoides virgo

ツル類の中で最も小さく、水田、畑、湿地等に生息する。モンゴルでの個体はインド方面に渡るとき、ヒマラヤ山脈を越えることで有名。

インドガン
Anser indicus

頭部が白く、眼の後ろと耳後方から後頭に2本の黒線がある。ヒマラヤ以北のモンゴルの高地で繁殖し、冬はインドに渡る。

キンメフクロウ
Aegolius funereus

全長20～25cm、翼長は50～62cm。その名のとおり、金色の目が特徴。夜行性で、昼間は針葉樹の茂みの中の横枝に静止している。

オグロシギ
Limosa melanuroides
湿地、河口などに生息する。嘴は長く真っすぐで、淡い肉色で先が黒い。足も長くて黒い。メスはオスに比べて体が大きい。

モンゴルセグロカモメ
Larus mongolicus
嘴と足がやや橙色に近い黄色。嘴は少し太めで、先が膨らまない傾向がある。背や翼上面は青灰色。

ヤマウズラ
Perdix dauuricae
全長約30cm。翼長約15cm。草原地帯、高原、岩の斜面などに生息するキジ科の鳥。橙色の顔と嘴の下のあごひげのような長い羽が特徴。

ベニハシガラス
Pyrrhocorax pyrrhocorax
体長約40cmのカラスの仲間。名前のとおり、嘴が鮮やかな赤色で、足も赤色なのが特徴。ユーラシア大陸とアフリカ大陸の一部に分布。

ゴビズキンカモメ
Larus relictus
全長約44cm。成鳥の背中や翼上面は淡い青灰色。夏羽の頭部が黒い様子からこの名がついた。内陸性で、海洋部にはあまり出ない。

クロジョウビタキ
Phoenicurus ochruros
全長15cm、翼長23〜26cm。オスは全体的に黒く、羽に白い模様、尾羽根が橙色、メスは茶色っぽい。山地の崖や岩場に生息する。

ノウメンスズメ
Passer ammodendri stoliczkae
ゴビ砂漠の中のかぎられた地域に生息する。特徴的な顔立ちをした砂色のスズメ。

ヤツガシラ
Upupa epops saturata
平地から低山の草地や農耕地に生息する。昆虫の幼虫を食べる。何かに警戒したときに冠羽を立てる。樹洞などに営巣する。

ルリガラ
Cyanistes cyanus yenisseensis
広葉樹林や灌木林などに生息する。頭部と顔、喉からの体下面が白く、背や肩羽は青灰色で尾はやや長め。嘴は暗鉛色。

コウテンシ
Melanocorypha mongolica
体長約18cm。頭が赤褐色で、頭頂は灰白色。目の外縁と眉斑は薄褐色。体の下面は白く、胸から胸側には大きな黒斑がある。

ハシナガサバクガラス
Podoces hendersoni
全身が赤褐色で黒い頭、飛翔時には白い風切が目立つ。灌木の中を移動することが多く、砂漠に近いステップ環境に生息する。

モンゴルは植物の楽園。日本では高い山に行かないと見られない高山植物を、草原のいたるところで目にすることができる。草原の花と仲よしの養蜂家、衣袋智子さんがモンゴルの植物をご案内！

草原はハーブだらけ

夏のモンゴルの草原は清らかないい香り。その正体はタイムやミントなどのシソ科のハーブ、セリ、ヒバなど。草原一面が天然のアロマの香りに包まれ、贅沢な気分に浸れます。ぜひいろいろな花を探してみてくださいね！

衣袋智子さん

MIHACHI LLC社長。2015年よりモンゴルで養蜂業を営む。モンゴルのスーパーなどで「TOMOKO'S PURE HONEY」ブランドとしてハチミツを販売。3〜10月のシーズン中はセレンゲ県でハチと過ごす。（→P.129）

Point!

草原のハチミツで褐色がかっているものは、だいたいアザミやルリタマアザミが蜜源です。皮を剥いたリンゴが変色するのと同じ作用が働いています。

ウスユキソウ
（キク科）
エーデルワイスの一種。モンゴルの草原に広く分布しています。テレルジなどウランバートル近郊でも見ることができます。

キジムシロ
（バラ科）
5月頃に咲く春の花。可憐な花は草原を黄色く彩ります。草原のいたるところで目にすることができます。

ノアザミ
（キク科）
モンゴル名は「ホンゴルゾル」。女性の名前としても使われます。ステップで7月中頃から開花します。

アヤメ
（アヤメ科）
モンゴル名は「ツァヒルダグ」。4〜5月にかけて花をつけ、川沿いの湿気の多い土地で多く咲いています。

ナデシコ
（ナデシコ科）
モンゴルでは薬草として婦人病に効くといわれ、煎じて飲まれます。草原に広く分布し、ミツバチにとっては蜜源にもなります。

フクシマシャジン
（キキョウ科）
7〜8月の盛夏に咲く花。林縁に自生しています。テレルジでも見ることができます。

マルタゴンリリー
（ユリ科）
森の中で7月初旬〜8月半ばまで見ることができるユリ。小さい花をつけます。

フウロソウ
（フウロソウ科）
モンゴル名は「シムトゲレイ」。湿度の高い森の中や、小川や湖のほとりに群生しています。ゼラニウムの仲間で、蜜源として優秀。

ケシ（ケシ科）
草原の斜面にポツリと咲いていることが多い花です。ウランバートル付近では少ないですが、セレンゲ、ボルガン県などでよく目にします。

ワスレナグサ
（ムラサキ科）
草原の空の色のようなきれいな花。岩場に咲き、鮮やかな色のため見つけるのも簡単。5〜8月に目にすることができます。

オドリコソウの仲間
（シソ科）
7月の1ヵ月間、モンゴルの森林地帯で広く咲いています。ハチだけではなく、たくさんの昆虫が蜜を求めて集まります。

アスターアルビヌス
（キク科）
6〜7月に咲くキクの一種。草原に群生しています。

イトハユリ
（ユリ科）

モンゴル語で「芋の赤い花」と呼ばれ、地元では夏の風物詩として根（百合根）を食べます。サクサクしておいしいですよ！

オオハナウド
（セリ科）

夏の間、森林地帯を中心にたくさんの所で目にすることができます。「百花蜜」と呼ばれるハチミツには、だいたいこの花の蜜が入っています。

ヤツシロソウ
（キキョウ科）

5月中旬〜8月中旬に開花。蜜源植物で、蜜を求めてチョウやハチなどの昆虫が次々と集まってきます。

ワレモコウ
（バラ科）

8月初めに咲き始め、「秋を知らせる花」ともいわれています。赤いボンボンはドライに見えますが、実は蜜がたっぷり！

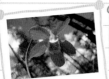

オダマキ
（キンポウゲ科）

6月までに咲き終わり、7月中旬にはタネをつけます。春に彩りを添えてくれるので、タネをとって庭に植えるモンゴル人も多いです。

デルフィニウム
（キンポウゲ科）

蜜が取りにくい構造をしている昆虫泣かせの花。モンゴルの野生のハチ、セイヨウマルハナバチは器用に穴を開けて蜜を吸っています。

Point! 8月に入ると、タンポポのような綿毛をつけて、タネを風に乗せて飛ばします。ハチミツはとてもクリーミー！

ヒルガオの仲間
（ヒルガオ科）

日当たりのよい砂地で6月の後半から見られ始めます。地面を這うように咲き、花びらは淡いピンク色をしています。

ヤナギラン
（アカバナ科）

モンゴル名は「フウント」。「棉の花」を意味する。7月初めから山の斜面に群生し、山を真っ赤に染めあげます。

Point! マメ科の植物には「アルファルファ」もあります。アルファルファのハチミツは癖がなくておいしいです。

ルリタマアザミ
（キク科）

モンゴル名は「モリンオロール」。「馬の唇」を意味する。盛夏から晩夏にかけて、球体の紫色の花を咲かせます。蜜源植物です。

レンゲの仲間
（マメ科）

レンゲの仲間は草原にたくさん咲いています。ほとんどが大量に蜜を蓄えているので、昆虫からも大人気。根は薬として使われます。

ヒメキンギョソウ
（オオバコ科）

山や林縁に咲く。蜜は細長い距（花びらの後ろ側に突き出た部分）の先端にあり、口先の短い昆虫は筒に穴を開けて蜜を吸います。

オキナグサ
（キンポウゲ科）

4月終わりから5月にかけて山に咲く春の花。山羊が好んで食べます。モンゴルでは人間の春の滋養になるといわれ、食べる人も多くいます。辛い！

Point! まずは香りを楽しんで！ 薬草でもあり、ハチミツにも抗酸化作用があることがわかっています。

トウヒレン
（キク科）

モンゴルでは幻の花と呼ばれ、ゴビアルタイなどの高山で対になって咲くので、縁起がよいとされています。見つけた人はラッキー！

タイム（シソ科）

モンゴル名は「ガンガ」。砂の吹き溜まりに咲いています。6〜7月の開花時はあたり一面、草原中が清められるようなすっきりした香りに包まれます。

ラズベリー（バラ科）

モンゴル名は「ブールツゲネ」。ラズベリーが生える所は少なく、フブスグル県などの涼しい森の中に分布しています。7月以降に実をつけます。

チャツァルガン
（エラエニア科）

日本ではサジー、シーベリーの名で健康食品としても有名なモンゴル人気ナンバーワンのベリー。野生種も川沿いにたくさんあります。

（農学博士 佐々木正巳監修）

指さしで注文しよう モンゴル料理に トライ!

モンゴルには野菜や果物を育てるのに適した土地があまりなく、家畜たちが人々の命を支えてきた。食事の基本は乳製品の「白い食べ物」と肉類の「赤い食べ物」。羊肉を使うことが多く、味つけは岩塩のみ。調味料や香辛料を使わないシンプルな調理法が特徴だ。(→P.232)

ボーズ
Бууз
蒸し餃子。餡には羊肉や牛肉のミンチと玉ネギなどが入る。お正月に欠かせない。肉汁をすすりながら食べる。

チャンスン・マハ
Чанасан мах
岩塩で骨ごとゆでた羊の肉。シンプルな味つけで肉そのものの味を楽しめる。骨からこそげ取って食べる。

ホーショール
Хуушуур
小麦粉で作った生地に味つけ餡を包んで揚げる。ボーズと材料や味つけはほぼ同じだが、形と調理法が違う。

ゴリルタイ・シュル
Гурилтай шөл
羊肉入り汁うどん。小麦粉から作った麺に肉や野菜を入れる。味つけは岩塩のみ。スープに肉の旨みが溶け出す。

ボダータイ・ホールガ
Будаатай хуурга
炒めご飯。具材は羊肉や牛肉などと野菜が使われ、味つけはシンプルに岩塩のみ。肉の脂が溶けだして絶妙な味。

ツォイワン
Цуйван
小麦粉から手打ちして細い麺にして、羊肉や野菜などと蒸し焼きにしたもの。味つけはシンプルに塩味のみ。

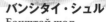

バンシタイ・シュル
Банштай шөл
水餃子、羊肉、野菜が入ったあっさり味のスープ。

ノゴートイ・シュル
Ногоотой шөл
お肉と野菜のだしが効いた野菜スープ。

マハン・ゾタン・シュル
Махан зутан шөл
ミルクティーで煮た肉入りスープ。地域によって、入る具材が変わる。

ホルホグ
Хорхог
伝統料理のひとつ。羊肉の塊を根菜類、塩とともに大きな牛乳缶などに入れ、焼いた石を交互に詰めて蒸し焼きしたもの。

ウンドゥグテ・ビーフシテクス
Өндөгтэй бифштекс
目玉焼き載せハンバーグ。羊肉や牛肉が使われている。ご飯、サラダ付きのワンプレートで出されることが多い。

ゴリヤシ
Гуляш
ハンガリーの煮込み料理「グヤーシュ」が由来。ご飯、サラダ付きのワンプレートで出されることが多い。

チンジュテイ・ホールガ
Чинжүүтэй хуурга
ピーマンと肉の炒め物。ピーマンが肉の臭みを消してくれるので、羊肉の苦手な人もこれなら大丈夫かも。

ニースレル・サラトゥ
Нийслэл салат
角切りジャガイモ、キュウリ、ニンジンなどが入ったポテトサラダ。マヨネーズ味で日本人には食べ慣れた味。

マントウ
Мантуу
中国のマントウ。蒸しパン。塩味が効いている。スープなどと一緒に食べることが多い。

スーテイ・ツァイ
Сүүтэй цай

乳茶。塩味のミルクティー。固めた茶を削り、煮出してから、ミルクと岩塩を入れ、泡立てながら混ぜる。遊牧民宅ではほぼ毎朝作る。

ハゾン・トゴー
Халуун тогоо

モンゴル風火鍋。スープと一緒に食べる。羊の尻尾の脂入り、薬草入りなどから選べる。

アーロール
Ааруул
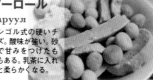
モンゴル式の硬いチーズ。酸味が強い。砂糖で甘みをつけたものもある。乳茶に入れると柔らかくなる。

ウルム
Өрөм
クリーミーなバター。パンやボールツォグなどに付ける。スーテイ・ツァイやスープなどに入れる場合も。

ボールツォグ
Боорцог
小麦粉で作った生地をこんがりきつね色に揚げたもの。朝食や軽食にジャムやウルムなどを付けて食べる。

番外編

ヘビン・ボーブ
Хэвийн боов

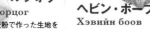
正月や祝いの席に欠かせないハレの料理。小麦粉やバターなどを使った生地を揚げたものを積み重ね、菓子などで飾る。

モンゴルの
おみやげはコレ!

買って
帰りたい

モンゴルみやげの定番はやっぱりフェルトやカシミヤ製品。クオリティやデザインのレベルがプラスされた。ナチュラルコスメもおススメ。モンゴルのスーパーフード、チャツァルガン(シーベリー)、ハーブ、羊の脂入りなど、ご当地らしいアイテムが揃う。

▷ フェルト・布製品

モンゴルの羊毛は繊維が細かく、保温性や吸水性が高い。軽くて便利。端切れをアップサイクルしたキルティング製品も。

マット
玄関マットやベッドマット、座布団などもある。

スリッパ
冷えは足元から。フェルトスリッパが冷えから守ってくれる。

シューズ
フェルト製のシューズは蒸れにくいと評判。[ギャレリア・ウランバートル→P.61]

トートバッグ
バッグは軽いにかぎる。ペンケース、タブレット端末ケースなど、ビジネスアイテムにも使えるフェルト製品も多数。[フスグ→P.62]

クリスマスのオーナメント
冬のイベントにフェルト製のあったか素材がピッタリ!
[マリー&マーサ→P.62]

フェルトソープ
羊柄のフェルトボールの中身はオーガニックのソープ。柔らかいフェルトでマッサージするように洗い上げていく。パッケージもかわいらしい。[グリーン・ストック→P.62]

フェルトネックレス
遊牧民のお母さんたちがフェルト玉をつなげて作ったネックレス。

エコバッグ
ゲル型ケースの中に収まっているのでとてもコンパクト。[モンゴリアン・キルティング・センター→P.62]

ワインホルダー
デールなどの端切れを縫い合わせて作られた。つま先が尖って上にせり上がっているのは伝統的長靴ゴタルの形。[モンゴリアン・キルティング・センター→P.62]

カシミヤ／ウール／革製品

カシミヤは山羊の貴重な産毛で、「繊維の宝石」ともいわれる。厳寒の地ならではの良質なカシミヤは、保温性と吸湿性にも優れる。ウールや皮製品も手頃感があっておススメ。

ポーチ
ポーチのほかにも財布、名刺入れ、キーケースなども柔らかく手触りも抜群！

ソックス
ウールのほか、地域によって、ヤクやラクダの毛を使った素材も。

帽子
ウールやカシミヤ素材などを使った軽くて暖かい帽子。ナチュラルカラーが合わせやすい。[ギャレリア・ウランバートル→P.61]

カシミヤのストール
カラフルでセンスのよい柄が人気。マフラー、セーター、手袋なども。いつかはコートも買いたい！[ギャレリア・ウランバートル→P.61]

オーガニック製品

ナチュラルコスメのブランドが続々登場。パッケージもオシャレで、モンゴルらしい素材が入っているので、おみやげに最適。

バスボム
モンゴル産の岩塩を使用。カラフルでかわいいパッケージが目を引く。[ゴー・ブランド→P.62]

バスソルト
モンゴル産の岩塩を使用。ハーブやチャツァルガン入り、ミント入りなど多数あり。[ゴー・ブランド→P.62]

ボディオイル
肌の保湿やボディマッサージに最適。

フェイスパック
手頃な値段と手の平サイズで、バラマキみやげにピッタリ。[ゴー・ブランド→P.62]

リップクリーム
リップクリームで乾燥対策もバッチリ。チャツァルガン入りもある。[グリーン・ストック→P.62]

ハンドバーム
ミツロウ入りのハンドバームでお手入れを。チャツァルガンの香りが芳しい。[グリーン・ストック→P.62]

シャンプー
トリートメント
イラクサ入りのシャンプー。薄毛が気になる人におススメだそう。[グリーン・ストック→P.62]

石鹸シャンプー
女性の間で人気。チャツァルガン、イラクサ、タイム入りなど目的別に使い分けも。[グリーン・ストック→P.62]

※動物検疫対象となるおみやげ品→P.235欄外

アクセサリー／インテリア

モンゴルでは、銀製品は親から子へ受け継がれる大事なもの。伝統
文様をモチーフにしたセンスの光るアクセサリーが現代風!?

銀製のピアス

モンゴルの伝統文様をモチーフにした銀のピアス。若手作家のセンスが光る。[マリー＆マーサ→P.62]

銅製の指輪とブレスレット

銅のアクセサリーは、産出国モンゴルならでは!?　ピンクゴールドのような輝きが魅力。[マリー＆マーサ→P.62]

ゲル型キャンドルスタンド

陶器製アロマキャンドルやお香を焚くと、上から煙が出て、本物のゲルみたい!?[フスグ→P.62]

ミツロウキャンドル

モンゴル産のハチミツで作ったミツロウキャンドルは、デザインも魅力的。[グリーン・ストック→P.62]

ポーチ

使い勝手のいい大きさ。コスメ、通帳、ペンを入れて、自分好みの使い方でどうぞ。[マリー＆マーサ→P.62]

クッション

独特の色彩で文様を描いたカザフ刺繍が部屋のアクセントに。[マリー＆マーサ→P.62]

カザフ刺繍雑貨

カラフルな糸を用いて、曲線的な文様が施されたカザフ刺繍。バッグや雑貨など、多種多様にリメイクされている。

リュック

リュックのほか、ポシェットや手提げバッグも。[マリー＆マーサ→P.62]

食品関係

ノミンデパートなどの食品売り場、スーパー、ザハ（市場）などで手に入る。ザハならまとめ買いで、値引き交渉が可能な場合も。

モンゴルウォッカ

バラマキみやげ用なら50mlの小瓶が便利。モンゴルらしい絵柄もおもしろい。

ハチミツ

タイムのハチミツや松の実入りなど珍しい商品も。

ハーブティ

草原の国、モンゴルならではのハーブを使ったお茶。

岩塩

手頃な値段でミネラル豊富な岩塩が手に入る。粉末状、粒状、ブロック状など。

アイラグ

パウダー状の馬乳酒。モンゴルでは体によい飲み物として子供にも飲ませるとか。

インスタントジュース

粉末にお湯を注いでサッと混ぜるだけでジュースのできあがり！[モノス→P.61]

アーロール

酸味の強い固形チーズ。砂糖を加えて甘みをつけたものも売られている。

チーズ

ヤクのミルクから作ったチーズなど、日本では珍しいものも。

松の実

モンゴルの大自然で育ったシベリア松の実は少し小粒だが味は濃厚。

チョコレート

「ゴールデン・ゴビ」ブランドはハイクオリティ。板チョコやジャム入りなど種類も豊富。

※乳製品をおみやげにする場合→P.235欄外

モンゴル中央

Orientation　広大な緑の草原と
羊の群れ

モンゴル中央

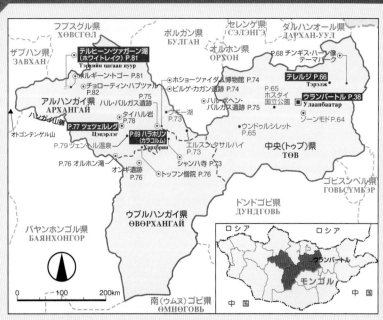

フブスグル県
ХӨВСГӨЛ

ザブハン県
ЗАВХАН

ボルガン県
БУЛГАН

セレンゲ県
СЭЛЭНГЭ

ダルハンオール県
ДАРХАН-УУЛ

オルホン県
ОРХОН

テルヒーン・ツァガーン湖
（ホワイトレイク）P.81
Тэрхийн цагаан нуур

ボルギーン・トゴー P.81
チョローティン・ハブツァル
P.82

ホショーツァイダム博物館 P.74
ビルゲ・カガン遺跡 P.74

P.68 チンギス・ハーン像
テーマパーク

テレルジ P.66
Тэрэлж

アルハンガイ県
АРХАНГАЙ
ハンガイ山脈

ハル・バルガス遺跡 P.75

タイハル岩
P.78

P.77 ツェツェルレグ
Цэцэрлэг

オトゴンテンゲル山

ウギー
湖

P.69 ハラホリン
（カラコルム）P.73
Хархорин

ハル・ボヘン・
バルガス遺跡 P.75

P.65
ホスタイ
国立公園

ウランバートル P.38
Улаанбаатар

ウンドゥルシレット
P.65

ゾーンモド P.64

中央（トゥブ）県
ТӨВ

P.79 ツェンヘル温泉

P.76 オルホン滝

オンギ遺跡
P.76

エルスン・タサルハイ

シャンハ寺 P.73

トゥブフン僧院 P.76

ゴビスンベル県
ГОВЬСҮМБЭР

ウブルハンガイ県
ӨВӨРХАНГАЙ

ドンドゴビ県
ДУНДГОВЬ

バヤンホンゴル県
БАЯНХОНГОР

ロシア　　　ロシア

ウランバートル

モンゴル

中　国

中 国

0　　100　　200km

南（ウムヌ）ゴビ県
ӨМНӨГОВЬ

1 典型的なモンゴル中央草原。地平線は遙かかなた 2 モンゴルの空を支えるといわれるオトゴンテンゲル山を望む 3 草原に忽然と現れるハル・バルガス遺跡 4 モンゴルでフブスグル湖と並び、人気のあるテルヒーン・ツァガーン湖 5 エルデニ・ゾーは地元の人にも親しまれている仏教寺院だ 6 冬季には水が凍る、モンゴル最大の滝「オルホン滝」

どんなエリア？

　モンゴル中央は緩やかな丘陵地帯がどこまでも続く草原地域とハンガイ山脈の森林地域に分けられる。丘陵地域は北側斜面に樹木が生えるが、ほかは草原がゆるゆると続く。森林地域は川や湖が多く、景観は変化に富み、風光明媚だ。モンゴル帝国の中心地ハラホリン、モンゴル国の首都ウランバートル、いずれもここに栄えてきた。

どんな暮らし？

　草原地域は典型的な遊牧生活が営まれている。大規模な羊や馬の群れが見られるのはこの地域だ。馬を多く所有する家ではアイラグ（馬乳酒）作りも盛んだ。都市部に乳製品を売るなど現金収入を得ながらの遊牧だが、徐々に農地が増え始め、遊牧地域を圧迫し始めている。森林地域では比較的狭い山あいの牧地を利用した遊牧が行われている。

これだけは見逃せない

- どこまでも続くのどかな草原
- モンゴル帝国のかつての首都 ➡P.69
- 緑に囲まれたテルヒーン・ツァガーン湖 ➡P.81

旅のヒント

　草原の緑が濃くなるのは6月後半から。7月から8月にかけてが旅行シーズン。8月半ばを過ぎると寒くなり始めるので注意が必要。

　夏の気温は40℃近くになるときがあるが、湿度が低いため日陰にいれば涼しい。朝晩と昼の寒暖差が激しい。帽子や日焼け止めなど、日焼け対策が必要。乾燥も厳しいのでこまめな水分補給は忘れずに。

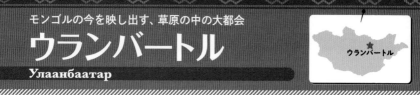

ウランバートル
Улаанбаатар

ウランバートル

おしゃれな女性たちがさっそ
うと歩く

ブルー・スカイ・ホテルはウ
ランバートルのランドマーク

　モンゴル国最大の都市ウランバートルは、中央（トゥブ）県にあって、行政上は特別市。「赤い英雄」を意味する。

　トール川とセルベ川のほとりにあり、四方を山に囲まれた盆地（標高約1350m）に位置する。代表的な山は東にバヤンズルフ山、西にソンギノ山、南にボグド・ハーン山、北にチンゲルテイ山だ。年間の平均気温は−0.7℃と低く、世界一寒い首都ともいわれている。緑あふれる夏は7月と8月の約2ヵ月間と短く、ときに−30℃にもなる冬は長く厳しい。面積は約4704㎢、モンゴル総人口（345万7548人）の2分の1に迫る約169万1770人（2022年12月）が居住する。

　ウランバートルの起源はチベット仏教を中心とした宗教都市。それまで季節移動していた仏教寺院だったが、1639年、ザナバザル（初代ジェプツンダンバ）が、トール川とセルベ川のほとりにゲル寺院を設けたことで、集落が形成されていった。18世紀にこの地に定住化し、現在の街区となった。

　メインストリートにはおしゃれなショップやカフェ、デパートが並ぶ。中心部から南へ約3kmのザイサンエリアには高層マンションが次々と建設されている。一方で、大気汚染、交通渋滞、ごみ処理の問題を抱えている。大気汚染のおもな原因は、ゲル地区から出る石炭ストーブの煙。草原での牧畜生活から都市へ移住してきた人々が、上下水道の整っていない環境に住む。特に冬場の大気汚染は深刻。2019年に石炭燃料が禁止され、少しずつ改善の兆しは見え始めている。日本の中古車は人気で、トヨタのプリウスが市内を走る車のほとんどを占める。

ACCESS

◆各国からウランバートルへ

✈ （→P.214）　**日本からの定期便：**MIATモンゴル航空（以下モンゴル航空）とアエロモンゴリアが成田国際空港から通年運航、モンゴル航空が関西国際空港から6〜9月に運航。**北京からの定期便：**モンゴル航空と中国国際航空が毎日運航。フンヌ・エアが週2便運航。**呼和浩特（フフホト）からの定期便：**アエロモンゴリアが週2便運航。**ソウルからの定期便：**モンゴル航空、アエロモンゴリア、大韓航空、アシアナ航空などが多数運航。**満洲里（マンジョウリ）からの定期便：**フンヌ・エアが週2便運航。

🚆 （→P.216）　**中国より：**二連発ウランバートル行き（月・金曜発）の国際列車が運行。

🚌 （→P.229）　**中国より：**二連浩特よりウランバートルまで毎日2便運行。

◆ウランバートルから各国へ

AIR、RAIL、BUSとも、左欄を参照。

◆モンゴル国内各地へ

✈ （→P.223）　ウランバートルから主要都市への便あり。冬季は減便される場合もある。

🚆 （→P.225）　鉄道幹線が南北に走る。そこから支線が延びている。

🚌 （→P.226）　ほぼ全国を結ぶ。長距離バスターミナルは、3ヵ所ある。

空港、駅からウランバートル市街へ

　中心部から空の玄関口、チンギス・ハーン国際空港（**MAP** P.64-A）は市の南西約55kmの所にある。便数の増加に応えるため旧空港（現ボヤント・オハー国際空港）から機能を移転し、新空港として2021年7月に開港した。空港から市中心部まで、順調にいけば車で60分〜90分。渋滞に遭遇すると倍以上の時間がかかる。

　ウランバートル駅（**MAP** 折込裏-B2）は町の南西にあり、中心部まではバスやタクシーなどのほか、宿泊の場所によっては、徒歩でも行ける。

空港からの交通手段
　オフィシャルの乗合バスとタクシーがある。到着ロビーに出ると「TRANSPORTATION SERVICE」と書かれたカウンターがあり、手配が可能。空港ビルの出口付近から出発する。

乗合バス
　Ulaanbaatar Airport Shuttle（以下Ubus）というオフィシャルの乗合バスが運行している。乗客が集まり次第、出発する。料金は車のサイズによって異なり、5人乗りは3万Tg、15人乗りは2万5000Tg、45人乗りは2万Tg。カードでの支払いが可能。

タクシー
　VIP Service社、Ulaanbaatar Taxi Transport Service社のオフィシャルタクシーがある。急いでいるときはタクシーが便利。原則、市内は一律料金（右記参照）。

　ホテルやゲストハウスに事前に連絡して、送迎を依頼することもできる。有料の所が多いが確実だ。

ウランバートル駅からの交通手段
バス
　市内に向かうバス停は、駅前の通りを渡った反対側にある。路線バスならЧ:27番やЧ:29Б番が市街中心部に向かう（P.42、43）。バスの料金は500Tg。駅の構内にあるコンビニエンスストアで、バスの支払いに必要なプリペイドカード「U money」を購入できる。

タクシー
　駅から市中心部までのタクシーの適正料金は3000〜4000Tgくらい（2023年12月現在）。安全のため、個人タクシー（白タク）の利用は控えたい。ホテルやゲストハウスでは無料で送迎してくれる所も多いので、事前に頼んでおこう。宿泊場所によっては徒歩圏内。

渋滞に巻き込まれると移動に時間がかかる

チンギス・ハーン
国際空港
MAP P.64-A　☎71287360
📧info@nubia-llc.mn
🌐www.ulaanbaatar-airport.mn

夏季はバスが定期運行
　夏季は、空港からウランバートル市内まで12:30、17:30発の1日2便、Ubus社のバスが定期運行している。市街からは**H**ブルー・スカイ前からが8:20発と14:55発、**H**バヤンゴル前からが9:00発と15:35発。空港にはそれぞれ10:30、17:15に到着する。

最新情報を確認して！
　2023年夏の時点で2階建ての公共バスが市街と空港を循環していたが、2024年1月現在、運休している。復活する可能性もある。モンゴルではサービス内容が予告なしに頻繁に変更されることが多い。最新情報を確認されたい。

タクシー会社と料金
●Ulaanbaatar Taxi
　Transport Service
☎18001991
📧info1991@ubtaxi.mn
💴7万5000Tg
●VIP Taxi Service
☎70004499
📧viptaxi1199@gmail.com
🌐facebook.com/vip.taxi.co
💴10万Tg、15万Tg（車種による）

ウランバートル市街から空港、駅へ
●空港へ
　オフィシャルの乗合バスやタクシーに電話やFB経由で予約ができる。
●駅へ
　Ч:27番・Ч:29Б番バスなどで行ける。本書に載っている写真や旅のモンゴル語会話（→P.240）に載っている文などを見せて、駅に行きたい旨を伝えよう。

ウランバートル駅

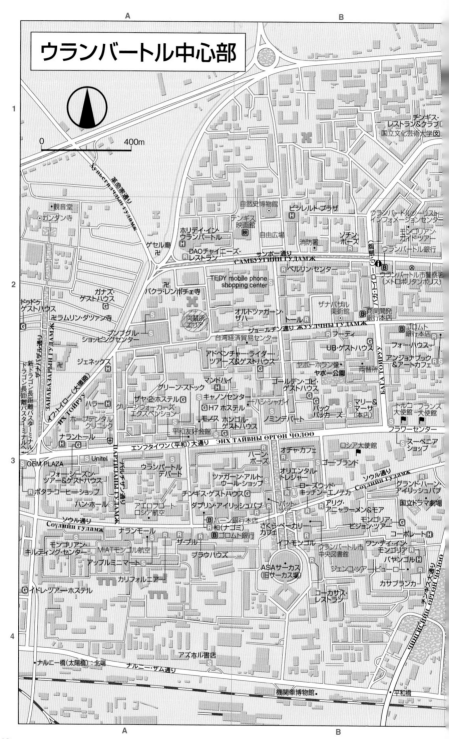

ウランバートル中心部

0 400m

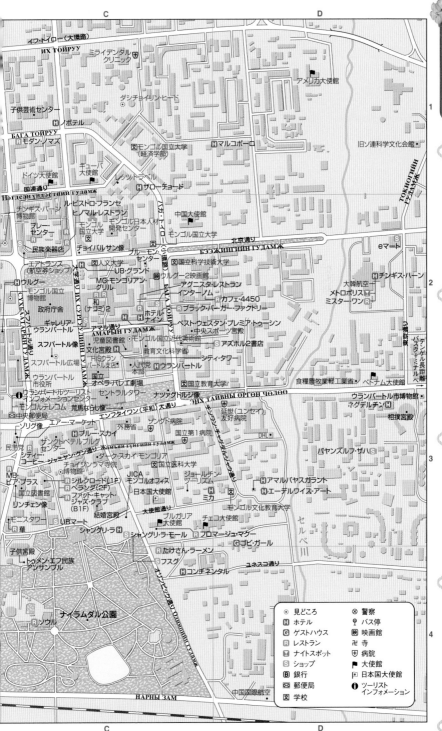

イフ・トイロー(大環路)

ИХ ТОЙРУУ

ミライデンタル
クリニック

ダシチョイリン・ヒード

アメリカ大使館

子供芸術センター

Hホテル

旧ソ連科学文化会館

БАГА ТОЙРУУ

Rモダン・ノマズ

図モンゴル国立大学
(経済学部)

Hマルコポーロ

ドイツ大使館

キューバ
大使館

Rレッツトラベル

国連通り
Нэгдсэн үндэстний гудамж

Rザロー・チョード

中国大使館

チンギス・ハーン
博物館

ルビストロ・フランセ

ヒマル・レストラン

モンゴル日本人材
開発センター

モンゴル
国立大学

фラー
センター

Sモンゴル
国立大学

図モンゴル国立大学

民族楽器店

チョイバルサン像

ブルーモン・C

БЭЭЖИНГИЙН ГУДАМЖ
北京通り

eマート

図人文大学
(航空券ショップ)

UB・グランド

図国立科学技術大学

Rチンギス・ハーン

Hウルグー

MGモンゴリアン・
グリル

ウルグー2映画館

大鵬航空

メトロポリス

モンゴル国立
博物館

和(スゴミ)2

アグースタ・レストラン

インターム

カフェ・4450

ミスター・ワン

ギャレリア・
ウランバートル

政府庁舎

Hホテル
ナイン

ブラック・バーガー・ファクトリー

ベスト・ウェスタン・プレミア・トゥーシン

АМАРЫН ГУДАМЖ
アマル通り

●中央スポーツ宮殿

スフバートル像

児童図書館

モンゴル国立現代美術館

アズホル2書店

スフバートル広場

文化宮殿

教育文化省

シティ・タワー

ウランバートル
市役所

HSР
バートル支庁

人民党
本部

Hウランバートル

ウランバートル市博物館

Hナグデルチン

ツーリスト
インフォメーションセンター

モンゴルテレコム

荒馬ならし像

ウランバートル
オペラ・バレエ劇場

セントラルタワー

ナツァグドルジ像

ЭНХ ТАЙВНЫ ӨРГӨН ЧӨЛӨӨ

延世(ユンセイ)

相撲宮殿

中央郵便局

Rソリグ像

エアー・マーケット

エンフタイワン(平和)大通り

外務省

ソンドン病院

国立第1病院

友好病院

DHL

バヤンズルフ・ザハ

ザンクトペテルブルグ
センター

ブルー・スカイ

民芸館

シティー
コービー

ジャミヤン・グン通り

ダークスカイモンゴリア

チョイジン・ラマ寺院

国立医科大学

ジョールチン
ツーリズム

アマルバヤスガラント

MB
ビア・ブラス

シルクロード(1F)
ベランダ(2F)

JICA
モンゴルオフィス

日本国大使館

ミカ

エーデルワイス・アート

国立図書館

ファット・キャット・
ジャズ・クラブ
(B1F)

結婚宮殿

モンゴル文化教育大学

リンチェン像

モニスタワー

華

UBマート

シャングリ・ラ

ブルガリア
大使館

チェコ大使館

フロマージュ・マグー

セ
ル
ベ

子供宮殿

シャングリ・ラ・モール

Gゴビ・ガール

トゥーメン・エフ民族
アンサンブル

Rたけさん・ラーメン

Sフスグ

ユネスコ通り

川

Rソウル

ナイラムダル公園

図コンチネンタル

НАРНЫ ЗАМ

中国国際航空

凡例

⊙ 見どころ ⊗ 警察
H ホテル ♀ バス停
G ゲストハウス 映 映画館
R レストラン 卍 寺
T ナイトスポット ▶ 大使館
S ショップ ▣ 日本国大使館
B 銀行 ❶ ツーリスト
✉ 郵便局   インフォメーション
図 学校

ウランバートルの歩き方

チャージ式スマートカード

市内の路線バスおよびトロリーバスに乗車するには、交通カード「U money」が便利。日本のSuicaやICOCAと同じようなチャージ式スマートカードで、カードの柄はさまざま。乗車時に運転手席脇の読み取り機に、下車時に降車口脇の読み取り機にかざす。降車後30分以内なら次のバスへの乗り継ぎは無料になる。コンビニエンスストアや「U money」のロゴマークのあるキオスクなどで購入（3600Tg、デポジット方式ではない）およびチャージ（300Tg〜）が可能。中心部の運賃はバスが500Tg、トロリーバスが300Tgの定額制（2023年12月現在）。

到着前にスタンバイ

モンゴルのバスはせっかち。降りるバス停に着いてから席を立つと間に合わないこともある。降りる前のバス停の停車時に移動し、降車口近くで待とう。

町の中心は、メインストリートのエンフタイワン（平和）大通り。スフバートル広場（**MAP** P.41-C2〜3）があり、ノミンデパート（**MAP** P.40-B3）や中央郵便局、各国大使館が建ち並ぶ。路線バス、トロリーバスが走り、人通りも多い。中央郵便局やスフバートル広場付近は地理的にも町の中心部に位置しているので、ここを起点に歩き始めるのがよい。周辺には政府関係の建物をはじめ、ウランバートル・ホテル、ブルー・スカイ・ホテルなどがある。国立ドラマ劇場の手前、ソウル通りを西方面に歩くと、おしゃれなレストランやカフェ、ショップが並び、やがて遊歩道にぶつかる。遊歩道は南の旧サーカス場と北のノミンデパートを結び、中央にビートルズのモニュメントが立つ。夏季は屋台が並び、ストリートフードやドリンクを楽しむ学生たちや家族連れなどでにぎわっている。

市内のおもな交通機関は、路線バス、トロリーバス、タクシー。人口集中が進む市内の交通渋滞は深刻化しており、市民生活にも大きな影響を及ぼすほど。モンゴルの新学期

遊歩道の噴水は子供の遊び場

主要バスのおもな通過地点（循環部分は青色表示）

・バス路線の多くは郊外から市中心部に入り市内を循環して戻る。
・バス停の名前が往路と復路で異なる路線もある。
・バスのルートは頻繁に変わるので要注意。

▬▬ M1 ドラゴン長距離バスターミナル〜エンフタイワン（平和）大通り〜ジューコフ博物館付近〜将校宮殿（テンゲル長距離バスターミナル方面

▬▬ M3 外国人国籍庁方面〜フンヌ・モール〜チンギス大通り〜バヤンゴルホテル〜スフバートル広場中央駐車場

▬▬ ч:4 ドラゴン長距離バスターミナル〜ガンダン寺〜イフ・トイロー

▬▬ ч:6 テンゲル長距離バスターミナル〜ナラントール・ザハ〜ウランバートル駅〜ドラゴン長距離バスターミナル〜新ドラゴン長距離バスターミナ

▬▬ ч:7 ボヤント・オハー国際空港〜フンヌ・モール〜チンギス大通り〜バヤンゴルホテル〜スフバートル広場〜
国立教育大前〜サンボー通り〜バガ・トイロー（小環路）

▬▬ ч:9 ボヤント・オハー国際空港〜フンヌ・モール〜ナルニー橋〜サンボー通り〜バガ・トイロー（小環路）

▬▬ ч:27 ウランバートル駅循環〜イフ・トイロー（大環路）〜
ダンバダルジャー地区〜日本人死亡者慰霊碑

▬▬ ч:28 バガ・トイロー（小循環）〜フラワーセンター〜エンフタイワン大通り〜
国立教育大前〜バガ・トイロー（小循環）〜ダンバダルジャー地区

▬▬ ч:29Б ウランバートル駅循環〜ソウル通り〜スフバートル広場〜イフ・トイロー（大環路）〜北京通り

▬▬ ч:39 第3・4地区〜ガンダン寺〜サンボー通り〜北京通り〜イフ・トイロー（大環路）

▬▬ ч:52 第3・4地区〜ガンダン寺〜サンボー通り〜バガ・トイロー（小循環）〜バヤンゴルホテル〜ナーダムセンター〜
ボグド・ハーン宮殿博物館〜ザイサン・トルゴイ

▬▬ ч:72 北京通り〜国立教育大前〜スフバートル広場〜バヤンゴルホテル〜ナーダムセンター〜ボグド・ハーン宮殿博物館〜
ザイサン・トルゴイ〜ボグド山登山口

▬▬ Y30 テンゲル長距離バスターミナル〜ナラントール・ザハ〜遊園地〜シャングリ・ラ・モール〜スフバートル広場中央駐車場

新ドラゴン長距離バスターミナル、
← ドラゴン長距離バスターミナルへ

エンフタイワン（平和）大通り ЭНХ ТАЙВНЫ ӨРГӨН ЧӨЛӨӨ

ウランバートル

が始まる8月末、12月のクリスマスシーズン、旧正月前が最も激しくなる。時期によって、渋滞緩和のため車のナンバー（奇数と偶数）による通行規制を行っているが、渋滞はなくならない。渋滞のために市内の移動に1時間以上かかることもあるので、歩いたほうが時間を節約できる。時間に余裕があれば、市民の暮らしを垣間見ることもできるバスを利用するのもよいだろう。ただしスリの被害も多いので、バッグを体の前に抱えるなどして注意しよう。タクシーはほとんどが個人タクシー（白タク）。正規タクシーを見つけるのはむずかしく、現地の人は日常的に白タクを利用している。料金の目安は1500～2000Tg/km。「UBcab」は、近くのドライバーを呼び出す配車アプリ。メーター表示もあり料金が明瞭なので、利用者も増えているが、安全のためにも不慣れな旅行者は白タクの利用は控えたい。

モンゴルでは市内バスも Google Maps が便利
　モンゴルのGoogle Mapsにはバス停マークが登録されていて便利。バス停マークをクリックするとそのバス停を通るバスのルートと運行状況が出てくる。

市内バス情報がわかる便利なアプリ
　市内バスの情報を簡単に調べられるアプリ「UB Smart Bus」もあるが、ある程度路線がわかっている、上級者向き。バスの路線番号やバス停名から経路を調べられるほか、乗りたいバスの運行状況を調べることができる。

スフバートル広場は市民たちにとっても撮影スポット

ウランバートル主要バス路線図

ザイサン・トルゴイ

住 ハンオール区
交 ４：52番・４：72番バスなどでタンクテイ・ホショー Tанктай хөшөө下車。ザイサン・スクエア・モールは徒歩約3分、その裏手がザイサン・トルゴイ
時 24時間 **休** なし **料** 無料

ザイサン・スクエア・モール

かつてザイサン・トルゴイまでは階段を上らなければならなかったが、ザイサン・スクエア・モールのエレベーターで途中まで行けるようになった。モールではショッピング、食事、映画なども楽しめる。みやげ物店もある。ザイサンエリアは新スポットとして注目されている。

ボグド・ハーン宮殿博物館

住 ハンオール区15番ホロー
交 ４：52番・４：72番バスなどでエムシーエスィーン・ブーダルMCS-ын буудалかオルギル・ラシャン・ソフィラルОргил рашаан сувилал下車。オルギルスーパーマーケットそば
電 70001926、（011）342195
URL www.bogdkhaanpalace.mn
時 9:00～19:00（冬季10：00～17:00）
休 無休（冬季は火・水曜）
料 8000Tg 5歳以下無料
写真撮影 2万5000Tg
ビデオ撮影 7万Tg

ボグド・ハーン宮殿

ガンダン寺

住 バヤンゴル区16番ホロー
交 ４：39番バスなどでガンダンГандан下車
電 77369999
時 観音堂9:00～17:00 セレモニーは9:00～12:00
料 7000Tg
観音堂内の写真（スマホ）無料
観音堂内のビデオ撮影 5万Tg

真っ白な壁が印象的

ウランバートルの見どころ

ウランバートルを一望できるモニュメント　**MAP** 折込裏-C3外

ザイサン・トルゴイ
Зайсан толгой

　スフバートル広場から約3km南の丘にある、戦勝記念碑。1971年に建てられた。コンクリート製の円形。内側はモンゴルとソ連両人民の友好、相互援助をイメージしたモザイク壁画になっている。両軍兵士が大日本帝国とナチスドイツの旗を踏み折っているのが印象的だ。2018年に完成したザイサン・スクエア・モールから行けるようになった。頂上からはウランバートル市を一望できる。麓の西側にあるブッダ像も人気の観光スポット。

鮮やかなモザイク壁画

モンゴル最後の皇帝ボグド・ハーン8世の宮殿　**MAP** 折込裏-C3

ボグド・ハーン宮殿博物館
Богд хааны ордон музей

　大モンゴル国最後の皇帝、活仏ボグド・ハーン8世が亡くなるまで過ごした宮殿。1893～1903年に建設された。境内には木造の寺院や門、図書館などがあり、内部は曼荼羅や仏教美術などを集めた博物館となっている。有名な活仏ザナバザル作の「21ターラー菩薩」は、一番奥のラヴリン寺に展示されている。門外には2階建ての冬の宮殿があり、ボグド・ハーンゆかりの品々が多数展示されている。

モンゴル人の信仰の中心地　**MAP** 折込裏-B1、P.40-A2

ガンダン寺
Гандантэгчилэн хийд

　正式名称をガンダン・テグチンレン寺院といい、1838年、活仏ボグド・ハーン5世によって建立されたチベット仏教寺院。極左政権期に寺院としての機能を奪われていたが、1944年に回復、社会主義時代にもモンゴルの人々の信仰の中心だった。観音堂には盲目となったボグド・ハーン8世（在位1911～1924年）が、その治癒を祈願して建立した高さ25mの開眼観音（メグジド・ジャナライサク）がある。釘が1本も使われていない建築も圧巻。

モンゴル帝国の歴史をひとまとめ　**MAP** 折込裏 -C1、P.41-C2

チンギス・ハーン博物館

Чингис хаан Үндэсний музейд

　2022年10月に旧自然史博物館跡地に開館した歴史博物館。おもにモンゴル帝国時代に皇帝や貴族が所有していた約14万点もの工芸品や実用品などを収蔵する。展示エリアは3階から8階の6フロア。紀元前3世紀に建国された騎馬民族国家・匈奴帝国時代から20世紀初頭までの歴史を、順を追って紹介する。メインの展示品に

は二次元コード読み込みで英語の説明が表示される。展示品が多いので、時間に余裕を持っていくことをすすめる。カフェや土産ショップも併設。

ゲルを模したドーム型の建物

チンギス・ハーン博物館
🏠 J Sambuu St., Chingeltei district 4
🚌 Ч：52番バスなどでフラワーセンター Цэцэг төв か、Ч：7番・Ч：28番バスなどでアルド映画館 Ард кино театр 下車、徒歩約10分
☎ 70212222
✉ info@chinggismuseum.gov.mn
🌐 chinggismuseum.com
🕐 9:00〜20:30（冬季9:00〜17:00）
🚫 無休（冬季は火曜）
💴 3万Tg（チケットは入口そばの販売機で購入。クレジットカードの場合は現金の場合はカウンターで購入可能）写真撮影　5万Tg

モンゴルの歴史を知るならここ　**MAP** 折込裏 -C1、P.41-C2

モンゴル国立博物館

Монголын үндэсний музей

　石器時代から民主化革命にいたるモンゴルの歴史的変遷を特徴づける、数々の展示が並べられている。収蔵品数約5万点はモンゴル全博物館の30％を占める。民主化後、モンゴルの人々のアイデンティティに配慮した展示に転換した。考古学研究にも力を入れ、常設展で研究成果を展示して

いる。期間限定の企画展示も頻繁に開催されている。モンゴル各地の民族服、生活用具も見られる。

赤茶色の壁に埋め込まれた白いレリーフが目印

モンゴル国立博物館
🏠 スフバートル区ツーリスト通り1、政府庁舎の西側
🚌 Ч：52番バスなどでフラワーセンター Цэцэг төв か、Ч：7番・Ч：28番バスなどでアルド映画館 Ард кино театр 下車、徒歩約8分
☎ 70110911、70110913
🕐 7:00〜21:00（入場は〜19:30、冬季9:00〜18:00）
🚫 無休（冬季は月曜）
💴 大人2万Tg　子供1万Tg
写真撮影　2万Tg

初めに訪れたい国民的広場　**MAP** 折込裏 -C1〜2・D1〜2、P.41-C2〜3

スフバートル広場

Сүхбаатарын талбай

　政府庁舎の南側にある石畳の敷かれた広場。チンギス、オゴタイ、フビライの3ハーン像が鎮座、中央には革命家スフバートルの騎馬像がある。2013年にチンギス・ハーン広場に改名されたが、2016年に

スフバートル広場に戻った。市民の憩いの場にもなっており、夏の夕方近くになるとどこからともなく友人同士や家族連れなどが集まってくる。

市民の交流の場でもある

スフバートル広場
🏠 スフバートル通りと大学通りの間
🚌 М1番・М3番・Ч：7番バスなどで、スフバートル広場 Сүхбаатар талбай 下車
🕐 24時間

45

チョイジンラマ寺院博物館

チョイジンラマ寺院博物館
住 スフバートル区1番ホロー、ゲンデン通り
交 M1番・ч:7番バスなどで、スフバートル広場 Сүхбаатар талбай 下車、徒歩約3分
電 (011) 328547
URL www.templemuseum.mn
開 9:00～18:00(冬季10:00～17:00、水・日曜のみ開館)
休 無休
料 大人　1万5000Tg
写真撮影　5万Tg～
ビデオ撮影　5万Tg

都心に立つ寺院博物館　　　MAP 折込裏-C2、P.41-C3

チョイジンラマ寺院博物館
Чойжин ламын сүм музей

　活仏ボグド・ハーン8世の弟であるチョイジン・ラマ・ロブサンハイダブのために1904～1908年にかけて建立された寺院。年1回行われてきたチベット仏教のツァム祭典(仮面舞踏)で使用された面や楽器が陳列されている。年に1回、屋外でナイトミュージアムが開催され、伝統舞踏や歌を楽しめる(8万～15万Tg)。

ツァムに使う面も展示

ザナバザル美術館
住 チンゲルテイ区、商業開発銀行本店の西
交 ч:52番バスなどでフラワーセンター Цэцэг төв か、ч:7番・ч:28番などでアルド映画館 Ард кино театр 下車、徒歩約8分
電 (011) 323986
開 9:00～18:00(冬季9:00～17:00、土・日曜は10:00～)
休 無休(冬季は土・日曜)
料 大人　1万5000Tg
子供　1500Tg
写真撮影　4万5000Tg
ビデオ撮影は事前申請が必要

モンゴル仏教美術が結集　　　MAP 折込裏-C1、P.40-B2

ザナバザル美術館
Занабазарын нэрэмжит дүрслэх урлагийн музей

　モンゴル初の活仏であり、優れた芸術家といわれたザナバザル作の仏像や、国民画家シャラブの「モンゴルの一日」、アップリケによる仏画などを展示する国立の美術館。古代から20世紀初頭までの美術工芸品1万2000点を収蔵する。美術館の名称は、ザナバザルの生誕350周年を記念して1995年に改称された。

2階建ての瀟洒な建物

どこで見られる？　恐竜の化石標本

　恐竜の化石の宝庫、モンゴルに来たからには、ぜひ恐竜の骨格標本をじかに見てみたい。2023年11月現在、ボヤント・オハー国際空港近くのショッピングモール「フンヌ・モール」(MAP P.64-A)の一角で見ることができる。国の恐竜化石研究機関「モンゴル科学アカデミー古生物学地質学研究所」が展示、運営する正式な施設で、化石標本の展示手法、解説内容など学術的なものが揃う。難点は、中心部から少し離れており、渋滞に巻き込まれる場合が多いこと。

　もし時間がなければ、市中心部にある「自然史博物館(旧恐竜博物館。旧自然史博物館にあった展示物の一部を移設し併合。名称も変更された)」(MAP P.40-B2)がおすすめ。恐竜化石について研究している研究者は不在だが、モンゴルの自然や恐竜について知るには好都合の施設だ。

　2023年夏には南ゴビのバヤンザグで、恐竜フェスティバルが行われ、世界中から恐竜ファンたちが集った。今後、ウランバートルの南にモンゴルの恐竜を中心とした古生物学関係の博物館を建設する動きもある。今、モンゴルの古生物学界から目が離せない。

(→P.142)

フンヌ・モールに展示されたサウロロフスの恐竜骨格化石

フンヌ・モール内恐竜博物館
交 M3番・ч:7番・ч:9番バスなどでフンヌ・モール Хүннү Их дэлгүүр 下車すぐ
開 11:00～19:00　休 月曜　料 4500Tg

ソ連軍人の名を冠した博物館　　　　　MAP 折込裏-E2

ジューコフ博物館
Жуковын музей

　ノモンハン事件でソ連軍を指揮した軍人ゲオルギー・ジューコフ（1896～1974年）の功績をたたえた博物館。同事件勝利40周年を記念して建てられた。彼の生涯に特化し、生前使用した軍服や武器が展示されている。

入口の左右にモザイク画がはめ込まれている

モンゴルの国防史が見られる　　　　　MAP 折込裏-E1

モンゴル軍博物館
Монгол цэргийн музей

　1966年にオープン、1990年代に現在の建物が建てられた。社会主義時代からのモンゴル軍の歴史的資料が並ぶ。1939年のノモンハン事件（ハルハ河戦争）当時の兵士の私物の展示が胸に迫る。屋外に戦車や戦闘機などの展示物がある。

ジューコフ博物館の北側にある

モンゴルならではの作品が豊富　　　　MAP P.41-C2

モンゴル国立近代美術館
Монголын уран зургийн галерей

　モンゴル人民共和国成立以降に制作された絵画や彫刻などの美術作品約4000点を収蔵する。モンゴル遊牧民ならではの暮らしや、草原、砂漠といった自然の美しさが描かれた作品が多く、モンゴルにいっそう興味が湧く。もともと仏画の製作に使われていたアップリケの手法を用いて、社会主義の理想を描いた作品は、モンゴルならではの貴重なものだ。

ウランバートルの歴史と深くかかわる、由緒正しき寺院　MAP P.41-C1

ダシチョイリン・ヒード
Дашчойлин хийд

　通称ズーン・フレー（Зүүн хүрээ）。仏教都市から始まったウランバートルにとって重要な寺院。1890年に建てられたが、社会主義時代の1930年代後半に破壊され、サーカス場に転用された。今でも「古いサーカス」と呼ぶ人がいる。1990年に再生され、現在は、3つのゲル型の建物と100人以上の僧を抱える。朝早い寺院には、法要の読経の声が流れ、心地がいい。年に1度伝統的な宗教行事、ツァムが行われる。開催日は旧暦に基づき、毎年変わる（2023年は7月15日に行われた）。2024年には高さ23mの大仏が完成する予定。

黄色いゲル型の寺院が青空に映える

ジューコフ博物館
住 バヤンズルフ区
交 M1番バスなどでジューコフ博物館Жуковын музей下車
☎ 91696365
開 9:00～17:00
休 火曜
料 大人　5000Tg
写真撮影　2万Tg
ビデオ撮影　5万Tg

モンゴル軍博物館
住 バヤンズルフ区
交 ジューコフ博物館より北へ徒歩約10分
☎ 70112844
開 9:00～17:00　休 火曜
料 大人　1万Tg
写真撮影　3万Tg
ビデオ撮影　5万Tg

モンゴル国立近代美術館
住 スフバートル区、文化宮殿の東
交 Ч:7番・Ч:28番・Ч:72番バスなどで、国立教育大学МУБИС下車、徒歩約3分
☎ 89032596
開 10:00～18:00　休 無休
料 大人　1万Tg

作品を間近に眺められる

ダシチョイリン・ヒード
住 Baga Tiruu, Sukhbaatar District
交 Ч:4番バスなどでウドリーン・ソニンөдрийн сонин下車、徒歩約3分
☎ (011) 352007
URL www.dashichoiling.mn
開 9:00～18:00
休 無休　料 無料

見晴らしのよい場所にある

日本人死亡者慰霊碑
🏠市中心部から北東方向約15km ❖ウランバートル駅などから4:27番バスでヤポン・ツェルギーン・ツォグツォルボルЯпон цэргийн цогцолбор下車。ダンバダルジャー僧院Дамбадаржаа хийдでも4:27番バスに乗り換えられる ☎95257007 🕐日没まで 🈳無休 💴無料 ※現在、厚生労働省がモンゴル赤十字社に委託して管理している。記念堂に入るには敷地内に住む管理人に鍵を開けてもらう。管理人はモンゴル語のみ

ダンバダルジャー僧院
🏠日本人墓地跡付近 ❖Sフラワーセンター（MAP P.40-B3）前などから4:28番バスで、ハーン・バンクХаан банк下車 🈳無休 💴無料 ※日本人霊堂は施錠されている。頼んで開けてもらう。入れてもらえないことも多い

日本人として訪れたい場所　　　　　　　　MAP P.64-A

日本人死亡者慰霊碑
Япон цэргийн дурсгалд зориулсан цогцолбор

　第2次世界大戦後、モンゴル抑留中に亡くなった約1700名の日本人の慰霊碑。1999〜2001年にかけて日本の厚生省（現在の厚生労働省）によって遺骨が収集されたダンバダルジャー墓地の跡地に、慰霊碑と記念堂が建てられた。慰霊碑上部にドアの形をした2種類の石が据え付けられている。両国が歴史を振り返り、明るい未来へ進むという両国の友好関係を象徴する。2017年には日モ国交樹立45周年を記念して、20株の桜が植えられた。

かつての日本人抑留者の病院が残る　　　　MAP P.64-A

ダンバダルジャー僧院
Дамбадаржаа хийд

　ジェプツンダンバ2世活仏をしのび、1761〜1765年に建立された僧院。往時は25の僧坊などが建ち並び、1500人の僧が居住していた。現在、修復された寺院、仏塔、ふたつの鐘楼や碑楼などが残る。当時、日本人抑留者の病院として使われていた建物（建て替えられた）や日本人霊堂もある。日本人霊堂は自身も抑留者だった軍医の故・春日行雄氏が私財を投じて建立した。亡くなった方々の遺骨が展示され、日本の地を踏むことなく斃れた方々の無念を察することができる。

ウランバートルの近代建築とノゴーン・ノール（緑の湖）

　市中心部、スフバートル広場東側に、ひときわ目を引くピンク色の瀟洒な建物がある。国立オペラ・バレエ劇場だ。

　実は、この華やかさの裏に、第2次世界大戦後、モンゴルに捕虜として抑留された日本人たちの過酷な歴史が刻まれていることを知らない人は多い。

　当時、抑留者たちは固い岩崖を削る苦役を課せられた。切り出された石は砂利として加工され、オペラ劇場のほか、スフバートル広場周辺の基礎工事に使われた。

　その採石場跡が、ウランバートルの郊外、町を一望できるゲル地区にある。現在、その地は「ノゴーン・ノール（緑の湖）」という児童公園に生まれ変わり、夏はボート、冬はスケートを楽しむ人たちでにぎわう（MAP P.64-A）。

　一時ゴミ捨て場だったこの地を、公園に再生させたのはウルジートクトフさん。後にこの地が日本人抑留者たちの苦役跡だと知って以来、当時の写真や資料を集めてきた。2022年夏には記念博物館「さくら」をオープン（入場無料）し、次世代にその歴史を伝える。オープン式典には当時日本人抑留者の監視員をしていたチョグサムジャブさんが特別来賓として参列した。

　今や世代や国籍を超えて人々が集うコミュニティの場になったかつての苦役跡。祖国への帰還がかなわずに亡くなられた日本人の魂も少しは浮かばれるだろうか。

問い合わせ：
☎91166366
（ウルジートクトフさん）
※モンゴル語のみ

市民の集う公園に生まれ変わった、かつての石切り場。市街を一望できる

シャングリ・ラ

高級

Shangri-la

🗺 P.41-C3

2015年にオープン。市内観光に最適なロケーションにある超高級国際ホテル。全館を通して、エレガントな雰囲気が漂う。レストラン、フルサービススパ、ラウンジ、トレーニングジムなど、多彩な施設がある。全290室。隣接する⑤シャングリ・ラ・モールには映画館や国内外の一流ブランドショップが並び、ショッピングも楽しめる。

🏠 19 Olympic St., Sukhbaatar District-1
☎ 77029999
📧 slub@shangri-la.com
🌐 www.shangri-la.com
💴 ⑤ US$380〜830　①US$410〜830（トイレ・シャワー・朝食付き）
カード AJMV

青空に突き抜けるように建つ

ブルー・スカイ

高級

The Blue Sky Hotel & Tower

🗺 P.41-C3

スフバートル広場の南東すぐにそびえる5つ星の高級ホテル。半円形で、目を引く高層タワー。フィットネス、サウナ、プールなど館内施設も充実。広東料理、日本料理、韓国料理、西洋料理と絶品料理を提供。全200室。23階と24階にラウンジがあり、毎週火・木曜（21：00〜24：00）にライブバンド演奏を楽しみながら、ウランバートル市の夜景を眺望できる。

🏠 Peace Ave. 17, 1st Khoroo, Sukhbaatar District
☎ 70100505
📧 smc@hotelbluesky.mn
🌐 www.hotelbluesky.mn
💴 ⑤ US$185〜　①US$200〜（トイレ・シャワー・朝食付き）
カード AJMV

ウランバートルのランドマーク的な外観

ベスト・ウェスタン・プレミア・トゥーシン

高級

Best Western Premier Tuushin

🗺 P.41-C2

アメリカのベストウェスタン系列で、5つ星クラスの高級ホテル。ウランバートル中心部に位置し、政府庁舎とスフバートル広場より徒歩約2分。フィットネス、ミネラルバスなど、レジャー施設も充実。ラウンジでは金曜の夜、ライブ演奏を鑑賞できる。観光、ビジネスにとても便利。コンビニも近い。

🏠 Prime Minister Amar St.15
☎ (011) 323162
📧 info@bestwesternmongolia.mn
🌐 bestwesternmongolia.mn
💴 ⑤ US$147〜245　①US$157〜255（トイレ・シャワー・朝食付き）
カード AJMV

高くそびえたつタワー

チンギス・ハーン

高級

Chinggis Khaan

🗺 P.41-D2

1995年にオープンの存在感のあるホテル。すぐ隣に大型スーパーマーケットeマートがあり、食料品、旅の必需品などが揃うほか、フードコートもあり、便利。上層階からセルベ川の流れを望むことができる。5階にふたつのレストランがあり、ビュッフェ形式で、西洋料理とモンゴル料理を楽しめる。ツアーデスクも利用できる。

🏠 Tokyo St. 10, Bayanzurkh District
☎ 70000099
📧 marketing@chinggis-hotel.com
🌐 chinggis-hotel.com
💴 ⑤ 30万Tg〜　①38万Tg〜
⑤ US$547（トイレ・シャワー・朝食付き）
カード AJMV

壁面のタイルが目印

ケンピンスキー・ホテル・ハーン・パレス　高級
Kempinski Hotel Khan Palace Ulaanbaatar　MAP 折込裏-E1

スフバートル広場から東へ約2.2kmにある5つ星ホテル。広々とした客室と寝心地のよいベッドが評判。フィットネスセンター、サウナ、スパ、マッサージなどのサービスも完備。全99室。日本語可のスタッフがいる。

住 East Cross Rd.
☎ (011) 463463
E reservations.ulaanbaatar@kempinski.com
URL www.kempinski.com
料 ⑤US$185〜　①US$200〜　⑧US$275〜（トイレ・シャワー・朝食付き）　カード AJMV

世界の国旗がお出迎え

コンチネンタル　高級
Continental　MAP P.41-C4

チョイジンラマ寺院博物館やⓈシャングリ・ラ・モールが徒歩圏内。ナイラムダル公園が近く、緑を感じられる。全36室。長期滞在者向けの客室も。フィットネスルームスパ、エステも完備。日本語可のスタッフがいる。

住 Unesco St. 8
☎ (011) 323829
E sales@ubcontinentalhotel.com
URL ubcontinentalhotel.com
料 ⑤US$185〜　①US$200〜（トイレ・シャワー・朝食付き）
カード AJMV

クラシカルな外観が魅力

ラマダ・ウランバートル・シティ・センター　高級
Ramada Ulaanbatar City Center　MAP 折込裏-B2

17階建ての国際高級チェーンホテル。最上階に市街を見渡せるバーがある。高級レストランのほか、ファストフードレストラン、会議室、スパなどの施設が整う。近代的なショッピングセンターを併設。全128室。

住 Gandan Peace Ave. 35/2, 16th Khoroo, Center, Bayangol District ☎ 70141111
E ramada@ramadaub.mn
URL www.ramadaub.mn
料 ⑤48万6000Tg〜　①52万8000Tg〜（トイレ・シャワー・朝食付き）
カード AJMV

施設充実の大型ホテル

バヤンゴル　高級
Bayangol　MAP P.40-B4

モンゴル最大の祭り、ナーダムが行われる中央スタジアムまで車で約7分とアクセスがよい。スフバートル広場まで徒歩約10分。スパ、マッサージ、レストラン、フィットネスルームがある。全208室。

住 Chinggis Ave. 5, Sukhbaatar District-1 ☎ (011) 312255
E info@bayangolhotel.mn
URL bayangolhotel.mn
料 ⑤25万7320Tg〜　①33万3000Tg〜（トイレ・シャワー・朝食付き）　カード AJMV

大通りに面しアクセス抜群

コーポレート　高級
The Corporate　MAP P.40-B3

都会的でシックな外観。夜景のきれいな屋上のビューラウンジは都会の穴場スポット（11:00〜22:00）。スパやサウナルームでリラックスできる。宿泊者が無料で利用できるパソコン、複合機も完備。全55室。

住 Chinggis Ave. 5, Sukhbaatar District-1 ☎ (011) 334411
E mail@corporatehotel.mn
URL www.corporatehotel.mn
料 ⑤25万7220Tg　①33万3000Tg（トイレ・シャワー・朝食付き）　カード AJMV

観光はもちろんビジネスでも利用したい

ウランバートル　高級
Ulaanbaatar　MAP P.41-C2

社会主義時代を代表するモンゴル初の5つ星ホテル。中心部にあり観光スポットへのアクセスもよい。2024年上半期にリニューアルオープン予定。歴史を感じさせるホテルから近代的なホテルに生まれ変わる。

住 Sukhbaatar Square 14
☎ (011) 320620
E reservations@ubhotel.mn
URL www.ubhotel.mn
料 ①15万〜25万Tg（トイレ・シャワー・朝食付き※リニューアル前）
カード AJMV

夜にはネオンサインが目印に

ホリデイ・イン・ウランバートル

Holiday Inn Ulaanbaatar　　　高級

MAP P.40-A2

2016年にオープンした高級ホテル。徒歩圏内にモンゴル最大の仏教寺院ガンダン寺がある。市内随一のバリアフリー設備を整えている。個室でのスパやエステを楽しめる。全169室。朝食ビュッフェの種類が多く充実している。

🏠 Sambuu St. 24, Chingeltei District　☎70142424
📧 reservation@hih.mn
🌐 www.ihg.com
💰 ⑤36万〜44万Tg　①40万〜53万Tg（トイレ・シャワー・朝食付き）　カードAJMV　📶

すべての人に優しい近代的ホテル

ビシレルト・プラザ

Bishrelt Plaza　　　高級

MAP P.40-B2

アールデコ様式のきれいなホテル。ふたつのレストランがあり、西洋料理、アジア料理を提供。ビリヤードやカラオケも楽しめる。全28室。レンタカー、タクシー、空港送迎を手配してくれる。自然史博物館や自由広場のすぐそば。

🏠 Liberty Square, Sambuu St.
☎(011) 313786
📧 info@bishrelt.mn
🌐 bishreltgroup.mn
💰 ⑤US$320〜　①US$350〜⑤US$450（トイレ・シャワー・朝食付き）　カードMV　📶

利便性の高いホテル

ノボテル

Novotel　　　中級

MAP P.41-C1

2018年にオープンした新しくて近代的なホテル。市内の主要観光地へのアクセスもよく好立地。広々としたスタイリッシュな客室が自慢。ビュッフェレストラン、パブ、フィットネス、プールなどの施設も充実。全192室。

🏠 Baga Toiruu, 6th Khoroo, Sukhbaatar District
☎70101188　📧hb1d8-sl@accor.com　🌐www.accorhotels.com
💰 ⑤US$180　①US$195（トイレ・シャワー・朝食付き）
カードAJMV　📶

おしゃれな外観に気分も上がる

UB・グランド

UB Grand　　　中級

MAP P.41-C2

ウランバートルの中心部にあり、チンギス・ハーン博物館やスフバートル広場まで徒歩すぐの好ロケーション。朝食は西洋料理、アジア料理、ビーガン料理などから選べる。全43室。

🏠 Sukhbaatar Square Street 20-2
☎77159595, 75259595
📧 oyuntsetseg.l@ub-grand.com
🌐 ubgrandhotel.business.site
💰 ⑤25万Tg　①35万7000Tg（トイレ・シャワー・朝食付き）
カードAJMV　📶

客室はビルの高層階

ホテル・ナイン

Hotel 9　　　中級

MAP P.41-C2

スフバートル広場の東側すぐ。好立地だが、大通り沿いではないので比較的静か。こぢんまりしていて、スタッフのサービスもていねい。1階にモンゴル料理レストランやハンバーガーショップを併設。全53室。

🏠 Amriin Gudamj-8 Sukhbaatar District　☎77114334
📧 reservation@hotelnine.mn
🌐 hotelnine.mn
💰 ⑤28万2800Tg　①32万8250Tg（トイレ・シャワー・朝食付き）
カードAJMV　📶

赤を基調としたポップな外観

エーデルワイス・アート

Edelweiss Art　　　中級

MAP P.41-D3

2019年12月にリニューアルオープン。バー、ラウンジなどもあり、きれい。セルベ川が近く、付近の環境もよい。欧米人客にも人気がある。全20室。各室のベランダから、ボグド・ハーン山と市街を眺められる。

🏠 Chin Van G. Chagdarjav St. 20
☎(011) 312186
📧 edelweis@mongol.net
🌐 www.edelweiss.mn
💰 ⑤22万5000Tg〜　①27万5000Tg〜⑤55万Tg（トイレ・シャワー・朝食付き）　カードJMV　📶

赤い外壁がぱっと目を引く

HS ハーンリゾート

MAP P.64-A

高級

HS Khaan Resort

モンゴル初の草原にたたずむラグジュアリーリゾート。広さ120㎡の開放感あふれる客室ゲルはすべてがグラスオーシャンフロント。バス、トイレ、シャワールームは個別に設置され、中央のバスルームから草原や降り注ぐような星空を見渡せる。豪華フランス料理や客室で専任セラピストによるマッサージを楽しめる。全25棟。

🏠Khui Doloon Hudag, Argalant-sum, Tov-aimag
☎70115311、99085311
📧info@hskhanresort.com
🌐hs-khaan-resort.com
💰Ⓢ145万Tg〜
Ⓣ154万Tg〜（朝食付き）
3名より1名追加27万Tg〜、1部屋4名まで
カードJMV

HSハーンリゾートの客室

セブン・スターズ・ゲル・キャンプ ツーリストキャンプ

MAP P.64-A

Seven Stars Ger Camp

ウランバートルから西へ約40kmの草原にあり、長い旅の後にくつろいでもらうコンセプトで、この地にオープンした。北欧式のサウナ（3万Tg）も。モダンなゲルの中は開放的。望遠鏡で星空観察も。オーナーがツアー相談にものってくれる。

🏠Algalant-sum, Tov-aimag
☎88252588、89466666
📧tamatour8899@gmail.com
🌐fourseason.mn
💰4人部屋：6万Tg/人（トイレ・シャワー・朝食付き）
カードJMV

ジリミーン・ツァガーン・ノール・ツーリストキャンプ ツーリストキャンプ

MAP P.64-A外

Jirimiin Tsagaan Nuur Tourist Camp

ウランバートルから西へ約60km、草原にあるツーリストキャンプ。敷地内には広い畑があり、新鮮野菜を使った料理がふるまわれる。女性オーナーのオユンさんは日本語が話せて親切。乗馬体験は2時間3万Tg。みやげ物店も併設。

🏠Algalant-sum, Tov-aimag
☎99145233、86442288
📧oyun@mongol.net
🌐oyuncamp.com
💰1万2000Tg（トイレ・シャワー・3食付）
カード不可

ウルグー
Urguu 中級

MAP P.41-C2

スフバートル広場近くのにブティックホテル。全10室。パリのアパルトマンのような落ち着いたたたずまい。1階にレストランがある。スフバートル広場に近くロケーションも抜群。イングリッシュブレックファストも選べる。

Door#6, M100 Bldg., Tourist St., 1st Khoroo　☎70116044
E info@urgoohotel.com
URL urgoohotel.com
料 S22万Tg　T25万Tg（トイレ・シャワー・朝食付き）カード JM

小さな洋館みたい

フラワー
Flower 中級

MAP 折込裏-D1

モンゴル初の日系ホテル。日本語を話せるスタッフが多く、設備やサービス面も日本式に感じられる。日本料理、中国料理、西洋料理のレストランや、広い大浴場も（宿泊客無料）。ビジネスセンターやおみやげ店もある。

Zaluuchuud Ave. 18, Bayanzurkh District
☎ (011) 458330　E reservation@flower-hotel.mn　URL www.flower-hotel.mn　料 S21万5000～35万Tg
T25万Tg（トイレ・シャワー・朝食付き）カード ADJMV

花のマークが目印

ナラントール
Narantuul 中級

MAP P.40-A3

2010年に改装。ビジネスや観光に最適。全室にキッチンが付き、リビングルーム、ベッドルームに分かれ、広々とした造り。長期滞在におすすめ。3階のレストランはガラス張りで、ガーデンもあり、快適。全24室。

Peace Ave., West, Cross Rd., Chingeltei District
☎ (011) 330565　E info@narantuulhotel.com　URL www.narantuulhotel.com　料 S20万～35万Tg
T24万～40万Tg（トイレ・シャワー・朝食付き）カード AJMV

ゆったりとした客室

テムジン
Temuujin 中級

MAP 折込裏-E2

2017年に改装された日系ホテル。日本語を話せるスタッフもいる。レストランはメニューが豊富で自家製パンが自慢。中心部から少し離れた閑静な住宅街にある。各種ツアー手配可。全29室。

Peace Ave. 44, Bayanzurkh District
☎ (011) 463322
E hoteltemuujin@yahoo.com
facebook.com/temuujinhotel
料 S15万Tg　T23万Tg（トイレ・シャワー・朝食付き）カード AJMV

どこか懐かしい趣のある外観

シティ・タワー
City Tower 経済的

MAP P.41-C2

スフバートル広場のすぐ東にあり、好ロケーション。客室は広めで清潔。モダンなインテリアですっきりしている。客室フロアは22階。26階には韓国レストランがあり、眺望がいい。全39室。

City Tower 22F, Sukhbaatar District, 8 Khoroo　☎77022676
E nomintts@gmail.com
facebook.com/citytowerhotel restaurant　料 S13万5000～17万5000Tg　T15万5000～20万Tg（トイレ・シャワー・朝食付き）カード MV

市の中心部、スフバートル広場は目の前

東横イン・ウランバートル
TOYOKO INN Ulaanbaatar 経済的

MAP 折込裏-B2

エンフタイワン（平和）大通り沿い。ガンダン寺などの市街西寄りの観光地やショッピングモールに近く便利。朝食に白米や味噌汁、フルーツがあり、日本の東横INNとほぼ同じ仕様とサービスになっている。全263室。

9D Peace Avenue, 2nd Khoroo, Bayangol District　☎75071045
E 262@wm.toyoko-inn.com
URL www.toyoko-inn.com/index.php/search/detail/00262　料 S13万～16万Tg（トイレ・シャワー・朝食付き）
カード MV

エンフタイワン大通りに面した16階建ての建物

モンゴリカ

Mongolica　　　　　　　　　中級

草原にあるホテル

MAP P.64-A

チンギス・ハーン国際空港から約48km、車で約40分の好立地で空港から渋滞知らず。ウランバートル郊外にある自然に恵まれたリゾートホテル。レストラン、卓球室、カラオケルームなど施設も充実。コテージ棟（4棟）を新設。全25室。

- Mt. Songino, Khan-Uul District
- 96985152　info@mglhotel.mn
- www.mglhotel.mn
- ホテル：⑤US$60　①US$90（トイレ・シャワー・朝食付き）
- コテージ：US$220（4ベッド、トイレ・シャワー・朝食付き）　カード MV

ハーブ

Khabu　　　　　　　　　経済的

エメラルドグリーンの外観

MAP 折込裏-B2

ウランバートル駅から500mほどに位置する。こぢんまりとして、清潔なホテル。全32室。レストランではモンゴルの伝統的な料理と西洋料理を楽しめる。レストランにはVIP室があり、ゆっくり食事したいときに最適。

- Zamchid St. 48A, 1st Khoroo, Bayangol District
- (021) 258888
- info@khabu.mn
- facebook.com/KhabuUlaanbaatar
- ⑤11万Tg　⑥15万Tg（トイレ・シャワー・朝食付き）　カード AJMV

アムーレ

Amure　　　　　　　　経済的

きれいなホテル。部屋も広々としている。ガンダン寺など、観光地へのアクセスもよい。館内にレストランとバーも。ランドリーサービスあり。全51室。

MAP 折込裏-B1

- Bayangol Duureg, 18th Khoroo, Jalkhanz Khutagt
- (011) 361697
- ⑤8万8000Tg　⑥9万8000Tg（トイレ・シャワー付き）
- カード AJMV

エトゥゲン

Etugen　　　　　　　　経済的

ウランバートル駅前に立つ。レストランやカラオケルームも併設。全12室。リビングが別になった客室を選択可。

MAP 折込裏-B2

- Magsarjav St., 4th Khoroo, Bayangol District
- 89807106
- facebook.com/etugenhotel
- ①19万Tg（トイレ・シャワー・朝食付き）　カード MV

フォー・シーズン・ツアー＆ゲストハウス　ゲストハウス
Four Season Tour & Guesthouse　MAP P.40-A3

経験豊かなオーナーが、通年で遊牧民との暮らし体験や乗馬など各種ツアーを親身にアレンジ。車のチャーターや6～20名のグループツアーも。エンフタイワン（平和）大通り沿いで交通も便利。自炊可。英語可。全4室。

🏠Peace Ave. 25-14, 3th Khoroo, Chingeltei District
☎88252588、94993536　Etours@fourseason.mn　URLfourseason.mn
料DUS$9　SUS$16　TUS$22（トイレ・シャワー共同、朝食付き）　カードJMV　☎

モンゴルならではのツアーに参加しよう

ホンゴル・ゲストハウス　ゲストハウス
Khongor Guesthouse　MAP P.40-A3

モンゴル人家族が経営する老舗のゲストハウス。経営豊かなオーナー一家が、モンゴル各地のツアーを良心的な料金でアレンジしてくれる。馬頭琴製造体験なども。自炊可。空港間の送迎あり（US$30）。英語可。全9室。

🏠Door #5,50 Myangat Bldg. #15, Peace Ave., Chingeltei District
☎99252599　Ekhongor@mongol.net　URLkhongorexpedition.com/guest-house　料DUS$10
SUS$15～30（トイレ・シャワー共同、朝食付き）　カードAMV

初めてのモンゴルでも安心

アドベンチャー・ライダー・ツアーズ＆ゲストハウス　ゲストハウス
Adventure Rider Tours & Guesthouse　MAP P.40-B2

ノミンデパートから北へ徒歩約3分、大通りから1本入った18と書かれたアパートの3階。キッチン、ダイニング、リビングが広くてきれい。自炊可。経験豊かなオーナーが、各地ツアーの相談にのってくれる。英語可。全5室。

🏠Bldg. #18, 3rd Khoroo, Chingeltei District
☎99856789　Einfo@adventurerider.mn　URLwww.adventurerider.mn　料DUS$10　SUS$28
TUS$40（トイレ・シャワー共同、朝食付き）　カードAJMV　☎

友人宅に招かれたような室内

LG・ゲストハウス　ゲストハウス
LG Guesthouse　MAP 折込裏-B2

ウランバートル駅の近く。鉄道利用者に便利。ラゲージルームは無料。共用キッチン、24時間対応フロント、外貨両替サービスもあり。車チャーター US$80～90/日。駅の無料送迎、空港の有料送迎あり（US$50）。全9室。

🏠House 8, Teeverchin St., 3rd Khoroo, Bayangol District
☎99121096　Econtact@lghostel.com　URLlghostel.com
料DUS$10　SUS$10
TUS$30（トイレ・シャワー共同、朝食付き）　カードAMV　☎

光が差し込む明るい室内

モンゴリア・ビジョン・ツアー　ゲストハウス
Mongolian Vision Tour　MAP P.40-B3

スフバートル広場から約800mにあるゲストハウス。市街地の景色を眺望できるベランダ、静かな図書室もある。ドミトリールームのベッドは2段ベッドではなく、カプセルタイプでプライバシーを保ちやすい。英語可。全8室。

🏠Bldg. #33 Door #65, 1st Khoroo, Sukhbaatar District
☎95119399　Einfo@mongolianvisiontours.com　URLmongolianvisiontours.com　料DUS$10
TUS$26（トイレ・シャワー共同、朝食付き）　カードAMV　☎

この看板が目印

イドレ・ツアー・ホステル　ゲストハウス
Idre Tour Hostel　MAP P.40-A4

少し中心部から離れているが、ウランバートル駅から近くて便利。近代的な設備が揃い、部屋も清潔で居心地がよい。ツアーアレンジのほか、国際列車のチケット手配や各種手続きにも応じてくれる。全6室。

🏠Bldg. #22, Narnii Guur St., 3rd Khoroo, Bayangol District
☎88028068　Einfo@tours2mongolia.com　URLtours2mongolia.com　料DUS$8　SUS$28（トイレ・シャワー共同、朝食付き）　カードAMV　☎

カラフルな内装

ゴールデン・ゴビ・ゲストハウス　ゲストハウス
Golden Gobi Guesthouse　🗺P.40-B3

　ノミンデパートの東側にあり、メインの観光地が徒歩圏内。英語可。全11室のうち3室がトイレ・シャワー・キッチン付き。空港送迎US$30。

🏠Bldg. #13 1st Khoroo, Chingeltei District　☎96654496
🌐thegoldengobi.com　料⑪Ｄ US$10　⑤US$33　Ⓣ US$30（トイレ・シャワー共同、朝食付き）　カードAMV　📶

ゴビ・ガール　ゲストハウス
Gobi Girl　🗺P.41-D3

　市の中心部の南東にあり、好立地。ゴビ出身のホストが遊牧民ツアーも企画する。空港間の送迎US$30。英語可。

🏠Bldg. #16, Olympic St., 1st Khoroo, Sukhbaatar District
☎88126659　📧hello@gobigirl.com　🌐gobi-girl.com
料⑤DUS$40〜　⑤US$50（トイレ・シャワー共同、朝食付き）　カードV　📶

チンギス・ゲストハウス　ゲストハウス
Chinggis Guesthouse　🗺P.40-B3

　室内は清潔で、落ち着ける。キッチンで自炊も可。テント、寝袋もレンタルでき、ツアーアレンジ可。英語可。全4室。空港送迎US$30。

🏠Bldg. #21-B,Door #3, Peace Ave.　☎(011) 325941、99271843
📧house@gmail.com　料⑪Ｄ US$10　⑤US$20　Ⓣ US$30（トイレ・シャワー共同、朝食付き）　カードAMV

H7 ホステル　ゲストハウス
H7 Hostel　🗺P.40-A3

　清潔で落ち着いた雰囲気。全2室で、静かに宿泊したい人におすすめ。市内と日帰り観光などを手配してくれる。空港送迎US$30。

🏠Khuree Khothon, Peace Ave., 3rd Khoroo, Chingeltei District　☎80118061
料US$20（トイレ・シャワー共同、朝食付き）　カード不可　📶

ザヤ・2・ホステル　ゲストハウス
Zaya 2 Hostel　🗺P.40-A3

　高級マンションの1フロアを使用した高級ゲストハウス。共同バスルームはジャクージ付き。夏季は即満室に。空港送迎US$25。全11室。

🏠Bldg. #25-4 Door #8, 3rd Khoroo, Chingeltei District　☎99998756
📧info@zayahostel.com　🌐zayastays.wixsite.com/zayastays　料US$15〜28（トイレ・シャワー共同）　カードMV　📶

ガナズ・ゲストハウス　ゲストハウス
Gana's Guesthouse　🗺P.40-A2

　ガンダン寺近く。ゲル宿泊が体験できる。キッチンで自炊可。英語可。空港送迎US$30。細い路地にあり、場所がわかりにくいので注意。

🏠Tuul Garden 2-22　☎88016960　📧gharchin@yahoo.com　料⑤US$22　Ⓣ US$28　⑤US$30（トイレ・シャワー共同）　カード不可　📶

🍴 レストラン　EATING and DRINKING

モダン・ノマズ　モンゴル料理
Modern Nomads　🗺P.41-C1

　高級モンゴル料理レストラン。現代風にアレンジされた各種モンゴル料理を楽しめ、ヘルシーな麺類やサイドメニューもある。モンゴルの伝統料理「ホルホグ（羊肉蒸し焼き）」2人前6万8900Tg。市内に支店が複数あり。

🏠Baga Toiruu2　☎(011) 318744　🌐www.modernnomads.mn　⏰10:00〜翌1:00（木・金曜〜翌2:00、日曜〜22:00）　休無休　カードJMV　❌英・写

インパクトのある内装が人気

アシアナ・ブッダ　モンゴル料理ほか
Asiana Buddha　🗺折込裏-C3外

　ゲル風の座席が雰囲気抜群。店イチオシはボーズやホーショール、ホルホグなどのモンゴル料理。ほかに中国料理、日本料理もある。店の内装もモンゴル風、中国風、日本風とユニーク。市の中心部からはほか2ヵ所の系列店の方が近い。

🏠1F, Buddha Vista Mall, Zaisan　☎77131111　🌐mgc.mn/asiana-buddha　⏰12:00〜24:00　休無休　カードAJMV　❌英・写

ゲルを使った内装で遊牧民になった気分に

MG・モンゴリアン・グリル　モンゴル料理ほか
MG Mongolian Grill　🗺P.41-C2

　モンゴルで肉のグリルを存分に食べたいならここに。グリルビーフサラダ2万3000Tg、Tボーンステーキ7万5000Tg、MGバーガー3万7000Tg、ビーフリブスープ2万8000Tgなど。スフバートル広場東側にあって好立地。

🏠3F, Gallera Ulaanbaatar Center　☎75055551　🌐facebook.com/mgsteak　⏰11:30〜23:30（日曜〜22:00）　休無休　カードAMV　❌英・写

店先のゲルの展示が目印

ザ・ブル
中国料理
The Bull
MAP P.40-A3

　野菜たっぷりで日本人にも食べやすいホットポット（中国式しゃぶしゃぶ）レストラン。好みのスープ、肉、野菜などを選んで注文でき、ひとり鍋で食べるスタイル。麺の種類も多い。

📍Seoul St. 23, 3rd Khoroo, Sukhbaatar District
☎70110060
🌐facebook.com/thebullhotpot
🕐11:00 ～ 24:00（火曜10:00～22:00,水曜10:00～、木曜11:30～）
休無休　カードAJMV　✉英・写

おいしいスープにほっとなごむ

オリエンタル・トレジャー
中国料理
Oriental Treasure
MAP P.40-B3

　台湾料理のレストラン。中華せいろで蒸した肉汁たっぷりの小籠包やエビシューマイなど飲茶メニューが充実している。皮には最高品質の小麦粉を使用。店内の雰囲気もよい。食後にはぜひデザートを。

📍48-1, Tserendorj St., 4th Khoroo, Sukhbaatar District
☎70135055
🌐facebook.com/orientaltreasurerestaurant
🕐11:30～24:00（日曜～21:00）
休祝日　カードAMV　✉英・写

ノミンデパート前の遊歩道からすぐ

ナマステ
インド料理
Namaste
MAP 折込裏-D1

　インド人シェフが作るカレーは北インド風で、本格的な味を楽しめる。辛さの選べるカレーのほか、サラダやサモサ、パニールパコラ（伝統的なチーズ天ぷら）などサイドメニューも充実。ベジタリアンにも対応している。市内に支店が複数あり。

📍1F Flower Hotel, Zaluuchund Ave. 18 Bayanzurkh District
☎75552020
🌐namaste.mn
🕐11:00～22:30
休無休
カードMV　✉英

本格カレーをおなかいっぱいに

ル・ビストロ・フランセ
フランス料理
Le Bistrot Francais
MAP P.41-C2

　国立大1号館西側のおしゃれな店構えが目印。本格的フランス料理とワインの種類が豊富。欧米人に人気。ぜひおめかしてテラス席で食事をしたい。デザートも充実している。ケータリングサービスもあり。

📍Ikh Surguuliin Gudamj 2, Central Ulaanbaatar
☎(011) 320022
🌐facebook.com/bistrotfrancaisUB
🕐10:00～23:00（土曜11:00～）
休日曜
カードAJMV　✉英

ゆったりとした時間を過ごせそう

ベランダ
イタリア料理
Veranda
MAP P.41-C3

　チョイジンラマ寺院博物館の裏手、静かな裏通りにある。一軒家風の外観が目印。クラシックな店内でイタリア料理とワインを手頃な価格で楽しめる。夏はベランダ席での食事がおすすめ。欧米人の客が多い。

📍Jamyan-gun St., 5/1
☎(011) 330818、94044455
🌐qrmenu.mn/menu/MjMx
🕐10:00～24:00
休無休
カードMV
✉英

落ち着いた雰囲気の店内でゆっくりできる

ローズウッド・キッチン＋エノテカ
イタリア料理
ROSEWOOD Kitchen + Enoteca
MAP P.40-B3

　選び抜かれた食材を使用した本格的イタリアンの店。欧米人客からも人気がある。軽食からピザ、パスタ、肉などどれも美味。おすすめはビーフランプステーキ5万4390Tg。敷地内に系列の精肉店や食料品店もある。スタッフは英語が話せて安心。

📍1F MGG Office Building,Seoul St.7/1
☎94020561、70000562
🌐www.rosewood-restaurant.com
🕐11:30～15:00、17:30～23:00（土・日曜は10:00～）
休無休　カードJMV　✉英

こだわりのインテリアにも注目

フロマージュ・マクー

Fromagerie MACU

ヨーロッパ料理

MAP P.41-C3

メニューの多くにモンゴルのベテラン職人が作ったチーズを使う。おすすめはチーズバーガー 2万7000Tg、カルボナーラ 2万2000Tg、チーズケーキ1万2000Tgなど。パンケーキやオムレツなど朝食メニューも充実。

🏠GF Ochir Center, Olympic St.
☎94480177
🌐facebook.com/FromagerieMACU
🕐7:00〜21:00 (土・日曜は9:00〜)
休無休　カードJMV　✕英

ワインに合うメニューが充実

カリフォルニア

California Restaurant

アメリカ料理

MAP P.40-A3

アメリカ料理の店。朝食メニューやランチメニューがあり、1日中客が絶えない。おしゃれなテラス席があり、店内の雰囲気もよい。料理はボリュームがあり、ピザや肉料理をゆっくり楽しめる。

🏠Seoul St., Central Ulaanbaatar
☎ (011) 319031
🌐www.facebook.com/pages/California-Restaurant/154725997897579
🕐8:00〜24:00 (日・月曜は〜23:00)
休無休　カードAJMV　✕英・写

緑が多く楽しげな雰囲気

ブラック・バーガー・ファクトリー

Black Burger Factory

アメリカ料理

MAP P.41-C2

店名のとおり、イカ墨が入っているという黒いバンズを使ったハンバーガー店。モンゴル産ビーフで作ったパテを豪快に挟んでビールとともに楽しめる。ベジタリアン対応。種類を選べるフライドポテトもおいしい。

🏠Prime Minister Amar St., Bldg. #2　☎77114664
🌐www.blackburger.mn
🕐10:00〜23:00 (土・日曜11:00〜)　休無休
カードMV
✕英・写

ホテル・ナインの1階に入っている

ヒュッレム・スルタン・トルコ・レストラン

Hurrem Sultan Turkish Restaurant

トルコ料理

MAP 折込裏-C3

世界3大料理のひとつ、トルコ料理の店。複数の言語が飛び交い異国情緒が満点。おすすめは羊肉のリブステーキ・サラダ・ライス・パンのセット2万2500Tg。食後にはトルココーヒーとトルコスイーツを。ハラル対応。

🏠Khan-uul District 1-st Khoroo, Stadion Orgil Chingis urgun chuluu St.
☎99663514、77009961
🌐facebook.com/p/Hurrem-Sultan-Turkish-Restaurant-100063452686634
🕐10:00〜22:00　休無休
カードJMV　✕英・写

おいしそうなトルコスイーツが並ぶ店内

コーカサス・レストラン

Кавказ ресторан

コーカサス料理

MAP P.40-B4

モンゴル唯一のコーカサス料理店。コーカサス民族の長寿の秘訣からヒントを得た、羊肉、鶏肉、牛肉、豚肉、魚を使ったバーベキューやケバブなどを提供する。ハラル食にも対応している。店内にWi-Fiあり。

🏠Bldg.#1-b, Seoul St., 2nd Khoroo, Sukhbaatar District
☎77119900　🌐facebook.com/CaucasiaRestaurant　🕐11:00〜23:00 (木〜日曜は翌2:00まで)
休無休
カードMV　✕英

珍しい長寿食を堪能

ソウル

Seoul

韓国料理

MAP P.41-C4

ナイラムダル公園内にある本格的な韓国レストラン。代表的な韓国料理のほか、中国、日本、西洋料理やビュッフェもある。1階にカラオケとベーカリーもある。夜は店の建物がライトアップされている。

🏠Seoul Restaurant Bldg. in National Children's Park
☎70161111
🌐seoulrestaurant.mn
🕐12:00〜21:00
休無休　カードMV　✕英・韓

照明も華やかな豪華な内装

フォー・ハウス
ベトナム料理
Pho House
MAP P.40-B2

　本格的フォーの店。おしゃれなストリート沿いにある。晴れた日にはテラス席がおすすめ。別盛りのもやし、パクチー、レモンをその場で載せて、新鮮なままいただける。フォーと揚げ春巻きのセット1万8900Tgなど。

🏠Morning Street, Chingeltei district
☎70007004
💻facebook.com/DeliciousPho
🕐10:00〜22:00　🈶無休
カード AMV
✉英

パクチー大盛りで味わいたい

アグニスタ・レストラン
ベジタリアン
Agnista Restaurant
MAP P.41-C2

　サラダやスープのほか、モンゴル料理でおなじみのボーズやホーショールなどもビーガン仕様で、疲れた胃に優しい。スープはしょうがが利いてあっさり味。市の中心部で好立地だが路地裏なのでわかりづらい。カフェも併設。

🏠Prime Minister A.Amar St.
☎77333636、99067988
💻facebook.com/AgnistaVeganFood
🕐11:00〜21:30
🈶無休
カード V　✉英・写

ホーショールとダンプリンスープともに9900Tg

フーディ
ベジタリアン
Foody
MAP P.40-B2

　豆、きのこ、野菜などをふんだんに使ったベジタリアン料理。サラダ、スープ、メイン、ファストフード、スイーツ、ドリンクとメニューも豊富。ソースやマヨネーズも自家製。店内ではオーガニック商品も販売。市内に6店舗ある。

🏠Centre34 1F, Chingeltei District
💻facebook.com/p/FOODY-Mongolia-100071102562596
🕐11:00〜19:30　🈶日曜
カード MV
✉英・写

白を基調とした清潔感のある店内

和（ナゴミ）2
日本料理
Nagomi 2
MAP P.41-2C

　日本人経営の和食店。各種握り寿司や巻き寿司がワンプレートに載ったAll in setは6万2000Tg、握り寿司1貫は9000Tg〜。定食やしゃぶしゃぶなど、1名から団体まで対応できるメニューが揃う。ソウルストリートに1号店がある。

🏠2F Tavan Bogd Plaza
☎70005045
💻facebook.com/nagomi.mongolia
🕐10:00〜22:00
🈶無休
カード AJMV
✉日・写

天井が高く広々とした店内

さくら・ベーカリー・カフェ
日本料理
Sakura Bakery Café
MAP P.40-B3

　日本人が経営するカフェ。ていねいに作られた各種ケーキをはじめ、から揚げ、トンカツなどの日本料理の定食が手頃に味わえる。特に名物の鍋焼きうどんが絶品。料理を待ちながら日本のマンガも読める。

🏠Prime Minister Tserendorj St.
☎99813612、（011）463480
💻facebook.com/159355101667741
🕐11:00〜19:00
🈶月曜
カード MV　✉英・日

気軽に入れる店内。旅の情報も集まる

ヒノマル・レストラン
日本料理
Hinomaru Restaurant
MAP P.41-C2

　「早い」「安い」「うまい」が三拍子揃った日本料理の食堂。生姜焼き定食、とんかつ定食、から揚げ定食など白いご飯に合うおかずとの組み合わせがうれしい（各1万4000Tg）。モンゴル初のたこ焼きも人気（屋台販売あり）。

🏠In front of the 1st building of Mongolian State University Sukhbaatar 20, Sukhbaatar District
☎99933746　💻facebook.com/Hinomaru.Japanese.Restaurant
🕐11:00〜20:30　🈶無休
カード JMV　✉日・写

元気いっぱい、店長の増井将人さん

たけさん・ラーメン

Take-san Ramen ラーメン 🗺P.41-C4

　長野県に本店がある土鍋ラーメン店。自家製味噌やスープ、野菜など材料の多くを日本から輸入し、本場の味を守る。土鍋味噌とんこつラーメン2万4800Tgやつけ麺2万6800Tg、餃子やから揚げとのセットメニューも人気。

📮Olympic St., Sukhbaatar District
☎77061212　🌐facebook.com/TakesanMisoRamen
🕐10:00～22:00
休無休　カードAJMV　✗日・写

リバーガーデンの2号店はジンギスカンもあり

アリグ・アニャラーメン＆モア

Arig Anya ramen & more ラーメン 🗺P.40-B3

　ガラス張りの広々としたカフェテリア形式のラーメンショップ。化学調味料を使わないヘルシーな味わいの牛肉のチーズ入りラーメン1万5900Tgのほか、炒飯や焼きそば、低カロリーのデザートも。

📮Cross from the 1st High School, Seoul St.
☎70007020
🌐facebook.com/ArigAnya
🕐10:00～23:30（日曜11:00～22:00）
休無休　カードMV　✗英・写

おしゃれな内装で若者にも人気

イフ・モンゴル

Их Монгол ресторан パブ 🗺P.40-B3

　市内に数ある大型パブのなかでも最大の規模を誇る。木・金・土曜の20:00～21:00にライブがあり、この時間帯はほぼ満席になる。サッカーのモンゴルチームが出場する試合では観戦で盛り上がることも。ビールの種類が豊富。

📮Seoul St., 2nd Khoroo, Sukhbaatar District
☎(011) 331206　🌐facebook.com/IkhMongolRestaurant
🕐12:00～24:00（木・土・日曜11:00～翌3:00）　休毎月1日
カードAMV　✗英

夜は電飾看板が華やか

グランド・ハーン・アイリッシュパブ

Grand Khaan Irish Pub パブ 🗺P.40-B3

　人気の大型パブ。毎週木・金・土曜の21:00からライブが行われる。料理は量が多いので、大人数での食事におすすめ。サラダは野菜が新鮮で、ドレッシングもおいしい。昼間はカフェとしても使え、コーヒーの値段もお手頃。

📮Seoul St., 1st Khoroo, Sukhbaatar District
☎(011) 336666
🌐facebook.com/gkirishpub
🕐10:00～22:00（カフェ8:00～）
休無休　✗英・写
カードAJMV

多国籍な雰囲気

MB・ビア・プラス

MB Beer Plus パブ 🗺P.41-C3

　ドイツ醸造法で作られたビールが4種6300Tg～。無ろ過なので酵母の味わいを堪能できる。ジャーマンソーセージ2万2000Tgと合う。

📮4 Chinggis Avenue, Sukhbaatar District
☎(011) 326741
🌐facebook.com/MbBeerPlus
🕐12:00～翌1:00（金曜～翌2:00）　休無休
カードAJMV　✗英

ファット・キャット・ジャズ・クラブ

Fat Cat Jazz Club パブ 🗺P.41-C3

　2018年オープンのジャズクラブ。毎晩20:00～23:00にジャズライブを楽しめる。階上にあるイタリア料理「ベランダ」のメニューをオーダー可。

📮B1F of Veranda Restaurant Jamyan-gun St., 5-1, Sukhbaatar District
☎75098787
🌐fatcatjazzclub.com
🕐18:00～24:00　休無休
カードAJMV　✗英

オチャ・カフェ

O'cha Green Tea & Book Café カフェ 🗺P.40-B3

　狭山茶を扱うカフェ。オーナーは埼玉の大学に留学歴あり。狭山茶を使ったデザート、豚の生姜焼き、焼きそばなど和定食も食べられる。

📮Tserendorj St, Sukhbaatar District
☎95240111
🌐facebook.com/ochagreenteacafe
🕐10:00～20:00
休無休　カードMV　✗日・写

ポタラ・コーヒー・ショップ

POTALA Coffee Shop カフェ 🗺P.40-A3

　シャルトス入りのポタラコーヒーや馬乳酒などモンゴルらしいユニークなメニューが揃う。チベット風のインテリアとガンダン寺の眺めを満喫して。

📮GEM PALACE 11F
☎99212238
🌐facebook.com/ThePotalaCoffeeShop
🕐8:00～22:00（土・日曜9:00～21:00）
休無休　カードV　✗英

ショップ

ギャレリア・ウランバートル
ショッピングモール

Galleria Ulaanbaatar　　　MAP P.41-C2

　スフバートル広場の東側にある高級ショッピングモール。世界的に有名なカシミヤメーカー「ゴビ」があり、ファクトリー・ストアへ行かなくても手に入れられるようになった。カフェ、レストラン、イベントスペースなどもある。

🏠17 Sukhbaatar Square, Baga Toiruu, 8th Khoroo, Sukhbaatar District　☎75103003
🌐galleriaub.mn、facebook.com/GalleriaUlaanbaatar
🕐10:00～22:00
休無休　カードAJMV

市の中心部でカシミヤ製品が手に入る

ノミンデパート
デパート

Номин их дэлгүүр　　　MAP P.40-B3

　社会主義時代に建てられたモンゴル最大のデパート。日用品、食料品はもちろん、衣類や電化製品、コスメなど品揃えが豊富。6階には毛皮製品をはじめ、フェルト雑貨や刺繍製品などモンゴルで人気の各種おみやげが揃う。

🏠Peace Ave., Chingeltei District
☎18002888
🌐holding.nomin.mn
🕐9:00～22:00
休無休
カードAJMV

存在感のある老舗デパート

eマート
スーパー

emart　　　MAP P.41-D2

　韓国系の大手スーパー。食料品、新鮮野菜、衣料品など豊富な品揃えを誇る。オリジナルブランドも充実している。1階中央のフードコートでは、多種多様な料理を味わえる。特にピザが人気。市内に全4店舗を構える。

🏠23 Tokyo St., Bayanzurkh District
☎76110101
🌐e-mart.mn
🕐9:00～22:00
休無休
カードAJMV

豊富な品揃えの韓国系大手スーパー

シャングリ・ラ・モール
ショッピングモール

Shangri La Mall　　　MAP P.41-C3

　🏨シャングリ・ラ・ホテルに隣接する高級ショッピングモール。
　国内ブランドショップだけでなく、世界的に有名な一流ブランドショップも入る。センスのいいレストランやカフェのほか、映画館もあり1日中過ごせる。

🏠19A-C Olympic St., Sukhbaatar District
☎70101919
🌐shangrilacentreub.mn
🕐10:00～22:00
休無休
カードAJMV

高級ショッピングモールで贅沢な気分を

モノス
ドラッグストア

Monos　　　MAP P.40-A3

　国内大手の製薬会社が展開するドラッグストア。モンゴル各地に支店があり、国内外のブランドコスメ、健康食品、ベビー用品などが充実。インスタントタイプのベリージュースは、ばらまきみやげにピッタリ。

🏠Bldg. #15-3, 4th Khoroo, Chingeltei District
☎77181883
🌐monos.mn
🕐9:00～21:00
休無休
カードAJMV

緑色のロゴが目印

ツァガーン・アルト・ウール・ショップ
フェルト雑貨

Tsagaan Alt Wool Shop　　　MAP P.40-B3

　ルームシューズ、スリッパ、キッチン用品をはじめ、モンゴル産の原材料にこだわったフェルトグッズを販売。どれも手作りのぬくもりがあふれる。色や柄も豊富なので、迷うほど。かわいいデザインのベビー用品も揃う。

🏠Peace Ave., 5th St.
☎(011)318591
🌐facebook.com/tsagaanalt
🕐10:00～19:00（日曜～18:00）
休無休
カードMV

ぬくもりあるフェルト雑貨がいっぱい

マリー＆マーサ
民芸雑貨

Mary & Martha `MAP P.40-B3`

国内の手工芸品のフェアトレードショップ。スカーフ、バッグ、アクセサリー、ぬいぐるみなどの種類が豊富。カザフ伝統の色鮮やかな刺繍の施されたタペストリーやクッションカバーなどが目を引く。路地裏なので場所がわかりづらい。

住Peace Ave., 2nd 40000, 10-18, Chingeltei District
電95200841, 99725297
URLwww.mmmongolia.com
営9:00～18:00
休無休
カードAJMV

豊富な手工芸品の数々に目移りしそう

フスグ
フェルト雑貨、アパレル

Husug `MAP P.41-C3`

「使えるモノづくり」をモットーに、ウール、カシミヤなど、センスのよいフェルト製品を製作、販売。モンゴル産の原材料にこだわり、すべてハンドメイド。シングルマザーを雇用し、自立支援にも取り組む。オーナーは日本語堪能。

住2F, Shangri La Mall
電99188555
URLhusug.mn
営9:30～22:00
休無休
カードAJMV

洗練されたデザインのフェルト製品が並ぶ

モンゴリアン・キルティング・センター
キルト雑貨

Mongolian Quilting Center `MAP P.40-A3`

伝統衣装デールなどの端切れを使ってエコバッグ（2万Tg～）やワインホルダー（6万5000Tg～）などにアップサイクルして販売。日本語堪能なセレンゲさんがモンゴルの女性や障害者の自立支援につなげようと創業した。

住Seoul St., 5 Khoroo building 39th #38
電99099930 Emongolianquilt@gmail.com URLfacebook.com/MongolianQuiltingCenter
営9:30～17:30
休日曜
カードAJMV

色鮮やかな製品の数々。ワークショップなども開催

グリーン・ストック
オーガニックコスメ

Green Stock `MAP P.40-A3`

ハーブやチャツァルガンを使ったオーガニックコスメのほか、シナモンや松の実入りハチミツ、ハチミツ石鹸、ミツロウのツリーキャンドルなど、モンゴル産の天然素材を使った、体にも環境にも優しい製品を販売する。

住Peace Avenue, Ulaanbaatar 15172
電94082423
URLfacebook.com/Greenstockmn
営10:00～20:00（土・日曜は11:00～19:00）休無休
カードMV

路地裏のアパートの1階にある

ゴー・ブランド
オーガニックコスメ

GOO Brand `MAP P.40-B3`

オーガニックのスキンケアアイテムが揃う。モンゴル塩を使ったスクラブやバスボムのほか、チャツァルガンやハーブ入りのハンドクリーム、フェイスパック、石鹸など。パッケージもかわいらしく、おみやげにピッタリ。

住在モンゴルロシア大使館の西向かい
電77777755
URLgoo.mn
営10:00～20:00
休無休
カードJMV

カラフルなパッケージが目を引く

ハン・ホール
楽器

Xan Xyyp `MAP P.40-A3`

モンゴルの伝統楽器を中心に、打楽器や弦楽器などが店内に並ぶ。本格的な馬頭琴を手に入れたい人はぜひ店に足を運んでみよう。

住Bldg. #48, Partisan St., 5th Khoroo, Sukhbaatar District
電99119279
営9:00～19:30（土・日曜は10:00～18:30）
休日曜 カードM

インターノム
書籍

Internom `MAP P.41-C2`

文芸書や専門書、写真集、図鑑、絵本、地図等が揃う。文化・情報の交流の場として出版イベント等も開催。2階の「カフェ4450」もおすすめ。

住Amar's St.-4
電75777700
URLinfo@internom.mn
URLinternom.mn
営10:00～20:00
休無休
カードMV

ウランバートル、ザハ（市場）巡り

モンゴルでの暮らしに欠かせない場所といえばザハ（市場）。食品から衣類まで何でも揃い、見て回るだけでも、現地の暮らしを肌で感じられておもしろい。食品ザハでは乳製品や野菜、肉、果物のほか、キャンディなどが量り売りされていて、スーパーよりも安いことが多い。モンゴル語の単語を駆使してお店の人と仲よくなれば、値段交渉もできるかもしれない。

なかでも青空市場の「ナラントール・ザハ」（MAP 折込裏-E2）は、モンゴルならではの品揃えで目を引く。遊牧民たちの暮らす住居「ゲル」の材料から、ゲル内で使う家具、ストーブ、馬具や皮革のブーツ、民族衣装のデールまで遊牧生活に必要なものは何でも揃う。地方からも多くの人々が集まり、その雑多な雰囲気に圧倒されるだろう。

ウランバートル駅近くの「バルス・食品ザハ」（MAP 折込裏-B2）も広い。既製品のデールを探すなら、国立公園の近くの「ドゥンジンガラウ・ショッピングセンター」（MAP 折込裏-E2〜3）がおすすめ。男性用、女性用、子供用とカラフルなものが、比較的手頃な値段で揃う。毛皮の帽子も見つけられる。

食品と雑貨を一度に探したいなら、相撲宮殿近くの「バヤンズルフ・ザハ」（MAP P.41-D3）やガンダン寺方面にある「ブンブグル・ショッピングセンター」（MAP P.40-A2）がうってつけ。

目的に合わせて、ザハ（市場）を訪れてみるとよいだろう。ただし、ボッタクリやスリにはくれぐれもご注意！　貴重品は必ず目の届く所に身に着け、十分に気を配ることを忘れずに。
(辻本奈緒子)

ウランバートルでモンゴルの芸術鑑賞はいかが？

ウランバートルでは、年間を通じて観光客向けにモンゴルの伝統芸能の公演が行われている。演目は馬頭琴などの伝統楽器の演奏のほか、ホーミーやオルティン・ドーなどの民謡、オランノガラルト（軟体芸）など盛りだくさん。華やかな衣装に身を包んだ演者たちが、次々と優れた技を披露し、いっときも目が離せない。

オペラやバレエを鑑賞するのもおすすめだ。シーズン中、毎週土・日曜にオペラとバレエが交互に上演されている。

また、UGアリーナ（MAP 折込裏-B3）、相撲宮殿（MAP P.41-D3）などで、不定期でサーカスなどの公演も行っている。新たにツァガーン・ラバイ劇場（MAP 折込裏-B3）もオープンした。

公演に関する情報はツーリストインフォメーションやウェブサイト（URL www.ticket.mn、URL shoppy.mn）などで得られる。チケットの購入はウェブサイトで。
※P.158〜161の関連記事も参照ください

国立ドラマ劇場　（MAP P.40-B3）
☎ (011) 11323954、89984787
開5/15〜9/30の毎日18:00から
料大人5万5000Tg　子供1万5000Tg
※改装中につき国立オペラ・バレエ劇場にて上演（2023年12月現在）

子供宮殿　（MAP P.41-C3〜4）
☎96966667、77070707
開5/15〜9/30の毎日18:00から
料大人5万Tg 子供4万Tg（7歳以下は無料）
※トゥメン・エフ民族アンサンブルの劇場の工事期間中の上演（2023年12月現在）

国立オペラ・バレエ劇場
（MAP P41-C2〜3）
☎70110397
開10/1〜翌6/1の毎週土・日曜17:00から
料3万〜12万Tg（座席による）

国立ドラマ劇場での華やかな舞台

ゾーンモド

Зуунмод

中央（トゥブ）県の県庁所在地。ウランバートルから南へ約43kmに位置する。ボグド・ハーン山、バト・ハーン山など国立公園に指定された山々に囲まれ、美しい景観に恵まれている。道路網が発達し、ウランバートルに通勤、通学する人たちも多い。2021年にチンギス・ハーン国際空港が開港したことにともない、衛星都市に格上げされることも決まった。新空港周辺都市として今後のますますの発展が期待される。

ACCESS

◆ゾーンモドへ
[MAP] 折込表-C2、P.64-A
ウランバートルのドラゴン長距離バスターミナル（→P.226）から毎日7：30～18：30に1時間に1便運行している。所要約1時間。4200Tg.

マンズシル・ヒード
ゾーンモドから北へ約7km。タクシーで。ウランバートルから約43km。バスは出ていないのでタクシーで、1000Tgくらい
9：00～18：00

自然博物館
91991791
9：00～18：00（冬季休業）
大人　4000Tg

ボグド・ハーン山にたたずむかつての僧院　　　　　　　　　　[MAP] P.64-B

マンズシル・ヒード

Манзуширын хийд

ゾーンモドから約5km。ボグド・ハーン山国立公園の中腹にあるかつての僧院。美しい自然を見下ろせる所にある。1733年に建立されたが、社会主義時代の宗教弾圧によって1937年に破壊された。当時、500人余りの僧侶が仕えており、20もの大寺院からなる巨大宗教施設だった。現在、マンズシル仏（菩薩）を祀っていた大寺院は廃墟となり、僧院、動物の剥製などを展示した自然博物館がある。寺院からボグド・ハーン山国立公園の最高峰、ツェツェグーン山（2268m）にハイキングできる。

廃墟となった大寺院

美しい自然を見下ろせる

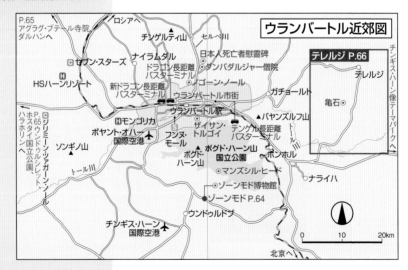
ウランバートル近郊図

テレルジ P.66

地域の歴史と自然を知るには　　　　　　MAP P.64-A

ゾーンモド博物館

Зуунмод музей

モンゴルに生息する動物の剥製などを間近に見ることができるほか、この地域の歴史や著名人に関する資料が展示されている。人民革命で活躍したトゥブ県出身のドグゾミーン・ボドーの銅像もある。

黄色い壁と緑の屋根が目印のこぢんまりした博物館

ホスタイ国立公園　　Хустайн байгалийн цогцолборт газар

面積約5万ヘクタールの国立公園。広い敷地の中を車で移動しながら、野生動物を観察できる。公園内にはシカ、ガゼル、マーモットなど約50種類の哺乳類が生息し、特にモウコノウマ（モンゴル語でタヒ）が保護されていることで有名。1879年にロシアの探検家プシバルスキーによって発見されたので、別名プシバルスキーウマとも呼ばれる。野生種は絶滅したが、飼育下で種の保存が図られ、2023年時点で420頭を超えるまでになった。

水を飲みに来る早朝や夕方以降が狙い目

ウンドゥルシレット　　Өндөрширээт

ウランバートルの南西、広大な草原を流れるトール川のほとりの小さな村。ハラホリンとウランバートルのちょうど中間地点にあるので、バイク旅にもぴったりな宿泊地点。◎ウンドゥルシレット・リバーサイド・キャンプでは、モンゴルで唯一、熱気球フライトで大草原の360°大パノラマを楽しめる。付近には岩絵もある。

乗馬トレッキングや川下りもできる

アグラグ・ブテール寺院　　Аглаг бүтээлийн хийд

ウランバートルから北西へ約100kmの所にある寺院。緑豊かな針葉樹林の山の中腹に建てられ、見晴らしがよい。寺院内には数多くの経典、仏画、仏像などが並ぶ。2階の博物館には、寺院を建立したG. プレブバト仏師が集めたアナコンダの脱皮、ユニコーンの頭蓋骨などが展示されている。

外には胎内潜りができる大きな岩や石像なども

モンゴル・ノマディック複合施設

ウランバートルから西へ約50kmにある、モンゴルの遊牧文化をコンパクトに体験できる複合施設。時間のない人におすすめ。
☎88324411

ゾーンモド博物館

🏠町の中央、公園の南側
☎70273619
🕐9:00〜18:00
💴4000Tg
写真撮影　2万Tg
ビデオ撮影　2万Tg

近郊の見どころ

ACCESS

◆ホスタイ国立公園へ
MAP 折込表-C2
ウランバートル中心部から南西方向に約130km。車のチャーターで。

ホスタイ国立公園
☎99904342、99499331
URL www.hustai.mn
💴3万5000Tg
（夏季に英語ガイド付き）

近郊の見どころ

ACCESS

◆ウンドゥルシレットへ
MAP 折込表-C2
ウランバートルから南西に約188km。車のチャーターで所要約4時間。

ウンドゥルシレット・リバーサイド・キャンプ
☎99831573
URL freebird-mongol.jp

近郊の見どころ

ACCESS

◆アグラグ・ブテール寺院へ
MAP 折込表-C2
ウランバートル中心部から北西に約100km。車のチャーターで。

アグラグ・ブテール寺院
☎99247214、88772420
🕐9:00〜20:00　💴3万Tg

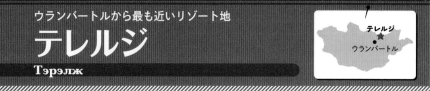

テレルジ
ウランバートル

　ウランバートルから北東へ約50kmに位置する国立公園。都心から最も近く、気軽に足を延ばせるリゾート地として、内外から多くの旅行者が訪れる。山々や森林に囲まれ、奇岩や高山植物などが見られる。1960年まで水晶を発掘していたが、地下水位の上昇によって中止された。現在も人気の観光地として、次々とツーリストキャンプができている。車をチャーターすれば、ウランバートルからの日帰りもできる。

テレルジの歩き方と見どころ

　ツーリストキャンプやリゾートホテルが10km圏内に点在し、過ごし方はどこに滞在するかで変わってくるだろう。滞在型の旅をのんびり楽しむ人が多い。

ACCESS

◆テレルジへ
[MAP] 折込表-D2、P.64-B
ウランバートルのエンフタイワン（平和）大通り沿い、将校宮殿Офицеруудын ордонバス停 [MAP]折込裏-F2）からＸ4番バスで毎日6:15～20:10に1時間毎に出発。2500Tg。
◆テレルジから
ウランバートル行きバスは、亀石付近より毎日7:15～19:10に1時間毎に出発。

亀石
[図] ウランバートルから車のチャーターかタクシーで約1時間30分

テレルジでの乗馬など
亀石近くで馬やラクダに乗れる。
[料] 4万～5万Tg/時（目安）

テレルジのランドマーク　　　　　　　　　[MAP] P.64-B、P.66
亀石
Мэлхий хад

　テレルジのランドマークになっている高さ約15mの花崗岩でできた巨石。自然の力で岩が削り取られ、形は亀そっくり。ちょうど亀の首に当たる所まで裏側から登ることができる。頂上にはオボーが置かれていて、そこからテレルジの雄大な風景を一望できる。亀石周辺には乗馬や乗ラクダを楽しむ観光客たちが集まる。近くにおみやげを売るゲルもある。

テレルジ
テレルジ [H][H] ウランバートル-2
0　　　5km
テレルジ・サラン・ツーリストキャンプ
サン・ジョルチン・ツーリストキャンプ
ドモグ・メルヒーハド・ツーリストキャンプ
亀石
ブーベイト・ツーリストキャンプ
アヤンチン・フォー・シーズンズ・ロッジ
ツェベクマ・ツーリストキャンプ
テレルジ・スター・リゾート・ツーリストキャンプ
↓ナライハ・ウランバートルへ

周辺の人々の信仰の対象になっているオボー

🛏 ホテル

テレルジ　　　高級
Terelj　　　MAP P.66

外観、内観ともに由緒正しき旧迎賓館の品格を保つトップクラスのホテル。家具や調度品にも重厚感があり、まるで博物館のよう。カフェテラスから、トール川の大自然を満喫できる。屋内プール、サウナ、スパ、フィットネス、レストランなど施設が揃う。英語可。通年営業。全52室。TBSドラマ『VIVANT』のロケでも使われた。

🏠ゲートから北へ約31km
☎99992233
Ⓔinfo@tereljhotel.com
🌐www.tereljhotel.com
💰Ⓢ73万〜90万Tg　Ⓦ90万〜105万Tg〜（トイレ・シャワー・朝食付き）
💳AJMV

美しい洋風の外観

テレルジ・スター・リゾート・ツーリストキャンプ　　　ツーリストキャンプ
Terelj Star Resort Tourist Camp　　　MAP P.66

2018年オープンのリゾート型キャンプ。トイレ・シャワー付きのデラックスゲルと、床暖房付きのスタンダードゲル（トイレ・シャワーなし）の2種類ある。眺望もよく、近隣の丘陵の景色が見事。朝食の種類も豊富。デラックスゲル24棟、スタンダードゲル26棟。近隣でハイキングを楽しむこともできる。24時間通電。スタンダードゲルは年中無休。

🏠テレルジ国立公園、亀石から南へ約7km
☎95883330
Ⓔsales@tereljstar.mn
🌐tereljstar.mn/jp
ゲル：Ⓢ US$100
ⓉUS$100（トイレ・シャワー、朝食付き）
デラックスゲル：Ⓢ US$100（トイレ・シャワー、朝食付き）
💳AJMV

時間を忘れて滞在したくなる

ドモグ・メルヒーハド・ツーリストキャンプ　　　ツーリストキャンプ
Domogt Melhii Had Tourist Camp　　　MAP P.66

亀石に最も近いツーリストキャンプ。水洗トイレ、温水シャワーがある。ゲル全15棟、コテージ全3棟。2021年にホテル棟を新規オープン。スーパー併設で便利。ツインルーム7室あり。オーナーの息子は日本語を話せる。

🏠ゲートから北へ約16km
☎99083378、80205811（日本語可）　Ⓔotgoo@yahoo.com　💰ゲル：US$45〜50/人（トイレ・シャワー共同、3食付き）
ホテル：ⓉUS$100（トイレ・シャワー・3食付き）　💳JMV

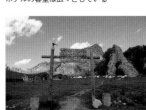
ホテルの客室は広々としている

ブーベイト・ツーリストキャンプ　　　ツーリストキャンプ
Бүүвэйт Tourist Camp　　　MAP P.66

中央通りから東へ入った岩陰の先にあるツーリストキャンプ。広大な敷地ではミニナーダムが開催されることも。全48棟のうち10棟のみ通年営業。コテージにプールとサウナも完備。乗馬はガイド付きで5万Tg/時。

🏠ゲートから北東へ約15km
☎(011) 322870、99114913
Ⓔinfo@tsolmontravel.com
🌐www.tsolmontravel.com
💰US$80/人（2人部屋、3食付き）
💳不可

木製の看板が目印

ツェベクマ・ツーリストキャンプ　　　ツーリストキャンプ
Цэвэгмаа Tourist Camp　　　MAP P.66

司馬遼太郎と交流のあったツェベクマ氏ゆかりのツーリストキャンプ。当時を物語る写真も展示。ガラス張りのレストランから大自然を一望できる。自家製ジャムやパン、乳製品が絶品。乳しぼり体験やフェルト作品づくり体験もできる。

🏠ゲートから北へ約10km
☎94955335
Ⓔcontact@tsevegmaa.mn
💰ゲルまたはコテージ：US$100/人（3食付き）
💳MV

ゲルやコテージからの眺望が抜群

チンギス・ハーン像テーマパーク Чингис хааны хөшөөт цогцолбор

ACCESS

◆チンギス・ハーン像
テーマパークへ
MAP 折込表-D2
ウランバートルからのバスはないので車のチャーターかタクシーで。

チンギス・ハーン像
テーマパーク
住 ウランバートルから東へ
約54km、中央（トゥブ）県エルデネ村 電 70120202
時 9:00〜20:00（冬季は10:00〜18:00）
休 無休 料 テーマパーク入園は無料。チンギス・ハーン騎馬像展望台2万Tg

トゥブ県エルデネ郡のトール川の近く、ツォンジンボルドグと呼ばれるチンギス・ハーンゆかりの場所にあるテーマパーク。高さ12m、直径30mの円形の台座に、高さ40mのチンギス・ハーンの騎馬像がそびえ立つ。騎馬像の頭部分まではエレベーターで上がり（有料）、展望窓から周辺の雄大な景色を一望できる。台座下の建物内には世界最大のモンゴルゴタル（靴）が展示されている。ほかに、博物館やレストランなど施設も充実している。13世紀の伝統服を着る体験もできる。

遠くからでもわかる巨大な騎馬像

ユニークな草原マラソン。優勝者には「馬1頭」！

ウランバートル近郊の大草原で毎年開催される、世界で唯一の「モンゴル国際草原マラソン大会（通称：草原マラソン）」は、2023年9月の大会で26回目を迎え、モンゴル、日本ほか各国の市民ランナーでにぎわった。モンゴルのなかでは最も歴史のある国際マラソン大会で、そのユニークさが年々注目度を増している。

3km、5km、10km、ハーフの4種目。2500人の参加者のうち、日本人は約250人。賞品はハーフ優勝の男女に「馬1頭」、外国人ハーフ1位の男女には「羊1頭」が贈られる。

大会終了後には、民族料理ホルホグ（羊の石焼き）とアルヒ酒で友好の祝杯を挙げる。真っ青な空の下、モンゴルのシンボルともいうべき緑の大草原の真っただ中を駆け抜ける爽快感は格別だ。「記録」より、「記憶」をモットーに、心に

馬1頭を贈られた優勝者

残るモンゴル尽くしの大会が、待っている。

草原マラソン
URL mongolia-marathon.org（日本語）
草原マラソン日本事務局
E travel-asahi@io.ocn.ne.jp

大草原で乗馬体験！ モリンドツーリストキャンプ

なだらかな大草原、青空に浮かぶ白い雲。モンゴルならではの風景を満喫し、存分に乗馬を楽しめるキャンプ施設がある。ウランバートルから南東に車で約1時間半、セルゲレン村の大

馬飼い遊牧民が大切にする"乗馬に最適"な大草原に広がる

草原に位置する「モリンドツーリストキャンプ」。日本の旅行会社直営で、レストラン棟、温水シャワー等も完備し、女性やひとり旅でも安心できる設備が整う。ツーリストゲルに宿泊して満天の星を堪能。花の時季には咲き誇るエーデルワイスなどの花々も観賞できる。

モリンドツーリストキャンプ
URL morindoo.net

かつてのモンゴル帝国の首都、カラコルム

ハラホリン（カラコルム）

Хархорин

　ハラホリンはウブルハンガイ県北西部のオルホン河畔にある。首都ウランバートルから舗装道路を南西へ約350km、車で所要5〜6時間。村の真ん中を運河が流れ、オルホン川に注ぐ。かつてモンゴル帝国の首都が置かれ、カラコルムと呼ばれていた。第2代オゴテイが、主要な交通網を整備し、この地に国際都市を築いた。

　オルホン川両岸の渓谷は「オルホン渓谷の文化的景観」として世界文化遺産に登録されている。ぜひハラホリンに宿泊して、付近の遺跡も訪れてほしい。

ACCESS

◆ハラホリンへ
🗺 折込表-C2
🚌 ウランバートルの新ドラゴン長距離バスターミナル（→P.226）から毎日1便、11:00発、所要約6時間。3万7400Tg。
◆ハラホリンから
🚌 ウランバートルへ：バスターミナルから10:00発。所要約6時間。3万7400Tg。

ハラホリンの歩き方と見どころ

　役場や警察などの公共施設のほか、ホテルやゲストハウス、レストランもある。オルホン川の河川敷などにツーリストキャンプも多い。バスターミナルのすぐ西にザハ（市場）があり、食料品などが手に入る。

　観光は、まずエルデニ・ゾーから始めよう。西門から境内に入り見学したら、東門を出て徒歩約5分の所にある亀石とモンケ・ハーンの寺址へ。カラコルム博物館も含めて、徒歩で回れる。周辺の宿泊施設は事前連絡すれば、だいたいバスターミナルまで無料送迎してくれる。ウランバートルから長距離バスでハラホリンまで行き、ゲストハウスなどでアレンジするツアーに参加するのも手だ。

ストゥーパを背景に、遊ぶ子供たち

エルデニ・ゾー内の大講堂に集う信心深い人たち

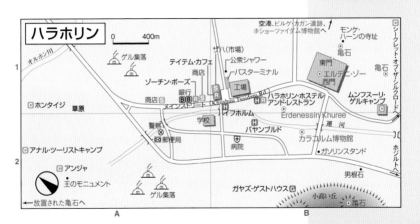

エルデニ・ゾー

🚍ハラホリンのバスターミナルからメインストリートを南東へ徒歩約15分。白い壁が見えるのですぐわかる
☎70327285
🕐9:00～18:00（冬季～17:00）
🈺無休（冬季は土・日曜、祝日）
💴1万Tg
写真撮影　寺院内2万Tg
ビデオ撮影　2万Tg
※ウランバートルからハラホリンへの道路は舗装され、ほぼ快適な走行ができる

ゴルバン・ゾー（三寺）の西寺（バローン・ゾー）

境内の巨大なソボルガン塔

ハラホリンでアートに触れる

　エルデニ・ゾーのそばにあるゲル施設「Erdenessin Khuree」はハラホリンとフランスを拠点に活動するアーティストがオープンしたアート＆カリグラフィーセンター。作品展示のほか、モンゴル文字のワークショップなども行う。かつて文化の交差点でもあったハラホリンで、アートに触れてみては。
🗺P69-B1
☎996166688
💻erdenesiin-khuree.com
🕐9:00～18:00（冬季休館）
💴1万Tg

モンゴル帝国時代をしのばせる仏教寺院　🗺P.69-B1、P.70

エルデニ・ゾー
Эрдэнэ зуу

　1586年創建のハルハモンゴル最初の仏教寺院。エルデニは古代インド語のラトナがなまったもので「宝」を意味する。ゾーはチベット語で仏像や寺を表す。モンゴル帝国の首都カラコルムの跡地にハルハの支配者アブタイ・サイン・ハーンによって建てられた。その資材には宮殿の廃材が利用された。創建当時はチベット仏教サキャ派に属したが、活仏ザナバザルの時代にゲルク派に改宗した。四方（周囲420m）を102の仏塔（ストゥーパ）が囲み、境内の6基と合わせて仏教の聖数である108をなす。18世紀末には境内に62の堂宇が建造されていたが、1939年人民政府のトップだったチョイバルサンの命によりほとんどが破壊された。残ったのは、中国風建築の3寺院（ゴルバン・ゾー）の3伽藍とチベット式建築の堂宇ラブランなどわずかであった。1947年に博物館となり、かろうじて命脈を保ち、民主化後の1990年、宗教施設として復活した。ゴルバン・ゾーには青・壮・老年時代のブッダ坐像のほか、貴重なモンゴル仏教美術の名品が多く残されている。2004年にオルホン渓谷の文化的景観としてユネスコ世界文化遺産に登録された。境内の外の丘にはモンゴル帝国時代の亀趺が残り、その丘から寺の全貌を眺望できる。

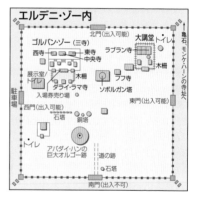

エルデニ・ゾー内

北門（出入可能）

大講堂
イレ
ラブラン寺
亀石、モンゲ・ハーンの寺址へ
木柵

ゴルバン・ゾー（三寺）
西寺　東寺
中央寺
フラ寺

展示室
木柵
ダライ・ラマ寺
ソボルガン塔
東門（出入可能）
入場券売り場
駐車場

西門（出入可能）

石塔　銅塔

イレ
アバダイ・ハンの巨大オルゴー跡
道の跡
石塔

南門（出入不可）

亀形の石の台座　🗺P.69-B1、P.69-B2、P.69-A2外

亀石
Мэлхий хад

　モンゴルでしばしば目にする亀をかたどった石像。亀趺ともいう。中国から伝えられ、石碑を立てる台座として製作された。モンゴル帝国以前の突厥やウイグル時代に作成されていた。

　ハラホリン市内には3体の亀石があり、第1の亀石は、エルデ

モンゴルでよく見られる亀石。碑文はどこに……

ニ・ゾー城壁のすぐ北東にある。モンゴル帝国時代の興元閣という仏寺の跡地（モンケ・ハーンの寺址）で、ドイツの援助で保護・復元された。第2の亀石はエルデニ・ゾーの東約500mにある。地下に埋もれていたが、現在は地上に祀られている。第3の亀石は、エルデニ・ゾー南西約1kmの丘の上に安置されている。男根石も傍らに祀られている。第4の亀石はハラホリン郊外、西約10kmに作製途中のまま放置されている。

亀石
🏠 エルデニ・ゾー東門から北東へ約150m、東に約500m、南西に約1km
※1ヵ所は村から西へ約10km離れた草原にある
🕐 24時間　🎫 無料

どれにものせるべき碑文は残っていない。石材に乏しい草原では、整形された巨石は希少である。エルデニ・ゾーをはじめ、どこかの建築物に潜んでいるかもしれない。

カラコルム都市遺跡の埋蔵文化財を展示　　MAP P.69-B2

カラコルム博物館
Хархорум музей

エルデニ・ゾーに隣接して2011年に開館。日本政府の無償援助と日モ研究者の共同研究による成果が展示されている。常設展示は石器時代、青銅器時代、古代都市時代、モンゴル帝国時代の4部構成で、モンゴル帝国成立までの歴史を順に理解できる。必見は、首都カラコルムを再現したジオラマ。仏教のほか、イスラム教やキリスト教などの宗教施設、漢人の商人街やイスラム商人街などが点在している様子から、異文化を受け入れ、信仰の自由と生活様式を維持する自由を保証しながら、国際都市として繁栄していたことがわかる。日本語の解説もあり、わかりやすい。

カラコルム博物館
🏠 エルデニ・ゾー西門より約500m西側
☎ 70327808、70327979
✉ info@kharakhorum museum.mu
🕐 9:00～18:00（冬季～17:00）
休 無休（冬季は土・日曜）
🎫 1万Tg　学生5000Tg
写真撮影　2万Tg
ビデオ撮影　3万5000Tg
カード V

カラコルム都市遺跡に思いをはせられる場所

かつての国際都市、カラコルム

1220年、チンギスの命によってオルホン川のほとりに西方遠征の拠点が築かれた。その後、金王朝を滅ぼしたモンゴル第2代の当主オゴデイは、1235年、この地で新たな都市の建設に着手した。かつて突厥やウイグルといった遊牧国家が拠点をおいた草原の一角で、世界帝国の首都カラコルムが歩み始めた。

オゴデイは周囲に複数の離宮を配したほか、「ジャムチ」と呼ばれる駅伝を整備して主要な交通ルートをカラコルムにつなげた。その結果、世界各地からヒト・モノ・カネ・情報が流れ込み、カラコルムはたちまち国際都市として成長をとげる。1254年に当地を訪問したフランスの宣教師ルブルクによれば、身廊と側廊を備えた荘重な宮殿を中心にムスリムの商業区、中国の職人区が設けられ、仏寺は12、ムスリム礼拝所は2、キリスト教会は1堂を数えたという。帝都の繁栄は、イタリアのカルピニやマルコ・ポーロと伝えられる人物によっても広く宣伝された。

現在、当地はハラホリンと呼ばれ、16世紀末に建立されたチベット仏教寺院エルデニ・ゾーが一手に観光客を集めているが、帝国の栄華を伝える遺跡は見るべくもない。せめて南方にある亀石の丘に登り、エルデニ・ゾーを眺めて往時に想いをはせてほしい。寺のすぐ北の草原には南北1450m×東西1138mに及ぶ城壁が眠っているのだから。

（神戸女子大学准教授　鈴木宏節）

イフホルム
高級
Ikh Khorum `MAP P.69-B1`

地元出身のオーナーが長期滞在できる宿泊施設として開業。2023年夏には高級リゾートゲル10棟をオープン。各ゲルの地下にジャクージを完備する贅沢な空間。全室スイートのリゾート型のホテル棟も新たにオープン予定。

🏠 エルデニ・ゾーから約1km北西
📞 70327007 📧 info@ikhkhorum.com
📘 facebook.com/greatkhorum
💰 ホテル：Ⓢ38万4000Tg　Ⓣ46万8000Tg　ゲル：200万Tg/人（トイレ・シャワー・朝食付き）
💳 AJMV

ゲルは窓付きで天井も高い。右奥はホテル棟

シークレット・オブ・ザ・シルクロード
ツーリストキャンプ
Secret of the Silk Road `MAP P.69-B外`

2022年5月にオープンしたリゾート型ツーリストキャンプ。広大な敷地にゲル全55棟、ホテル棟に全10室。オゴデイ宮殿を模したレストラン棟は見応えあり。レストランの天井画も必見。デールのレンタルと撮影が2万5000Tg。

🏠 エルデニ・ゾーから約3km南
📞 99096841 📧 info@mongoliansecrethistory.mn
🌐 mongoliansecrethistory.mn/accommodation/secret-of-the-silk-road
💰 ゲル：30万〜40万Tg/人（トイレ・シャワー・朝食付き）　ホテル：Ⓣ50万〜55万Tg　💳 MV

オゴデイ宮殿を模した建物が目をひく

ハラホリン・ホステル・アンド・レストラン
中級
Kharakhorin Hostel & Restaurant `MAP P.69-B1`

ハラホリンの発展を見越して通年営業型の宿泊施設として2022年6月に開業。レストランはモンゴル料理、韓国料理、ピザ・パスタなどを提供。日本語を話せるスタッフに旅の相談も可能。バスターミナル無料送迎あり。

🏠 エルデニ・ゾーから約600m北西
📞 80846969、99115976
📧 order@kharkhorinhostel.mn
🌐 kharkhorinhostel.mn
💰 Ⓢ7万Tg（トイレ・シャワー共同、朝食付き）　Ⓣ18万Tg〜（トイレ・シャワー・朝食付き）　💳 MV

ピンク色の外観が目印

ムンフスーリ・ゲルキャンプ
ツーリストキャンプ
Munkhsuuri Ger Camp `MAP P.69-B1〜2`

家族経営でアットホーム。食事もおいしい。ツアーの相談にものってくれる。馬頭琴コンサートも頼める（2万Tg/人）。事前連絡でバスターミナル無料送迎あり。通年営業。24時間通電。ゲル全13棟。

🏠 エルデニ・ゾーの約400m南側
📞 99374488、99376832
📧 munkhsuuri.guesthouse@gmai.com
💰 ゲル：US$8/人（トイレ共同）、US$15/人（トイレ・温水シャワー共同、朝食付き）　💳 不可

家族経営のアットホームなキャンプ

ガヤズ・ゲストハウス
ツーリストキャンプ
Gaya's Guesthouse `MAP P.69-B2`

世話好きなガヤさんの人柄があふれるアットホームなゲストハウス。日本語の話せるガヤさんに旅の相談もできる。24時間通電。ゲル全8棟。遊牧民を訪問するなど各種オーダーメイドツアーも可能。

🏠 カラコルム博物館から約800m西
📞 99893809 📧 gayas.guesthouse@gmail.com 🌐 gayas-guesthouse.strikingly.com
💰 US$15　Ⓢ US$30〜（トイレ・シャワー共同、朝食付き）、US$35（トイレ・シャワー・朝食付き）　💳 不可

ガヤさんと楽しいステイができるはず

アナル・ツーリストキャンプ
ツーリストキャンプ
Anap Tourist Camp `MAP P.69-A2`

オルホン川のせせらぎの音と、広々とした敷地で気持ちいい。5〜10月のみ営業。24時間通電。シャワー・水洗トイレ・ヘアドライヤー完備。英語可。ゲル全40棟。コテージ全5棟。事前連絡でバスターミナル無料送迎あり。

🏠 バスターミナルから約2.4km北
📞 99090766
📧 anura@magicnet.com
💰 ゲル：13万Tg、15万Tg　コテージ：15万〜17万Tg（トイレ・シャワー共同、食事なし）　💳 不可

環境も設備も抜群！

エルスン・タサルハイ

Элсэн тасархай

バト・ハーン山の東から北西まで約80km続く砂丘で、南部をモンゴル・エルス（砂）、北部をフグヌタルニーン・エルスと呼ぶ。

ウランバートルに近い場所で気軽に砂漠体験ができるとして、旅行者が多く訪れる。観光地ハラホリンへのアクセスもいい。

砂丘と草原が織りなす美しい風景

近郊の見どころ

ACCESS

◆エルスン・タサルハイへ
MAP 折込表-C2
ウランバートルから舗装道路を南西へ約350km弱、車チャーターで約4時間。

🛏 ホテル

ACCOMMODATIONS

モンゴル・アルタイ・ツーリストキャンプ ツーリストキャンプ
Mongol Altai Tourist Camp MAP 折込表-C2

砂丘のすぐそば。冬季も規模を縮小して営業。24時間通電。全100床。英語可。レストランはリニューアルされてきれい。床暖房があり、快適に過ごせる。

住 メインロードから北へ約1.2km
☎ 70003131、99053139
料 US$62/人（トイレ・シャワー共同、朝食付き）
カード MV

バヤン・ゴビ・ゲルキャンプ ツーリストキャンプ
Bayan Gobi Ger Camp MAP 折込表-C2

砂丘そばの舗装道路北側にある。冬季も規模を縮小して営業。24時間通電。全100床。英語可。

住 メインロードから南へ約5.5km ☎ (011) 328477、99067378 E support@bayangobitour.com 料 23万Tg/人（トイレ・シャワー共同、3食付き）カード 不可

ウギー湖

Өгий нуур

アルハンガイ県ウギーノール郡にある淡水湖。湖の半分ほどは水深が浅く3m未満。約150種類の水鳥が飛来する生息地として1998年にラムサール条約に登録されている。近隣住民の信仰の対象となっており、女性が湖水に入ることは禁じられている。

近郊の見どころ

ACCESS

◆ウギー湖へ
MAP 折込表 C2、P.74
ハラホリンから北西へ約70km。車チャーターで。

オルホン川流域

Орхоны хөндий

草原の中に忽然と現れる仏教寺院 MAP P.74

シャンハ寺
Шанхын хийд

1647年、活仏ザナバザルが一切衆生の安寧を願って創建した仏教寺院。カラコルムの南東約25kmに位置する。長くゲル様式の寺院で各地を遊牧していたが、1787年に現在地に定着した。人民革命直前には20の伽藍（がらん）を擁したが、1937年に閉鎖され、ほとんどが破壊された。このとき所蔵するヴァジュラパニ（金剛手）像などの仏教遺産は秘密裏に移動され、消失を免れた。なかでも722の尊格を描いたカーラチャクラ・マンダラはモンゴルで随一の名品と評価される。

草原にぽつんとたたずむシャンハ寺

近郊の町と見どころ

ACCESS

◆オルホン川流域へ
MAP 折込表-C1〜2、P.74
ウランバートルから西へ約360km。車チャーターで。

シャンハ寺
住 ウブルハンガイ県シャンハ ☎ 99067378
E BaRuunkhuRee1647@yahoo.com 開 7:30〜21:00（読経は毎日10:00〜12:30）
料 5000Tg
写真撮影 5000万Tg
ビデオ撮影 3万Tg

ホショーツァイダム
博物館

住 アルハンガイ県ハシャート村ホクシュン
☎ 99664900
開 9:00～18:00(冬季～17:00)
料 1万Tg
写真撮影　2万Tg
ビデオ撮影　2万Tg

ビルゲ・カガン碑(左)と
キョル・テギン碑(右)

ビルゲ・カガン遺跡

住 アルハンガイ県ハシャート村ホクシュン
開 24時間
料 無料

追悼碑のレプリカ

カガンとは

　カガンは古代トルコ語で「王/君主/皇帝」を意味し、漢字では「可汗」と音写された。同義の単語であるカン、カアン、カーン、ハン、ハーンなどとともに、学術上、表記と使い分けに注意が払われているが、詰まるところ、カガンとは現代モンゴル語のハーンにつながる由緒ある単語である。なお、テギンは「王子」を意味する。

貴重な碑文を間近に見られる　　　　　**MAP** 折込表-C2、P.74

ホショーツァイダム博物館
Хөшөө цайдам музей

　ハラホリンから直通道路で北約45kmにある博物館。7世紀後半に復興し、8世紀中葉に滅亡した突厥の第2王朝に由来する遺跡に併設されている。3代目君主ビルゲ・カガンとその弟のキョル・テギンの追悼碑や亀趺、遺跡を荘厳していた石像、列石などの遺物が陳列されている。今世紀初めにモンゴル国とトルコの共同調査によって整備され、発掘の歴史を紹介するパネルもある。見どころは、修復再建された2本の突厥碑文(別名オルホン碑文)。突厥文字と古代トルコ語(テュルク語)で刻まれている。草原遊牧民の生の声を伝える史料であり、突厥の歴史を復元するための第一級の資料である。

追悼碑のレプリカが見守るように立つ　　　**MAP** 折込表-C2、P.74

ビルゲ・カガン遺跡
Билгэ хааны гэрэлт хөшөө

　734年に没したビルゲ・カガンの霊廟で、彼に先立つ731年に亡くなった弟のキョル・テギンの遺跡と同じく、ホショーツァイダム博物館の敷地内にある。2001年に始まったモンゴル国とトルコとの共同発掘によって、兄の霊廟跡から金銀の装飾品をはじめ、多くの遺物が出土した。おもな出土品はウランバートルのチンギス・ハーン博物館(一部モンゴル国立博物館)に展示されている。ここでは追悼碑の原寸大レプリカや霊廟の礎石、供物を献げるための犠牲壇と推測される巨石などを見ることができる。

　キョル・テギン遺跡では亀趺に据えられた3mを超える追悼碑が復元され、往時の偉容を彷彿とさせる。

オルホン川流域の見どころ

ハル・バルガス遺跡

草原の中に突如現れるかつての城郭

Хар балгас

`MAP` 折込表-C2、P.74

ホショーツァイダムからオルホン川を挟んだ西岸にある城郭遺址。もともとは7世紀中葉、唐の支配期に築かれた都護府の城郭であり、8世紀中葉にウイグルが突厥を破りモンゴル草原の覇者となって以来、ウイグルの首都として再利用された。諸史料ではオルドゥ・バリク「玉座／宮殿の都市」と記録され、遺跡はカラ・バルガスンとも呼ばれている。

中心城郭は420m×340m、中国の版築技法で築かれ、8〜10mに達する土壁が現存する。城内では居住区画の仕切りや塔の痕跡と思われる土塁も確認できる。城壁に登って城外を望むと、南壁側に併設された複数の小塔のほか、西南方面に十数km²に及ぶ都市区画の痕跡を鳥瞰することができる。

ハル・ボヘン・バルガス遺跡

草原に残した「黒い牛」の跡

Хар бухын балгас

`MAP` 折込表-C2、P.74

モンゴル語で「黒い牛の遺跡」を意味し、ハル・ブフ（黒い牛）遺跡ともいう。500m×500mの方形の都城遺址は、9〜10世紀にかけてモンゴル高原を支配した、キタイ（契丹）・遼の時代に造築されたものと推定される。周辺には城郭遺址チントルゴイ遺跡も現存しており、キタイ・遼代の遺跡を合わせて巡ることもできる。

本城壁のほぼ中央に現存する石造りの仏塔は17世紀前半、チベット仏教が流布した時代に増築されたもの。1970年、半壊したこの仏塔の中からモンゴル語とチベット語で書かれた白樺樹皮の写本「白樺文書」が発見された。

バイバリク遺跡

悠久の時を超えて物語る土の壁

Байбалык

`MAP` 折込表-C1、P.74

セレンゲ川の北岸に建造された城郭遺址。ウイグル第2代の葛勒カガンは、有名な安史の乱（755〜763年）に、唐の援軍として中国に出征した。その際に獲得した莫大な戦利品や唐皇帝からの褒美によって築城されたことが、彼の紀功碑『シネ・ウス碑文』に記録されている。その名はバイバリクで、漢訳した「冨貴城」の名でも知られる。現在、モンゴル語でビーボラクとなまって伝えられた土地に3つの遺址がある。それぞれ約230m（ビーボラク）、140m（ボル・トルゴイ）、320m（アルスラン・ウード）四方の方形城郭で、版築技法で築かれた。崩れて土塁状になった部分も多いが、第1城郭の東・北壁の残存部は高さ約7mになる。

ハル・バルガス遺跡

住 アルハンガイ県ホトント村

開 24時間

料 無料

かつての草原都市に思いをはせる

紀功碑文の断片

当遺跡からはソグド語・ソグド文字、漢語・漢字、テュルク語・突厥文字の3体で刻まれたカラ・バルガスン碑文も出土した。ウイグル第8代の保義カガンの紀功碑文の断片であり、マニ教信仰の縁起譚が記されている。現在もモンゴル国とドイツの調査隊が発掘中で、夏季には調査隊に行き会うことがしばしばある。

ハル・ボヘン・バルガス遺跡

住 ボルガン県ダシンチレン郡中心部から北西約12km

開 24時間

料 無料

仏塔跡は西側城壁に沿って点在する

バイバリク遺跡

住 ボルガン県ホタッグウンドゥル村

開 24時間

料 無料

城壁が東と北側に残る

版築技法とは

古代の黄河流域で多用された建築工法。土砂を突き固めた壁を徐々に高く構築するので、壁面には一定間隔の水平線を無数に確認できる。

オルホン滝

オルホン滝
Орхоны хүрхрээ

落差約22m、幅5〜10mのモンゴル最大の滝。雨量が少ないモンゴルの気候においては常に水量が豊かというわけにはいかないが、貴重な景観として人気の観光スポットとなっている。南岸の崖から滝つぼまで下りることができるが、滑りやすいので注意すること。付近にはムング・フレー・ツーリストキャンプなどがある（4〜11月のみ営業）。

冬季には水が凍るモンゴル最大の滝

オルホン滝
🏠 ウブルハンガイ県オルホン川上流
🕐 24時間
💴 無料

溶岩台地が浸食されているのがわかる

オンギ遺跡

オンギ遺跡
Онгийн голын дурсгал

8世紀前半に造営された突厥の遺跡。バルバルと呼ばれる石列が並ぶ。死者が生前倒した敵の数だけ並べたと伝えられる。第2王朝の王族を追悼して建立された突厥碑文の断片も一部現存している。碑文の主要な断片はアルバイヘール市の県立博物館に展示されている。遺跡には石像（通称「石人」、モンゴル語でフン・チョロー）や石羊も安置されている。150個を超え、900mにもおよぶバルバルのなかに、突厥文字で銘文が刻まれた立石がひとつだけ隠れている。ぜひつぶさに観察してほしい。

草原に並ぶバルバル

オンギ遺跡
🏠 ウブルハンガイ県オヤンガ村南西約17km

トゥフン僧院

トゥフン僧院
Төвхөн хийд

1648年、活仏ザナバザルがこの地を気に入り創建した仏教寺院。南北ハンガイにまたがるシレート・オラーン山の頂上に堂宇を構える。1688年、西部モンゴルのオイラートとハルハ間の紛争に巻き込まれて荒廃したが、1773年に復興した。1939年には2伽藍、2ストゥーパを残して人民政府により破壊されたが、民主化後に再建された。山岳寺院であるため岩山の経路を往復せねばならず、登攀の装備と心構えは必要だが、その風光は明媚だ。

奥山にそそり立つ崖に沿って立つ

トゥフン僧院
🏠 アルハンガイ県バットウルジー村約20km東北のシレート・オラーン山頂
🚗 僧院のある山の麓まで四駆で上がり、そこから馬で約1時間。2万5000Tgくらい。僧院参拝は通年だが、馬がいるのは7〜8月のみ
🕐 9:00〜暗くなるまで
💴 7000Tg

頂上にはオボーがある。360度の大パノラマを一望

ボルガン山の南麓に広がるかつての門前町

ツェツェルレグ

Цэцэрлэг

ツェツェルレグ
★
● ウランバートル

　ツェツェルレグは、首都ウランバートルから西へ約450kmにあるアルハンガイ県の県都。自然保護地域に指定されているボルガン山の南側の麓に広がる。アルハンガイ県はハンガイ山脈の北側に位置し、酪農が盛ん。「北に麗しアルハンガイあり」といわれ、国内で最も美しい場所のひとつとして知られている。

　ハルハの初代ザヤ・ゲゲーン活仏が創建した寺院を中心にした古い寺院が今でも点在し、落ち着いた雰囲気を見せる。旅行者にとっては、西方面のテルヒーン・ツァガーン湖や南方面のツェンヘル温泉へ行く際の中継地ともなる。

ツェツェルレグの歩き方と見どころ

　メインストリートは、ボルガン山から南東に真っすぐに延びる道だ。通り沿いには銀行や郵便局、商店やレストランなどが集まる。町自体はコンパクトなので、歩いて回れる。長距離バスターミナルは町の中心部から少し離れた場所にある。

ツェツェルレグ市内図

ACCESS

◆ツェツェルレグへ
MAP 折込表-C2
🚌 ウランバートルの新ドラゴン長距離バスターミナル（→P.226）から毎週木曜8:01発。所要約9時間45分。5万7800Tg。
　ウランバートル行きはツェツェルレグの長距離バスターミナルから毎週金曜8:00発。5万7800Tg。

郵便局
MAP P.77-A2
☎9:00〜18:00
🛇土・日曜、祝日
　郵便局内でインターネット（900Tg/時）ができる。SIMカードも売っている。

郵便局

長距離バスターミナル

アルハンガイ県博物館

☎99213581
🕐9:00～19:00
休無休 (冬季は休館)
料1万Tg
写真撮影　5000Tg
ビデオ撮影　1万5000Tg

ブグド碑文
　すでに解読されたソグド文によると、581年に亡くなった突厥第1王朝のタスパル・カガンのため、後継者である息子のウムナ・カガンが建立させた碑文であるという。これは突厥の第1王朝時代 (552～630年)、中央アジアのオアシスを出自とするイラン系のソグド人が当時の遊牧国家で文書行政を取り仕切っていたことを物語っている。

ボルガン山
住アルハンガイ県博物館の北西

中腹から町並みを一望

タイハル岩
住ツェツェルレグの市街地から北西へ約22km。車で約30分
料無料

観光用におめかししたヤク

MAP P.77-A1

かつて高僧ザヤ・ゲゲーンがいた寺
アルハンガイ県博物館
Архангай аймгийн музей

　1684年にハルハの初代ザヤ・ゲゲーン活仏が創建した寺院だったが、現在は寺院兼博物館として歴代ザヤ・ゲゲーンの遺品や著作を収蔵し、境内のストゥーパは初代のミイラを収める。

　中庭の中央には、高さ245cmのブグド碑文が置かれている。タミル川上流域で1957年に発見され、亀趺の上に立てられた姿に復元された。正面と両側面にソグド語・ソグド文字の銘文が刻まれている。裏面はブラーフミー文字で、解読は鋭意進展中である。

中庭の中央にあるブグド碑文

MAP P.77-A1

ツェツェルレグの町を一望できる
ボルガン山
Булган уул

　ツェツェルレグ市街の北側、かつてザヤ・ゲゲーンの寺院だったアルハンガイ県博物館の裏手にそびえたつ岩山。周辺一帯は自然保護地域に指定されている。南側斜面は岩肌が露出しており、13の仏画が描かれているといわれている。南東斜面の中腹には大仏が建てられ、まるで大仏が町を見守っているかのようだ。そこからツェツェルレグの町を一望できる。中腹までの階段には、彫刻された十二支が1体ずつ置かれている。

岩山を背に立つ仏像

MAP 折込表-C2、P.74-A2外

草原に立つ巨大な岩のオボー
タイハル岩
Тайхар чулуу

　ツェツェルレグから北西約22kmにある巨大な岩。周囲約70m、高さ約25mに及ぶ。岩の表面には、もともと古い時代に書かれたルーン文字、ウイグル文字、モンゴル文字、満洲文字、チベット文字などの墨書も見られる。後に、漢文の墨書も見つかった。現在は、キリル語の落書きが新たに加わってしまった。岩の上にはオボーがある。

人と比べると大きさがよくわかる

フェアフィールド・ゲストハウス　　ゲストハウス

Fairfield Guesthouse　　MAP P.77-B1

　オーストラリア人オーナーで、欧米客が多い。英語も通じる。ホットシャワーあり。トイレも清潔。1階のカフェではパスタや手作りパン、本格コーヒーを楽しめる。各種アクティビティも充実。通年営業。全26ベッド。

- 🏠 図書館の北東
- ☎ 70333036、99087745
- ✉ info@fairfield.mn
- 🌐 www.fairfield.mn
- 💴 ①6万Tg～（トイレ・シャワー共同、朝食付き）
- カード MV

白い外壁がしゃれた印象

ツァヒール　　中級

Tsakhiur　　MAP P.77-A1

　2018年に町の中心部にオープンした近代的な外観のホテル。1階のレストランではモンゴル料理をメインに提供する。英語可。通年営業、24時間通電。全16室。旅行者向けツアーも展開している。

- 🏠 市役所そば
- ☎ 70332577 99189175
- ✉ dreamlife.se@gmail.com
- 🌐 facebook.com/p/Tsakhiur-Hotel-Restaurants-100032893551472
- 💴 ①12万Tg（トイレ・シャワー共同、朝食付き）　カード AJMV

近代的な外観のホテル

タイハル・ツーリストキャンプ　　ツーリストキャンプ

Taikhar Tourist Camp　　MAP P.77-A2外

　タイハル岩すぐ近くのツーリストキャンプ。英語可。5/15～9/15のみ営業。24時間通電。ゲル全20棟。遊牧民を訪問するなど各種ツアーも充実。事前連絡でツェツェルレグのバスターミナル無料送迎あり。

- 🏠 ツェツェルレグの市街地から西へ約20km
- ☎ 99004868
- ✉ taikharcamp@gmail.com
- 💴 15万Tg/人（トイレ・シャワー共同、3食付き）
- カード MV

レストランではアジアと西洋の料理を提供

マイダル・サン・ツーリストキャンプ　　ツーリストキャンプ

Maidar San Tourist Camp　　MAP P.77-B2外

　町から東南へ約3km、タミル川沿い。5/1～10/1のみ営業。24時間通電。ゲル全20棟。水洗トイレ・ホットシャワー完備。自家製オーガニック野菜の料理も美味。ツェンヘル温泉やホワイトレイクへのツアーもあり。

- 🏠 ツェツェルレグから東南へ約3km
- ☎ 99333686、76027469
- ✉ maidarsan@gmail.com
- 🌐 facebook.com/Maidarsan.mn
- 💴 12万Tg/人（トイレ・シャワー共同、朝・昼食付き）　カード 不可

敷地内の畑で野菜を育てている

ツェンヘル温泉　　Цэнхэрийн рашаан

近郊の見どころ

　ツェツェルレグから東南へ約28km、車で約1時間30分に位置する、露天風呂付きのツーリストキャンプ地。オゴデイ・ハーンの隠し湯とされる温泉で、源泉から白い湯気が立ち昇っている。湯の温度は86.5℃を保つ。なだらかな草原、アルハンガイの森林に囲まれながら入る露天温泉で、旅の疲れを癒やせる。入浴は基本的に水着着用。入浴のみの利用はだいたい3万Tgくらい。

のどかな景色を眺めながらリラックス

ACCESS

◆ツェンヘル温泉へ

MAP 折込表-C2

　バスの便はなく、ツェツェルレグから車をチャーターして行く。所要約1時間30分。天候（川の増水）などによりツェンヘル経由で約50km、所要時間も倍。長距離バスターミナル前、ザハ（市場）前などで交渉、片道9万Tgくらい。

ツェンヘル・ジグール・ツーリストキャンプ ツーリストキャンプ
Цэнхэр жигүүр Tourist Camp MAP 折込表-C2

日本とゆかりの深い老舗。温泉を発見し、モンゴルの旅行業の発展に生涯を捧げた梅木昭二氏の銅像が見守る。入浴時間は7:00〜23:00（入浴のみは3万Tg）。5/1〜10/1のみ営業。乗馬3万5000Tg/時。ゲル全30棟。

☎99106534
💰10万Tg
カードMV

日本風の露天の岩風呂がウリ

ハンガイ・リゾート・ツーリストキャンプ ツーリストキャンプ
Khangai Resort Tourist Camp MAP 折込表-C2

丘の上にあり、見晴らしがよい。赤い屋根の円形の建物が目印。手作りのパンやジャムが美味。ホテル棟は厚さ30cmのマットレスが自慢。入浴時間は7:00〜22:00（入浴のみは4万Tg）、5〜11月のみ営業。ゲル全34棟。

☎99312735 ✉khangairesort@gmail.com URLwww.facebook.com/pages/Khangai-Resort/1548348802066458 💰ゲル:19万Tg/人〜（3食付き） ホテル:Ⓣ19万Tg/人（トイレ・シャワー・3食付き）
カードMV

丘の上にある浴場からの眺望がよい

アルタン・ヌタグ・ツーリストキャンプ ツーリストキャンプ
Altan Nugtag Tourist Camp MAP 折込表-C2

ひとり用ゲルがかわいい。料理は温室栽培の自家製野菜や遊牧民から取り寄せた乳製品を使い、どれも美味。露天の岩風呂は24時間入浴可。日本人好みの温度。英語可。5〜10月のみ営業。ゲル全28棟。コテージ全5棟。

☎99188029、99898714
✉manager@altannutag.mn
💰19万5000Tg/人（トイレ・シャワー共同、3食付き）
カード不可

自慢の岩風呂

ドゥート・リゾート・ツーリストキャンプ ツーリストキャンプ
Duut Resort Tourist Camp MAP 折込表-C2

ツェンヘル温泉で最も高級なツーリストキャンプ。ロッジ風のホテルもある。露天風呂やスイミングプール、乗馬4万Tg/時などアクティビティも充実。入浴時間7:00〜22:00。通年営業。ホテル全15室、ゲル全31棟。

☎99112499 ✉duutreservation@gmail.com URLfacebook.com/duutresortmongolia.mn 💰ゲル:15万Tg/人（トイレ・シャワー共同） ホテル:Ⓣ22万Tg/人〜（トイレ・シャワー付き）
カードAMV

開放感あふれる浴場

もうひとつの温泉地、ツァガンスム

山と森と豊富な水。モンゴル人の誰もが憧れるという、自然に恵まれたアルハンガイ県。温泉といえば、ツェンヘル温泉が有名だが、実はもうひとつの温泉地、ツァガンスムもある。さまざまな薬効成分をもつ源泉の近くには第2代モンゴル帝国皇帝オゴデイの夏の宮殿跡も残っている。また村内にはチベット仏教寺院もあり、ご本尊には薬師如来が祀られている。この地が古くから湯治場として利用されていたことがわかる。

アクセスの問題で隠れ里のような静かな温泉地。泉質のよさもあり、ひそかなブームが訪れている。

空を望む絶景の露天風呂

問い合わせ先：風の旅行社
ツァガンスム直営キャンプ「そらのいえ」

緑多きアルハンガイ県の西に広がる湖

テルヒーン・ツァガーン湖（ホワイトレイク）

Тэрхийн цагаан нуур

テルヒーン・
ツァガーン湖
★
● ウランバートル

アルハンガイ県タリアト郡にある淡水湖。全長約16km、最大の深さ約20m。溶岩によってせき止められてできた。ハンガイ山脈を水源とする10以上に及ぶ川が流れ込み、湖からはソマン川が流れ出る。付近の火山と合わせて自然保護地域に指定されている。周辺にはなだらかな草原が広がり、乗馬やキャンプを楽しむことができる。風光明媚な観光地として名高く、国内外から多くの観光客が訪れる。湖誕生についての物語が残されている。

ACCESS

◆ テルヒーン・ツァガーン湖へ
MAP 折込表-B2
　バスの便はなく、車をチャーターして行く。ツェツェルレグからは所要約3時間、片道10万〜12万Tg。ツアーに参加し、湖周辺のツーリストキャンプに泊まるのが一般的。

美しいテルヒーン・ツァガーン湖

テルヒーン・ツァガーン湖の見どころ

巨大な噴火口の跡が迫力　　　　　MAP 折込表-B2

ホルギーン・トゴー（ホルゴ火山）

Хоргын тогоо

ホルギーン・トゴー
（ホルゴ火山）
住 ツェツェルレグから北西に約180km

9000年以上前に噴火して後、活動を休止している休火山。標高2240m、噴火でできた溶岩原は約20kmにわたって広がり、溶岩層は地下40〜50mに及ぶ。火口の傾斜は約50度、深さ約100m、火口直径は300〜400m。駐車場から15〜30分で火口が見える場所まで登ることができる。ここから20kmほどの所にも3つの休火山がある。ホルゴ火山付近でダイヤモンドも見つかっている。

火山の火口跡

チョローティン・ハブツァル
（チョロート峡谷）
📍 ツェツェルレグから北西
に約120km

ホルゴ火山の噴火が造った峡谷　　　　　　　　　　🗺 折込表-B2

チョローティン・ハブツァル（チョロート峡谷）
Чулуутын хавцал

　チョロート川が造り出す深い峡谷。約100kmにわたる。チョ
ロート川はハンガ
イ山脈のゴルバン
アンガルハイ山を
水源とする。崖の
高さは40〜60m。
ツェツェルレグか
らテルヒーン・ツァ
ガーン湖へ行く途
中にある。

深い峡谷に流れるチョロート川の圧巻の景色

🛏 ホテル　　　　　　　　　　　　　　ACCOMMODATIONS

スルティン・トルガ・キャンプ　　　ツーリストキャンプ
Surtiin Tulga Camp　　　　　　　　🗺 折込表-B2

　近くに食料品店が数軒あり、便
利。50〜80人のグループの受け
入れ可。乗馬、ハイキング、釣り、
遊牧民宅訪問など各種手配可能。
レストラン（6:00〜23:00）あり。
おもにモンゴル料理。通年営業。
ゲル全20棟。

📍 タリアト郡テルヒーンツァガー
ン湖、アルスルト
☎ 99817553、89247553、89220
102
📧 surtiintulga@yahoo.com
💴 15万Tg/人（トイレ・シャワー共
同、3食付き）　カード不可　　📶

草原に白いゲルが建ち並ぶ

ツァガーン・ノール・キャンプ　　　ツーリストキャンプ
Tsagaan nuur Camp　　　　　　　　🗺 折込表-B2

　乗馬やハイキング、釣りなどの
各種手配に加えて、モンゴル式結
婚式やシャーマン儀礼の紹介、モ
ンゴル民族衣装ショー、ナーダム
競馬などの企画が可能。レストラ
ン（6:00〜24:00）あり。ゲル全
21棟。

📍 タリアト郡テルヒーン・ツァ
ガーン湖
☎ 88037654、88063469
📧 undesniiurlag@gmail.com
💴 15万Tg/人（トイレ・シャワー共
同、3食付き）
カードV　　📶

草原の見事な丘陵を楽しめる

テルヒーン・ツァガーン湖誕生の物語

　テルヒーン・ツァガーン湖の誕生につい
て、おもしろい物語が残されている。

　「かつてここには湖はなく、代わりに美し
い牧草地が広がっていた。牧草地の真ん中に
は井戸があり、老夫婦がそこから水をくんで
暮らしていた。毎日、井戸から水をくみ出し
ては必ずふたを載せておいたのだが、ある
日、老婆がふたをするのを忘れてしまった。
すると、その夜、井戸から水があふれ出し、
洪水となってしまった。洪水がいよいよ世界
を飲み込むほどになったとき、ブフマンダル

という力もちが現れ、オランマンダル山の頂
を切り取って、井戸の口に放り投げたとこ
ろ、見事に井戸をふさいだのだった。そし
て、あふれかえった水が湖として残った」

モンゴル西部

多彩な遊牧文化が
きらめく土地

モンゴル西部

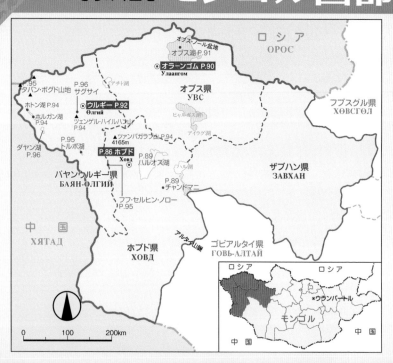

ロシア
ОРОС

オブス・ヌール盆地
オブス湖 P.91

◎ オラーンゴム P.90
Улаангом

P.96
サグサイ

アチト湖

オブス県
УВС

フブスグル県
ХӨВСГӨЛ

タバン・ボグド山地
P.96

ホトン湖 P.94

◎ ウルギー P.92
Өлгий

ヒャルガス湖

ホルガン湖
P.94

ツェンゲル・ハイルハン山
P.94

アイラグ湖

ダヤン湖
P.96

P.95
トルボ湖

ツァンバガラブ山 P.94
4165m

ザブハン県
ЗАВХАН

P.86 ホブド
Ховд

P.89
ハルオス湖

ハル湖

バヤンウルギー県
БАЯН-ӨЛГИЙ

P.89
● チャンドマニ

フフ・セルヒン・ノロー
P.95

中 国
ХЯТАД

ホブド県
ХОВД

アルタイ山脈

ゴビアルタイ県
ГОВЬ-АЛТАЙ

0 100 200km

ロシア   ロシア

◎ウランバートル

モンゴル

中   中   中
国   国   国

1 トルボ湖。ウルギーから舗装道路でアクセスできる　2 トゥバのシャーマン。山に祈り、川に願う　3 伝統衣装を身にまとった、鷹匠のカザフ青年　4 カザフの騎馬競技ククバル。馬上で山羊を奪い合う　5 カザフの家族。ゲル内はカザフ刺繍で色鮮やかだ　6 弓競技人口はウリヤンハイ人にとても多い　7 夏のオブス湖畔はどこもかしこも花だらけだ

どんなエリア？

　モンゴル西部は標高4000mを超える山々を擁すアルタイ山脈地域、オブス・ノール盆地の大ステップ地域に代表される。

　アルタイ山脈地域は氷河や万年雪に覆われ、雪解け水をたたえる湖や川が多い。非常に乾燥しており木はとても少ない。

　オブス・ノール盆地は砂漠、ステップ、ツンドラが併存する珍しい土地だ。

どんな暮らし？

　モンゴル西部地域はモンゴル、カザフ、トゥバの各民族が狭い牧草地をうまく共有して生活している。それぞれ言語、文化、宗教、生活習慣が異なり、見どころは多い。アルタイ山脈地域は特にカザフ人が多く、その生活習慣は際だって特徴的だ。ウリヤンハイ（モンゴル人の一派）は古いモンゴルの習慣を生活に残すとされ、興味深い。

これだけは見逃せない

● カザフ遊牧民の暮らし →P.92など
● 万年雪を頂く山々 →P.94
● 世界自然遺産のオブス・ノール盆地 →P.91
● 氷河湖のトルボ湖 →P.95

旅のヒント

　アルタイ山脈地域では夏営地も標高2000mを超えた所にあるため、非常に冷涼。夏でも防寒着は必須だ。天候は変わりやすく、山登りをするつもりで装備したほうがいいだろう。オブス・ノール盆地やホブドの低地部では蚊がとても多いので要対策。乾燥がきつい地域なので、水筒やリップクリーム、マスクなどあると重宝する。

ホブド

Ховд

[時差]
ウランバートルとの時差は
−1時間

ACCESS

◆ホブドへ
MAP 折込表-A1
✈ ウランバートルから
アエロモンゴリアが
週3〜5便、フンヌ・エア
が週1便、MIATモンゴル
が週3便運航（→P.223）。
帰りの便も同日折り返し。
所要2時間。片道45万
1500〜50万2150Tg。
🚌 ウランバートルの新ド
ラゴン長距離バス
ターミナル（→P.226）から
毎日11:00、13:00、16:00
発、所要約18時間50分。11
万2000Tg。
◆空港から市内へ
バスの定期便はないの
で、車を頼むか、歩いて行
くしかない。市の中心部
まで約5km。
◆ホブドから
🚌 ウランバートルへ:
ザハ（市場）近くのバ
ス乗り場から毎日11:00、
13:00、16:00発、所要約16
時間、11万2000Tg。切符
はあらかじめ窓口で買う。
ウルギーへ: ザハ（市場）
向かいの駐車場から乗合
ジープとミニバスが乗客
が集まり次第出発。所要
約5時間、5万Tg〜。
オラーンゴムへ: 同駐車
場から乗合ジープとミニ
バスが乗客が集まり次第
出発。所要約7時間、6万
Tg〜。

ホブドの町（標高1405m）は1685年にガルダン・ボシグトがホブド川岸に駐屯地や農地などを拓いたことに始まる。ガルダン・ボシグトは、モンゴル西域の遊牧民諸集団を束ね、清朝帝国に最後まで抵抗した英雄。清朝時代の1763年に現在の場所へ移転した。当時は「サンギーン・ヘレム（城塞：行政施設）」と「商人街」に分かれていた。1940年に県の中心都市になり、1961年からホブド市と呼ばれる。モンゴル西部の中心として行政、経済に加え、ホブド大学など文化・教育面でも発展を続けている。

英雄ガルダン・ボシグト像

ホブドの歩き方と見どころ

モンゴル西部地域を代表する英雄ガルダン・ボシグトの銅像の立つ県庁舎広場が町の中心。道路を挟んで東のアユーシ広場すぐの交差点を行動の起点とすれば、迷わず歩き回れる。交差点から北へ300mほど行った西側にホブド県博物館、その手前の道を西へ進むとゲル博物館がある。ホブド県博物館から、さらに北に進むと城塞跡サンギーン・ヘレムにいたる。

ホブド市内図

また、交差点から東や南に行くと、ホテルやレストラン、店舗などが並ぶ。東へ向かい、ホブド大学を越えた大きなモンゴル靴のモニュメントのある交差点を南へ進むとザハ（市場）に出る。ガンダン寺院は空港に行く途中にあり、徒歩で行くのは少々きつい。

町の中心、県庁舎とアユーシ広場

サンギーン・ヘレム

清朝帝国時代の圧政と繁栄の象徴　**MAP P.86-B外**

Сангийн хэрэм

MAP P.86-B外

町の中心部から約800m北にある城塞跡。1762年に清朝の満洲人大臣（アンバン）がこの地を支配するために滞在した。高さも厚さも3m以上の城壁が四方を囲み、大臣宅のほか、役場、牢、仏教寺院やモスク、職人小屋などがあった。1912年8月7日、ダムビージャンツァンらが指揮する軍隊が満洲人大臣らを追放、この地をモンゴル人の手に解放した。

この地を守った城壁の跡

サンギーン・ヘレム
🏠 アユーシ広場から北へ約800m行った突き当たり
🎫 無料

ガンダンポンツァグチョイロン寺院

破壊、復興、移転、改築を経てなお信仰を集める　**MAP P.86-A外**

Ганданпунцагчойлон хийд

MAP P.86-A外

清朝時代に建築され、この地の中心的な寺院として発展してきた。社会主義時代に破壊されたが、1996年に再建され、2010年に当地に移された。2017年には高さ18mの弥勒菩薩座像が造られた。

堂々とした外観

ガンダンポンツァグチョイロン寺院
🏠 空港から約2km
🚕 町の中心から約3km、タクシーで4500～6000Tg
🕐 9:00～14:30
🈂 土・日曜
🎫 無料
※目的に応じてお経を選び、目の前で読経してもらえる（有料）

ホブド県博物館

多様なモンゴル文化を見渡せる　**MAP P.86-B**

Ховд аймгийн музей

MAP P.86-B

モンゴル西部の文化を概観できる最大の博物館。ホブド解放の英雄マグサルジャブ。清朝時代の拷問に耐えて解放運動に参加したアユーシらに関する展示のほか、モンゴル系、トルコ系諸集団の特徴的な文化紹介なども、見応えがある。

オレンジ色の外壁が特徴

ホブド県博物館
🏠 Jargalant Sum, O. Zani St., 7-1, Tsambagarav District
🚕 アユーシ広場東角の交差点から北へ約300m
📞 70432286、99243056
📧 khovdmuseum@gmail.com
🕐 8:00～17:00
🈂 無休（冬季は土・日曜）
🎫 1万5000Tg
写真撮影　1万Tg
ビデオ撮影　3万Tg
※グループで予約すれば休館日でも参観可能。英語可

ステップ 　　　　　　高級

Талын буудал　　MAP P.86-A

　2018年にオープンした国際標準を満たす高級ホテル。全室エアコン付き。簡易キッチンを備えた部屋もある。空港送迎サービスあり（4万Tg）。レストラン（10:00～22:00）、テラス（17:00～24:00）では夜景を楽しみながら食事できる。

🏠 ホブド県マグサルジャブ4-2
☎ 70439999
🏷 Ⓢ21万8000Tg　Ⓣ36万6000Tg　・Ⓓ120万Tg（トイレ・シャワー・朝食付き）
カード AJMV

清潔感あふれる近代的な外観

ボヤント 　　　　　　中級

Buyant　　MAP P.86-B

　ホブドの老舗ホテルで設備などはやや古いが、町の中心部で観光には便利。ホテルにレストラン（7:30～22:30）はあるが、予約なしの場合、閉まっていることがある。空港から車で約20分、2万5000Tg。全18室。

🏠 ドラマ劇場の南向かい
☎ 99049043
📧 buyanthotel@gmail.com
🏷 Ⓢ5万5000Tg　Ⓣ8万Tg　Ⓓ15万Tg（トイレ・シャワー・朝食付き）
カード MV

れんが造りのレトロなホテル

ホブド 　　　　　　中級

Ховд зочид буудал　　MAP P.86-B

　経営者が代わり、2015年に完全にリニューアルした。レストラン（7:30～22:00）も改装してきれい。モンゴル料理を提供する。フィットネスジムなども備える。サウナは利用1時間前に予約が必要。全26室。

🏠 ドラマ劇場北西隣
☎ 70435555、89528800
📧 Hovdhotel5555@gmail.com
🏷 Ⓢ8万～11万Tg　Ⓣ13万～15万Tg（トイレ・シャワー・朝食付き）
カード AJMV

赤と緑の看板が目立つ

ミンジ 　　　　　　中級

Минж зочид буудал　　MAP P.86-B

　5階建ての黄色い建物が目印。町の中心部にあり便利。ベジタリアンレストラン（9:00～22:00）は評判がいい。レセプションの雰囲気は明るくスタッフはフレンドリー。全24室。ウェブサイトでの予約可能。

🏠 県庁舎から南東へ約100m
☎ 70433925　📧 info@ihotel.mn
facebook.com/MinjHotel
🏷 Ⓢ6万Tg～　Ⓣ7万9000～10万Tg（トイレ・シャワー・朝食付き）カード AJMV

1階にレストランがある

ウルグー 　　　　　　中級

Өргөө зочид буудал　　MAP P.86-B

　ホテルの隣に立つ巨大なモンゴル靴のオブジェが目印。向かいにノミンスーパーがあって便利なロケーション。レストラン（8:00～22:00）あり。全23室。

🏠 ホブド大学東側、ノミンスーパー北
☎ 70438890、99437857
🏷 Ⓢ15万Tg　Ⓣ18万Tg（トイレ・シャワー・朝食付）
カード AJV

巨大なモンゴル靴のオブジェ

エルスン・シャナー・アムラルト 　ツーリストキャンプ

Элсэн шанаа амралт　　MAP P.86-B外

　市内から舗装道路を約30km、未舗装道路約12kmの立地。レストラン（7:00～22:00）はあるが要予約。シャワーは24時間OK。通年営業。

🏠 ハルオス湖湖畔、ホブド市から約42km　☎ 99436446、99009278　ゲル：8万～15万Tg　ロッジ：15万Tg（トイレ・シャワー共同、朝食付き）
カード 不可

ウイナーズ 　　　モンゴル料理ほか

Winners Restaurant　　MAP P.86-B

　「ホブドで食事といえばここ」というほど有名なレストラン。ただし、料理の提供に時間がかかることがあるので余裕をもっておこう。

🏠 アユーシ広場東の交差点角
☎ 80904045
🕐 9:00～24:00
🛏 無休
カード AJMV
📷 写

ハルオス湖

Хар ус нуур

アルタイ山脈を水源地とするホブド川とボヤント川が流れ込む面積1486㎢の淡水湖。湖の平均水深は4.5m。「黒い水の湖」の意味。湖には十数個の島があり、全島の合計面積は274㎢に及ぶ。湖は大きくふたつに分けられ、湖の北側約400㎢の多くはアシに覆われている。一見、草原のようで、湖岸に近づ

ハルオス湖はモンゴルで3番目に大きい湖

きにくい。北岸周辺にはアシの家畜柵に囲まれた遊牧民の冬営地などを見ることもできる。湖の南側にはツーリストキャンプや展望台もある。夏には周辺にたくさんの花が咲き誇り、美しい。

近郊の見どころ

ACCESS

◆ハルオス湖へ

MAP 折込表-A1〜2
　バスはなく車のチャーターのみ。ホブドから南東へ約40km。往復12万Tg〜。

湖畔にあるツーリストキャンプ

チャンドマニ

Чандмань сум

ホブド市から南東へ約150km、聖なる山、ジャルガラントハイルハン山（標高3797m）の東側にある村。のどを使ってふたつの音を同時に奏でるモンゴルの伝統声楽「ホーミー」発祥の地として知られる。ドキュメンタリードラマ「チャンドマニ〜モンゴルホーミーの源流へ〜（2009年・日本、モンゴル）」の舞台にもなった。

ジャルガラントハイルハン山の麓にチャンドマニはある

近郊の見どころ

ACCESS

◆チャンドマニへ

MAP 折込表-A2
　バスはなく、車のチャーターのみ。ホブドから往復8時間以上かかる。往復12万Tg〜。

モンゴルの心に触れる旅「ホブド地元学ツアー」

アルタイ山脈の万年雪の下、標高3000mの高地に広がる天空の大草原。地元住民だけが知る絶景スポット、希少な動植物や史跡を探訪する。大自然のなかでたくましく生きる遊牧民の深く温かい懐……。遊牧の智恵を学ぶスタディツアーとして、心身を解放する癒やしの旅として、モンゴルならではの"心"に触れることが、きっとできるはず。ホブド大学観光日本語科卒業生が旅を企画し、通訳ガイドとして旅のサポートをしてくれる。

問い合わせ先　モンゴル料理こぺん内　藤原

🏠大阪府大阪市城東区鴫野東2-24-18

☎(06) 6968-8889

📧copen@lilac.plala.or.jp

オラーンゴム
Улаангом

オラーンゴム（「赤い平原」「赤い砂」の意）は、1686年、モンゴル西部の英雄ガルダン・ボシグトがハルヒラー川から水を引いて、オブス湖付近の窪地に農地を拓いたことに端を発する。17世紀後半には穀物の栽培が盛んな土地であった。1931年にチャンドマニ山をオブス県とホブド県の境界とし、オラーンゴムをオブス県の中心と定めた。市内にはロシア連邦トゥバ共和国総領事館があり、トゥバ共和国ハンガイトに続く舗装道路が延びるなど、ロシアとの貿易も盛ん。モンゴルの社会主義時代を44年間にわたり主導した、政治家ツェデンバルの出身地としても有名。

オラーンゴムの歩き方と見どころ

政治家ツェデンバル像の立つ県庁舎広場（ツェデンバル広場）前を東西に走る大通りが町の中心。ここから西に向かうとオブス県博物館やショッピングセンター、ホテルなどが並ぶ。県庁舎広場から北東のザハ（市場）へと道が延びており、通り沿いにホテル、スーパーなどがコンパクトにまとまっていて滞在に便利。オブス県博物館近くにもホテルがあるので、ここをベースに滞在するのもいいだろう。

[時差]
ウランバートルとの時差は
− 1時間

ACCESS

◆オラーンゴムへ
MAP 折込表-A1
✈ ウランバートルからアエロモンゴリアが週2〜3便、フンヌ・エアが週1便、MIATモンゴルが週2便運航（→P.223）。帰りの便も同日折り返し。所要約2時間。44万6050 〜 47万5050Tg。
🚌 ウランバートルの新ドラゴン長距離バスターミナル（→P.226）から毎日3便、11:00、15:00、17:00発、所要約30時間。10万5000Tg。
◆空港から町へ
空港は市の約12km西にある。バスの定期便はなく、タクシーで1万5000Tg〜。
◆オラーンゴムから
🚌 ウランバートルへ：ザハ（市場）前から毎日3便、同時刻発。
ホブドへ：ザハ（市場）前から乗客が集まり次第発、所要約6時間、6万Tg。

オラーンゴム市街図

政治家ツェデンバルをしのんで MAP P.90-A1

オブス県博物館
Увс аймгийн музей

オブス県の自然環境、野生動物
に関する基本展示、県に居住する
諸集団の文化的特徴がわかる展示
のほか、社会主義時代に地位、名誉
ともに最高を極めたツェデンバル
に関する展示が充実している。

2階建ての白亜の建物

オブス県博物館
住Uvs province, Ulaangom
sum 7th bag, Marshal Yu
Tsedenbaliin 24th St.
交ツェデンバル広場から徒
歩約5分
☎70454831
圏8:00〜17:30（冬季は8:30
〜17:00）
休無休
料5000Tg
写真撮影　1万Tg
ビデオ撮影　2万Tg

🛏 ホテル ACCOMMODATIONS

オブス・プラザ　経済的
Uvs Plaza MAP P.90-A1

受付は英語、中国
語、ロシア語が可能。
ホテルは3階に7室。
1階はスーパーで便
利。レストラン（10:00
〜23:00）は日曜休。

住オラーンゴム第7バグ
☎99453882、95180707
Eoyunbold8844@gmail.com
料⑤5万〜8万Tg　①8万〜9
万Tg（トイレ共用の部屋もあ
る。シャワーはトイレ付き部
屋のみ）カードMV 🛜

テンゲル　経済的
Tenger MAP P.90-B1

1階が店舗、2階が
レストラン（10:00〜
22:00）、3階がホテ
ルとなっていて便利。
部屋は小さいが清
潔。空港送迎は2万
5000Tg。全7室。

住ツェデンバル広場東の通り
を北へ約200m
☎99458064、99459780
料⑤9万Tg　①11万Tg（トイ
レ・シャワー付）
カードMV 🛜

アチトノール　経済的
Achit Nuur Hotel & Restaurant MAP P.90-A1

町の中心に近く、
オブス県博物館など
にも近い。レストラ
ン（10:00〜20:00）。
全26室。

住第4バグ13-10　オブス県
博物館斜め向かい
☎99452200、99459032
Eb.bathishig88@gmail.com
料①6万〜8万Tg（トイレ・
シャワー・朝食付き）カードMV 🛜

グランド　中級
Гранд зочид буудал MAP P.90-A1

町の中心から少し
離れているが、スー
パー、市場が近くて便
利。レストラン（7:00
〜22:00）ではモンゴ
ル・韓国料理を食べ
られる。全19室。

住第10バグ
☎99454435、99452996、
99456489
Ehayalaggrand@gmail.com
料①6万Tg〜（トイレ・シャ
ワー・朝食付き）
カードMV 🛜

オブス湖　Увс нуур

近郊の見どころ

モンゴル最大の湖で、北東部はロシア連邦トゥバ共和国の
領土。平均水深6mの浅い弱塩湖で、面積3350km²。流入河川は
テス川など38を数えるが、流出河川はない。オブス湖を中心
とするオブス・ノール盆地は70万km²にわたり、ステップ地域
の特徴を自然のままに保存した貴重な地域。最北の砂漠と最
南のツンドラが併存する極めて複雑な自然環境を擁する。

オブス・ノール盆地はロシア側の8ヵ所、モンゴル側の4ヵ
所合わせて12ヵ所の保護区が2003年にユネスコの世界遺産
（自然遺産）に登録された。夏は47℃、冬は−58℃と厳しい環
境に、41種類の哺乳類、173種の鳥類が生息する。シベリアで
夏を過ごす渡り鳥たちの中継地で、渡りの最盛期には湖面が
鳥たちで埋め尽くされる。湖岸にアプローチできる場所はか
ぎられ、道を外れて走るとスタックする危険がある。夏には
湖岸は色とりどりの花が咲き誇る。

ACCESS
◆オブス湖へ
MAP折込表-A1
バスはなく車のチャー
ターのみ。オラーンゴム
から東へ約45km。往復
12万Tg〜。

モンゴル最大の湖

モンゴル西部　オラーンゴム●歩き方と見どころ／ホテル／近郊の見どころ

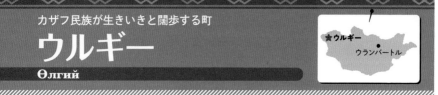

1932年にゲンデン首相が、1936年にはチョイバルサン首相が訪問し、伝統文化を守りながら暮らすカザフ人に感激。カザフ人の行政区を作ることを提案し、1940年8月にバヤンウルギー県が設置された。バヤンウルギーとは「豊かなゆりかご」の意味。中心地ウルギーは1961年に市となる。アルタイ山脈山中にあって乾燥が激しいが、市内には水量豊かなホブド川が流れる。標高1710mの高地にあり、年平均最高気温は7℃程度。最も暑い7月でも22℃と涼しい。約3万人がウルギー市内に居住し、そのうちの約9割がカザフ人。市内の看板はモンゴル語よりもカザフ語表記のほうが多い。

[時差]
ウランバートルとの時差は
－1時間

ACCESS

◆ウルギーへ
MAP 折込表-A1

✈ ウランバートルから
アエロモンゴリアが
週2～6便、MIATモンゴル
が週2便運航（→P.223）。
帰りの便も同日折り返し。
所要約2時間。47万6850
～50万2150Tg。

🚌 ウランバートルの新
ドラゴン長距離バス
ターミナル（→P.226）か
ら火曜以外13:00（月・
水・土曜は10:00も）発、
所要約30時間。13万Tg。

◆ウルギーから

🚌 ウランバートルへ：
広場南西の劇場横か
ら同時刻発。
ホブドへ：ザハ（市場）手
前の駐車場から乗合ジー
プ、ミニバスが出ている。
乗客が集まり次第出発、
所要約5時間、5万Tg～。

バヤンウルギー県博物館
🏠 広場の東側
☎ 99427479
🕐 8:30～17:30（冬季は9:00
～17:00）
休 日曜（冬季は土・日曜）
💰 1万5000Tg
写真撮影　2万Tg
※グループは予約すれば、休
館日でも参観可能

モスク
🏠 警察署の北西

ウルギーの歩き方と見どころ

乾燥れんがを使った土塀や住居が点在し、町行く人々の多くはカザフ人で、服装なども独特。特にザハ（市場。カザフ語ではバザール）に行くと、モンゴルの他地域では見られない商品を多く目にする。博物館、バザール、みやげ物店、モスク、レストランなどは県庁舎そばにまとまっている。

カザフ民族を知るために　　　　　　　　　　　　MAP P.93-B1

バヤンウルギー県博物館

Баян-Өлгий аймгийн музей

1階は動植物や地下資源、2階は歴史、3階はカザフやウリヤンハイの民族衣装、生活用具、楽器などの民俗資料が展示されている。モンゴル系、カザフ系遊牧民の文化的な違いを一覧でき、伝統的なカザフウイ（家はカザフ語で「ウイ」）やブランコの展示は見応え十分。

喧騒のなかにたたずむ聖地　　　　　　　　　　　MAP P.93-A1

モスク

Лалын сүм

ウルギー市内で最も活発な活動を行ってきたモスク。社会主義崩壊直後の寺院復興運動でも中心的な役割を果たした。入口で脱帽し、靴を脱いで入ること。女性はできるだけ肌の露出を少なくして参拝することが望ましい。

敷地内にはイスラム学校も併設されている

ウルギー市内図

車をチャーターするなら
現地旅行会社、宿泊ホテルなどに手配を頼む。1日25万〜30万Tg/1台（車種による）。ガソリン代実費とドライバーの食事代も別途必要。タクシーは、1500Tg/km。
● ブルー・ウルフ
MAP P.93-A2
☎99110303
Ⓤbluewolftravel.com

バスハウス（風呂屋）
ホテルにシャワーがない場合に便利。
MAP P.93-A2
料サウナ（シャワー付き）2万Tg/時間、シャワーのみ4500Tg

🛏🍴👜 ホテル＆レストラン＆ショップ

ドストゥク　　　　　　　　　中級
Dostyk　　　　　　　　MAP P.93-B1

ウルギーで最も新しいホテル。町の中心部にあり便利。客室は7階にありモダンな内装。周囲の山々の眺望がすばらしい。10階のレストランではトルコ、カザフ、モンゴルの各国料理などが楽しめる。6階にはラウンジもある。

住MJS Tower, 7th floor, A-2 Olgii　☎70100272
Ⓔcontact@hoteldostyk.com
Ⓤwww.hoteldostyk.com
料Ⓢ25万Tg〜　Ⓣ35万Tg〜（トイレ・シャワー・朝食付き）
カードMV　📶

広場のすぐそば

ドゥマン　　　　　　　　　中級
Duman（Думан зочид буудал）　MAP P.93-A2

住宅地のなかにある静かなホテル。レストランあり。部屋は広めだが、建物は古い。Wi-Fi接続は不安定。フロントスタッフの対応がよい。

住エンフタイワン通り中ほどを西へ約100m
☎95113027, 99423455
Ⓔdumanhotel@gmail.com
料Ⓢ9万Tg　Ⓣ11万Tg（トイレ・シャワー・朝食付き）
カードMV　📶

タバン・ボグド　　　　　　中級
Таван богд　　　　　　MAP P.93-A2

町の中心部、バス乗り場向かいにあり、便利。1階にレストラン（10:00〜22:00）あり。酒の提供はしていない。空港送迎は5万Tg。

住ソハバートル通り110-1
☎99429272, 99128894
Ⓔtavanbogdhotel@gmail.com
料Ⓢ9万Tg　Ⓣ13万Tg（トイレ・シャワー：部屋による）
カードAJMV　📶

イーグル・ドリームズ　　　　中級
Eagle Dreams　　　　　MAP P.93-A2

老舗旅行社ブルー・ウルフが経営。レストラン（7:00〜22:00）で朝食ビュッフェ、昼・夕食要予約。空港送迎無料。各種旅行手配経験豊富。

住第13バグ111
☎94382772
Ⓔcanat_c@yahoo.com
Ⓤbluewolftravel.com
料Ⓢ12万Tg　Ⓣ14万Tg（トイレ・シャワー・朝食付き）
カードAMJV　📶

アルタイ・ゲストハウス　　ゲストハウス
Altai Guesthouse　　　MAP P.93-A2

町の中心部にあり、便利。欧米のバックパッカーに人気で予約が取りづらい。全20ベッド。共用のキッチンあり。各種旅行手配可能。

住第5バグ　ソハバートル通り
☎95427809, 99427003
Ⓔbek@altaiexpeditions.com
料Ⓓ2万5000Tg　Ⓢ7万〜9万Tg　Ⓣ9万〜12万Tg/ベッド（トイレ・シャワー共用）
カードDMV　📶

パムッカレ　　　　　　　レストラン
Pamukkale Turkish Restaurant　MAP P.93-A1

2005年の開店以来ウルギーで人気ナンバーワンの本格トルコ料理レストラン。Wi-Fi可。お茶はポットで提供され、ゆったりと食事できる。

住第5バグ
☎70427980
営10:00〜22:00
休無休
カードMV
✗英

カカズ・アート・ショップ　フェルト雑貨
Какагийн бэлэг дурсгалын дэлгүүр　MAP P.93-B1

フェルト作家カカのお店。自身製作の商品のほか、カザフ刺繍商品、衣装、雑貨があふれる。カザフスタンやキルギスからの輸入品もある。

住バヤンウルギー県博物館の北向かい。交差点北東角
☎99222371, 88066087
営8:00〜22:00（冬季は9:00〜21:00）
休無休（冬季は日曜）
カードAJMV

近郊の見どころ

ツァンバガラブ山　Цамбагарав уул

ACCESS
◆ツァンバガラブ山へ
MAP 折込表-A1
　ウルギーから南東へ約120km。ジープチャーターで約US$50/日（1泊2日、旅行会社手配）。

　バヤンウルギー県とホブド県の境にある標高4165mの山。土地の人々はかつて「ツァスト（雪のある）山」と呼んでいたが、ある職人が山の色に合わせて作った仏像に「ツァンバガラブ」と名づけ、山の南のジンスト山に安置してから、ツァンバガラブ山と呼ばれるようになった。人々はこの山をあがめ、山に生える木の実や草花に手を触れることを禁じている。2000年に国定自然保護地域に指定された。

モンゴルで3番目に高い

近郊の見どころ

ツェンゲル・ハイルハン山　Цэнгэл хайрхан

ACCESS
◆ツェンゲル・ハイルハン山へ
MAP 折込表-A1
　ウルギーから南西へ約100km。ジープチャーターで　約US$50/日（1泊2日、旅行会社手配）。

　万年雪に覆われる標高3943mの山。山を仰ぎ見る麓の盆地はサグサイのカザフ人が夏営地として利用し、この地域を「カク」と呼ぶ。ツェンゲル・ハイルハン山やカク夏営地を一望できる標高約3000mの山に車で登ることができる。

万年雪に覆われる絶景

近郊の見どころ

ホルガン湖／ホトン湖　Хурган нуур / Хотон нуур

ACCESS
◆ホルガン湖／ホトン湖へ
MAP 折込表-A1
　ウルギーから南西へ約120km。ジープチャーターで　約US$50/日（1泊2日、旅行会社手配）。

　アルタイ・タバン・ボグド自然保護地域内にあり、周囲の山々の氷河の水が解けてできた氷河湖である。ふたつの湖はわずか2kmほどの川でつながり、その真ん中あたりに橋が架かっている。周囲には森が茂り、木の少ないアルタイ山脈のなかで独特の景観を見せる。

美しい氷河湖の向こうに山脈が連なる

トルボ湖 Толбо нуур

近郊の見どころ

　南から北西に細長く横たわる氷河湖。氷河に覆われた山々から解け出した水が流れ込む。周囲を木のない岩山に囲まれ

ている。トルボ湖畔は1921年にモンゴル革命軍と白ロシア軍による戦闘が42日間にわたって繰り広げられた古戦場で、戦勝記念碑が建てられている。

空が鏡のように水面に映り、美しい

ACCESS

◆トルボ湖へ
MAP 折込表-A1
　ウルギーから南へ約45km。約US$50/日（1泊2日、旅行会社手配）。

タバン・ボグド山地 Таван богд

近郊の見どころ

　アルタイ山脈にあるタバン・ボグド山地はモンゴル国西端の最高峰フイテン（寒い）峰（4374m）を含む山地。ブルギッド（イヌワシ）峰（4068m）、マルチン（牧民）峰（4051m）、ウルギー（ゆりかご）

峰（4050m）などの万年雪の山がそびえている。1956年の初登頂以降、内外の登山家が訪れる。1996年には周辺地域一帯をアルタイ・タバン・ボグド自然保護地域とした。

モンゴル、ロシア、中国にまたがっている

ACCESS

◆タバン・ボグド山地へ
MAP 折込表-A1
　ウルギーから西へ約180km。約US$50/日（3泊4日、旅行会社手配）。

フフ・セルヒン・ノロー Хөх сэрхийн нуруу

近郊の見どころ

　バヤンウルギー県とホブド県境、アルタイ山脈北部に約50kmにわたり横たわる山脈。山脈の最高峰はタヒルティンオール山（標高4019m）。「フフ（蒼い）セルフ（山羊）＝アイベックス」の棲む「ノロー（山脈）」というモンゴル語の名前のとおり、多数のアイベックスが生息する。万年雪を頂く山々

が無数の深い峡谷を造り、ボヤント川に流れ込む多くの支流の水源となる豊かな自然環境を造り出す。

多様な野生生物を観察できる希有な場所

ACCESS

◆フフ・セルヒン・ノローへ
MAP 折込表-A1
　ウルギーから南へ約180km。約US$50/日（3泊4日、旅行会社手配）。

ダヤン湖

Даян нуур

ACCESS

◆ダヤン湖へ
MAP 折込表-A1
ウルギーから南へ約130km。US$50/日（2泊3日、旅行会社手配）。

アルタイ山脈には珍しく、湖岸に木々が豊かに生い茂る、風光明媚な氷河湖。近くのムストオール山から流れ出る豊富な水を蓄え、ハタン川からホブド川へと水を供給する。標高2232mの高地にあるため夏でも冷涼で、サグサイなどのカザフ人たちが夏営地として利用する。

水温は6月で13℃程度、水は明るい緑色をしている

サグサイ

Сагсай сум

ACCESS

◆サグサイへ
MAP 折込表-A1
ウルギーから、西へ約28km。往復3万Tg〜（乗合タクシー）。

1969年に設立された。中心部までウルギーから約28kmと比較的近く、外国人が訪問しやすいこともあって、2003年より「イーグル・フェスティバル」が開催されている。平地が多いため乗馬技術に優れ、カザフの伝統騎馬競技で上位に入る人も多い。サグサイ川流域の広い盆地に町が造られていて、昔から川がよく氾濫した。川岸には川が穏やかであることを祈って石人が2体残されている。

鷹匠の祭典「イーグル・フェスティバル」

2000年頃からカザフの鷹狩り文化を伝承し、担い手を増やすことを目的として、外国人旅行客向けにウルギー市やサグサイ村で始められた。毛皮市場の縮小、衣料の新素材開発の流れのなか、狩りの必要自体が失われる傾向にあるが、それに歯止めをかけるために生まれた祭りだ。

鷹狩りは雪が降り始める頃から春にかけて、獲物の毛皮が最も美しい時季に行うのだが、雪が本格的に降る時季の集客が難しいという事情から、9月半ばから10月初めにかけて開催される。

旅行会社が協力し合って独自に開催するものや県行政が行うものなどいくつかある。いずれの祭りも参加報奨金が支払われ、入賞すれば賞金も出るため、参加するためにイヌワシを飼う若者が増え始めているらしい。

競技は大きく2種類。イヌワシに呼びかけて腕にランディングさせるものと、毛皮を地面に敷いてランディングさせるもの。どちらも呼び始めてからキャッチするまでの時間を競う。

イヌワシを呼んで腕にランディングさせている様子

祭りでは、イヌワシ競技のほか、カザフ伝統の騎馬競技も行われる。参加するカザフ人たちはむしろこの騎馬競技を楽しみにしているようだ。

特に馬上で山羊を奪い合う競技「ククパル」は、高度な乗馬技術と体力が必要とされ、参加者はもちろん観客もかなりエキサイトする。

イーグル・フェスティバルは、「鷹匠の祭典」と名づけられ、カザフ文化・体育祭のような雰囲気。心躍る楽しさがある。

（NPO法人北方アジア文化交流センター
しゃがぁ理事長　西村幹也）

モンゴル東部

モンゴル民族の
ゆりかご

モンゴル東部

1 ハルハゴル郡の中心地。川沿いの小さな町だ　2 メネン平原。約100kmこのような風景が続く　3 水流を利用した無動力のオノン川の渡し船　4 東の果ての聖地イフ・ボルハント。賢人トーワンの偉業だ　5 モウコガゼルが多く見られる地域だ。大群で移動する　6 ドルノド県博物館前のチョイバルサン像　7 ダダルにあるチンギス・ハーン生誕記念碑

これだけは見逃せない

● チンギス・ハーンゆかりの地
　ダダル ➡P.105

● イフ・ボルハントの力強い石像群
　➡P.103

● 腹が立つほど平らな草原
　メネン平原 折込表-E2

● 知っておくべき悲しい歴史
　ハルハ河戦勝記念博物館 ➡P.103

どんなエリア？

　モンゴル東部の見どころはチンギス・ハーン伝説関連の場所が点在するヘンティ県北部森林地域と、ノモンハン事件（ハルハ河戦争*）の激戦地だったドルノド県東部国境付近である。ヘンティ県の森林部、ドルノド県東端部のメネン平原、ぐるっとひと回りすると多様な自然景観を楽しめる。運がよければガゼルの大群も期待できる。

どんな暮らし？

　森林地域にはブリヤート人が多く暮らす。木が多いため、家屋や家畜柵などに丸太を利用している。また、自家製のパンを焼いたり、牛フンに石炭を練り込んで火力を上げたりするなど、独自の生活習慣、言語、文化をもっている。衣装も他地域とはひとめ見てわかる程の違いがある。シャーマンも多く活躍している土地として有名だ。

旅のヒント

　森林地域へ行くときは雨対策、防寒対策も忘れずにしておきたい。夏でも冷え込むことがある。ハルハゴル地域へ行く場合は、蚊対策を忘れずに。特にテント泊などの場合、虫よけ、蚊取り線香などはもちろんだが、長袖長ズボンも必須。また、メネン平原では物資の補給は難しいので、水や食料も余裕をもって行ったほうがいい。

※モンゴルでは「ハルハ河戦争」と呼ぶ

中国、ロシアとつながる東部最大の国際都市
チョイバルサン
Чойбалсан

ACCESS

◆チョイバルサンへ
MAP 折込表-E2

✈ ウランバートルから
MIATモンゴルが週
2便運航(→P.223)。帰
りの便も同日折り返し。
所要約1時間30分。片道
約30万1500Tg。

🚌 ウランバートルのテン
ゲル長距離バス
ターミナル(→P.227)から
毎日8:00、13:00、18:00発、
所要約12時間。6万1800Tg。
チョイバルサンからウラン
バートルへも同時刻発。

◆空港から市内へ
バスはあるが運行便数
が少ないためタクシーを
利用。2万Tg。

ドルノド県の県都。チョイバルサン首相(1895～1952年)
をたたえて名づけられた。正式名称はヘルレン。県の人口8
万2054人(2020年)の約55％が住む、モンゴル東部最大の
都市である。ドルノド県は、ロシアと中国(内モンゴル自治
区)の両方と国境を接し、ロシアに続く鉄道や国際空港があ
る。石油や石炭等の鉱物資源にも恵まれている。ヘルレン川、
オノン川、ハルハ川流域には木々が生い茂り、さまざまな鳥
や野生動物の生息地となっている。運がよければ大草原でモ
ンゴルガゼルの群れに出合えるかもしれない。

🏛 チョイバルサンの歩き方と見どころ 🏛

空港と市内間は舗装道路が整備され、タクシーを利用でき
る。ウランバートルから長距離バスで町に近づくと、チョイ
バルサン市と書かれた大きな看板が目に入る。博物館やモン
ゴル戦士記念碑を通過すると市街地に入る。長距離バスのバ
ス停はザハ(市場)からやや東側。ザハは食料品や日用雑貨、
電化製品、工具等何でも揃っていて、多くの人でにぎわう。

ザハからは近郊の村や中国(内モンゴル自治区)に向けた
バスが出ている。町の中心部にはスーパーマーケット、レス
トランや食堂、ナイトクラブ、カラオケがあり、中心部の隅々
まで徒歩で回れる。

チョイバルサンの息づかいを感じる   MAP P.101-A

ドルノド県博物館
Дорнод аймгийн музей

ドルノド県博物館

🏠 ヘルレンソム 第3バグ
☎ 93331950
🕐 9:00～18:00(冬季9:00～
17:00)
休 無休(冬季は土・日曜)
💴 5000Tg
写真撮影 5000Tg
ビデオ撮影 1万Tg

1950年、地域研究所として設立。1999年にドルノド県博物
館となる。館内は歴史の展示室、芸術ギャラリー、自然史の展
示室、ノモンハン事件(ハルハ河戦争)のソビエト軍団長
ジューコフの展示室の4つに分かれている。

歴史展示室では独裁者チョ
イバルサンの執務室や、19世
紀半ばにこの地を治めていた
トーワンの業績に関する展示
などが興味深い。また、バル
ガ、ブリヤート、ウゼムチン
などモンゴル部族に関する展
示も充実している。

ギャラリーにはドルノド県出身の画家の
作品が多く展示されている

チョイバルサン市内図

地図ラベル（A・B区分）: ダンラダンジャリーン寺、ドルノド大学、ミニバス乗り場（スンベル村、中国満洲里行きなど）、チョイバルサン駅（8km）、チョイバルサン空港（15km）へ、相撲場、警察、ガソリンスタンド、オリホン、ザハ（市場）、発電所、スーパー、オリホンスーパーS、住宅地、チャダンゴード、バス停（ウランバートル行き）、サッカー場、チョイバルサン通り、学校舎、図書館、ブッダ・レイク、銀行、病院、ロイヤル・パレス、ヘルレン・バルス・ホト遺跡、ハルハ川へ、ドルノド県博物館、ガソリンスタンド、ノミンスタンド、バヤントゥメン通り、ナイラムダル公園、アンテナ、イースト・パレス、トーワン、県庁舎、ヘルレン、モンゴル戦士記念碑、約500m、ヘルレン川

500m

チョイバルサン随一の名所

MAP P.101-A

モンゴル戦士記念碑

Монгол дайчдын хөшөө

　ノモンハン事件（ハルハ河戦争）50周年の1989年に落成した高さ24mのアーチ形の記念碑。中央に勇ましく突進するモンゴル騎兵の彫像がある。周囲のモザイク絵のテーマは「出征」、「勝利」、「平和」。日本兵もソ連兵も描かれていないことが特徴的。

記念碑は小高い山の上にある

モンゴル戦士記念碑
📍 ヘルレンソム 第3バグ
🚗 県庁舎から約3.5km

🛏 ホテル

ACCOMMODATIONS

チャダンゴード

中級

Чадангуул зочид буудал

MAP P.101-A

　ブリヤート人の帽子や衣装をモチーフにしたログ調の建物が特徴的。ロビーでもブリヤート人の生活、文化を紹介している。レストラン（9:00〜22:00）もおいしい。サウナやビリヤードなどの施設が充実している。

📍 第7バグ、🏬 オリホンスーパーの斜め前
☎ 99577427、88587421
💰 ⑤5万Tg〜　①9万Tg〜（トイレ・シャワー付き）
カード MV

角地にあり、設備は町でいちばん

ロイヤル・パレス

中級

Royal Palace

MAP P.101-A

　外観は古いが部屋はきれい。エアコン完備。レストラン（平日13:00〜21:00、土・日曜〜20:00）は夜早く閉まるので要注意。全21室。

📍 チョイバルサン通り、ナイラムダル公園北
☎ 94752055
💰 ⑤8万〜12万Tg　⑩17万Tg（トイレ・シャワー・朝食付き）
カード MV

趣のある建物

トーワン

中級

То ван зочид буудал

MAP P.101-A

　周辺に商店が多く便利な立地。レストラン（モンゴル料理、10:00〜21:00）あり。全15室。部屋のグレードはさまざま。

📍 チョイバルサン通り、県庁舎東側
☎ 99007052、99551000
💰 ⑤①6万〜8万Tg　①12万Tg（トイレ・シャワー・朝食付き）
カード MV

イースト・パレス

中級

East Palace

MAP P.101-A

　アイリッシュパブやサウナなどの施設も充実。チケットやレンタカー手配などのサービスもある。全19室。レストラン（9:00〜23:00）あり。

📍 県庁舎からチョイバルサン通りを西へ約900m
☎ 88114677、75777377
✉ zaya_1331@yahoo.com
💰 ⑤8万Tg　①9万Tg〜（トイレ・シャワー・朝食付き）
カード AJMV

ACCESS

◆ハルハゴルへ
MAP 折込表-E1〜2

チョイバルサンからの
ミニバスは乗客が集
まり次第出発。6万5000Tg
（ガソリン込み）くらい、所
要7時間以上。途中、国境
地帯を通過するため、国境
警備隊の検問がある。パス
ポートと国境地帯入域許可
証を提示する（→P.197）。

車をチャーターした場
合でも、飲料水や食料、燃
料は余裕をもって出かけ
よう。

300kmを超える道程だ
が、道が改修され、チョイ
バルサンを午前中に出発
すれば、日中に着くこと
が可能になった。

ハルハゴルはモンゴル国の東端、ウランバートルから約
1000km離れたドルノド県に位置する。1689年よりハルハ
貴族らによって支配され、遊牧のみならず、農地開発、宗教、
文化の中心地として発展してきた。清朝時代と社会主義時代
を通じて拡大を続け、1994年にスンベル郡を統合し、モンゴ
ル国で最大面積を誇る郡となった。

山地、草原、ゴビというモンゴルの特徴のすべてを備え、動
植物、鳥の種類も多く豊かな自然を誇る。また地下資源にも
恵まれ、炭鉱、鉱山、油田の採掘も盛んに行われている。社会
主義時代には特に農業生産基地として開発が進められた。

現在、油田採掘が活発化し、中国へ原油が送り出されてい
る。中国との国境貿易のための舗装道路が整備されるなど大
きな変化のなかにある。

中心地はハルハゴル（ハルハ川）のほとりにあり、流域一帯
は1939年にノモンハン事件（ハルハ河戦争）の戦場となった。
現在、一帯には多くの記念碑、慰霊塔などが建立されている
が、今もなお塹壕跡や、軍車両の残骸、薬莢、銃弾が散見され、
戦闘の激しさと悲惨さを伝えている。

ハルハゴル市街

ハルハ河戦勝記念碑
（ハマル峠の戦勝記念塔）
住 ハルハゴル市街地入口付近
交 ハルハゴル市街地から西
へ約2.5km

ハルハゴルの見どころ

丘にそびえ立つ巨大なモニュメント
 MAP P.103

ハルハ河戦勝記念碑（ハマル峠の戦勝記念塔）
Халхын голын байлдааны ялалтын дурсгалын хөшөө

ハルハゴル郡の中心を見下ろす丘に
ある

1939年のノモンハン事件（ハ
ルハ河戦争）で最も激しい戦闘
が行われたハマル峠に1984年に
建てられた戦勝記念碑。高さ
50m、中心の柱の正面にモンゴ
ル、ソビエト両軍兵士、裏側には
モンゴル民族衣装のモンゴル女
性が配置され、両国の友好関係
を表している。正面両翼には当
時の騎兵、歩兵、戦車、戦闘機を
配置し、激闘の様子をリアルに
伝える。今の平和がいかに多く
の犠牲によって得られたもので
あるかを表現している。

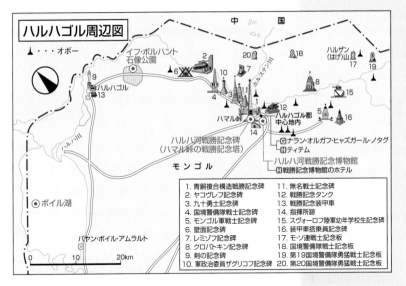

ハルハゴル周辺図

▲・・・オボー

中　国

1. 青銅複合構造戦勝記念碑
2. ヤコヴレフ記念碑
3. 九十勇士記念碑
4. 国境警備隊戦士記念碑
5. モンゴル軍戦士記念碑
6. 壁面記念碑
7. レミソフ記念碑
8. クロパトキン記念碑
9. 剣の記念碑
10. 軍政治委員ザグリコフ記念碑
11. 無名戦士記念碑
12. 戦勝記念タンク
13. 戦勝記念装甲車
14. 指揮所跡
15. スヴォーロフ陸軍幼年学校生記念碑
16. 装甲車捨兵員記念碑
17. モ・ツ連戦士記念碑
18. 国境警備隊戦士記念板
19. 第19国境警備隊勇猛戦士記念板
20. 第20国境警備隊勇猛戦士記念板

イフ・ボルハント石像公園
ハルハゴル
ハマル峠
ハルハゴル郡中心地内
ハルザン（はげ）山
ティテム
ナラン・オルガフ・ヒャズガール・ノタグ
ハルハ戦勝記念博物館
戦勝記念博物館のホテル
ハルハ河戦勝記念碑（ハマル峠の戦勝記念塔）
モンゴル
ボイル湖
バヤン・ボイル・アムラルト

0　10　20km

忌まわしい過去を忘れないために　　　MAP 折込表-E2、P.103

ハルハ河戦勝記念博物館

Ялалт музей

　ノモンハン事件（ハルハ河戦争）の膨大な資料を展示している。戦争が起きた経緯や戦闘中の様子などを詳しく知ることができる。投降を促すビラを読むと、国境の両側で暮らしていたモンゴル人たちの葛藤を読み取ることも。有料で博物館周辺のガイドも頼める。宿泊施設も併設。

外観は2019年に改装された

国境が水上を通る珍しい湖　　　MAP 折込表-E1〜2、P.103

ボイル湖

Буйр нуур

　モンゴルで5番目の大きさの淡水湖。湖水上を国境が貫く。1954年に漁業基地が設置され、大いに発展したが、現在では約20世帯が小規模に漁を行うにとどまる。湖畔にはたくさんのツーリストキャンプある。

土地を守る巨大なレリーフ　　　MAP 折込表-E1、P.103

イフ・ボルハント石像公園

Их бурхант чулуун бурханы цогцолбор

　ハルハゴル中心地から北に約35kmにある石像。観音菩薩像の8つの手は8つの災害、害悪から土地を守るとされ、信仰を集めることとなった。社会主義時代に破壊されたが、1990年から復興が始まり、再建された1997年から再びこの地を守る仏として信仰を集めている。

ハルハ河戦勝記念博物館
☎89547779
圖月〜金曜　9:00〜18:00
（冬季は〜16:00）
12:00〜14:00は昼休み
圀無休（冬季は土・日曜）
圍5000Tg
写真撮影　1万5000Tg
ビデオ撮影　1万5000Tg

ボイル湖
圄ハルハゴルから西へ約80km
圈チョイバルサンから車チャーターで55万Tgくらい（2泊3日が目安）

ボイル湖上に中国との国境がある

イフ・ボルハント石像公園
圄ハルハゴルから北へ約35km
圈チョイバルサンから車チャーターで55万Tgくらい（2泊3日が目安）

巨大な菩薩のレリーフ

戦勝記念博物館のホテル　　経済的

Ялалт музей　　📍P.103

　博物館内の宿泊所。支払いはTgのみ。全7室、夏季は20ベッド、冬季は16ベッドある。レストランは要予約。町自体が小さいので買い物には困らない。

🏠 ハルハ河戦勝記念博物館内
☎ 89547779
💴 1万Tg/人（トイレ・シャワー共同）
💳 不可

📶

ティテム　　経済的

Титэм зочид буудал　　📍P.103

　9:00 ～ 21:00は温水シャワー利用可能。サウナ、カラオケ、レストランあり。スーパーマーケット、食堂などのある町の中心部まで100mほど。

🏠 ハルハゴル郡役場前の通りを北へ約100m、東へ約100m行った北側
☎ 88589292
💴 ① 4万Tg（トイレ屋外共同）
💳 不可

📶

ナラン・オルガフ・ヒャズガール・ノタグ　　ゲストハウス

Наран ургах хязгаар нутаг　　📍P.103

　地元民の間でモンゴル語で「中華食堂」と呼ばれる食堂は魚料理で有名(8:00 ～ 23:00)。長期滞在割引あり。トイレなし。

🏠 ハルハゴル郡役場東向かい
☎ 88580606
💴 2万Tg/人（シャワー共同）
💳 不可

📶

バヤン・ボイル・アムラルト　　ツーリストキャンプ

Баян Буйр амралт　　📍P.103

　2019年にオープンした。夏季のみ営業。湖畔は浅瀬で安全。各種魚料理を提供。乗馬やボート遊びもできる。ゲル5棟、ロッジ5棟。

🏠 ボイル湖畔
☎ 89657666、89607900
💴 ゲル8万～10万Tg、ロッジ15万～20万Tg（温水シャワーあり、朝食付き）
💳 不可

📶

ノモンハンの戦場跡を訪ねて

　ハルハゴルの中心地に近づくと、ハマル峠の戦勝記念塔が否応なく目につく。そびえ立つ巨大なモニュメントは、とてつもない質感でモンゴル、ソビエト両軍が母国を守るためにどれだけの覚悟をもってあたったのかが、見る者の胸に迫ってくる。強い意志を感じさせる傑作だ。

　塔の立つ丘から見えるハルハ川は、ここが激戦地だったことを微塵も感じさせずに穏やかに流れている。丘を下って町に入った。牧歌的な小さな町だ。街路も建物の間も広く、とても明るい。町の人々は、ホテルやレストランの場所を訪ねると、わざわざ送り届けてくれるような気のいい人たちだった。博物館に入ったときと同様、自分が「日本人」であることをまったく気にしなくてよいということがありがたく感じられる。中国の「抗日記念館」に入ったときとは大違いの空気に拍子抜けするほどだ。仮想敵国として、いや現実に国境を侵し、同胞の命を奪った最大の敵国として徹底的に教育されていたとはまったく思えなかった。

　町を出て、ハルハ川に沿ってイフ・ボルハントを目指すと、道中の草原には大小、無数の記念碑、記念塔、記念板が点在しているのが見える。これまでにモンゴル、ロシア、日本から多くの関係者がそれぞれに思いをもちながらこの地を訪れてきたこと、何より戦後、特に社会主義崩壊後に日本からの来訪者が増え、その日本側の思いも受け入れてくれていることがとてもありがたく感じられた。

　旅の途中で何組かのモンゴル人旅行者と出会った。「なぜ日本は攻め込んできたのだ？」と戦争についてまったく何も知らない人もいたが、「あれは不幸な行き違いがあったんだ」といきさつを詳しく知る人もいた。

　勇ましく勝利を謳うだけでなく、戦闘が起きてしまったことを悲しむ人がモンゴル人には多いように感じられる。また、モンゴル人の歴史観というのが日本人のそれに近いことを実感した。

　イフ・ボルハントの石像は、ここで繰り広げられた愚かな戦闘を、何を思いながら眺めていたのだろうか……。

（NPO法人北方アジア文化交流センター
しゃがぁ理事長　西村幹也）

自由に流れるハルハ河。こののどかな流域で多くの血が流された

ダダル

Дадал

ウランバートルから北東に約600km、森に囲まれた人口3000人ほどの小さな町。モンゴル最古の書物『モンゴル秘史』第59節に、チンギス・ハーンは「オノン川のデリウン岳で生まれた」という記述がある。そのデリウン岳がダダル郡中央の山であると伝えられ、チンギス・ハーン生誕地とされた。多くのモンゴル人や外国人旅行客が訪れる。関連史跡が点在するが、根拠ははっきりしていない。ダダルを含むヘンティ県北部地域は、モンゴル系集団として独特の文化をもつ、ブリヤートモンゴル人が多いことで有名。言語や衣装も独特で、シャーマンも多く活動している。

ダダルの歩き方と見どころ

森に覆われたダダルは木材に恵まれていて、町には木造平屋が建ち並ぶ。中心部から2km圏内にチンギス・ハーンの生誕記念碑や誕生の丘「デリウン・ボルドグ」、産湯を使ったとされる「ハジョー・ボラグ（チンギス・ハーンの泉）」などがある。のんびり散策しながら歩いて回ることができる。見どころはオノン・バルジ国立公園内にあり、詰め所で入園料を支払う。係員が不在の場合でも、デリウン・ボルドグの駐車場そばの売店でチケットを買える。まずはデリウン・ボルドグを目指すのがいいだろう。

ACCESS

◆ダダルへ

MAP 折込表-D1

ウランバートルからの直行便はない。まず長距離バスでチンギスへ行き、乗合タクシーに乗り換える。テンゲル長距離バスターミナル（→P.227）からチンギスまで毎日8:00、10:00、16:00、17:00発、2万5800Tg、所要約6時間。チンギスからダダルへは乗合タクシーで3万5000～4万Tg、所要5～6時間。

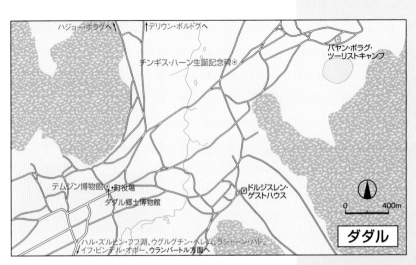

ハジョー・ボラグへ デリウン・ボルドグへ

バヤン・ボラグ・ツーリストキャンプ

チンギス・ハーン生誕記念碑

テムジン博物館 町役場
ダダル郷土博物館
ドルジスレン・ゲストハウス

0 400m

ハル・ズルヒン・フフ湖、ウグルグチン・ヘレム、ラシャーン・ハド、
イフ・ビンデル・オボー、ウランバートル方面へ

ダダル

命がけで建てられた民族の心　　　　　　　折込表-D1、P.105

チンギス・ハーン生誕記念碑
Чингис хааны гэрэлт хөшөө

　1962年、チンギス・ハーン生誕800年を記念して、チンギスィン・ゴルバン・ノール保養所内に建立された碑。高さ12m、幅10m、奥行き4m。燃えさかる火の形の中にチンギス・ハーンの姿が描かれている。チンギス・ハーンをあがめ奉ってきたことを表し、「この身は果てるとも、わが国は永遠なり」という言葉がモンゴル文字で彫り込まれている。建立当時は社会主義真っ盛りにあり、親ソ路線に従う政権によって、建立にかかわった研究者や政治家が失脚、処刑され、暗い歴史の遺産でもある。

近代では最も早く建てられた

モンゴル人なら一度は必ず訪れるという　　　折込表-D1、P.105外

デリウン・ボルドグ
Дэлүүн болдог

　1162年にチンギス・ハーンが生まれたと伝えられる丘。デリウン・ボルドグとは「脾臓の丘」の意味。オノン川とバルジ川の上流地域、オノン川岸の北西に横たわる丘の形が脾臓に似ていることから。丘の上の碑には「デリウン・ボルドグ　チンギス・ハーン　1162年の夏の最初の月の16日に生まれた」とモンゴル文字で記されている。

展望台は、パワースポット。駐車場付近のみやげ物屋では厄払い用の「赤い柳の幽霊の鞭」など、グッズも豊富。自家製ルバーブジュースもおすすめ。

記念のオボー

ハジョー・ボラグ
（チンギス・ハーンの泉）
町の中心部から北西に約2
km、徒歩約1時間。デリウ
ン・ボルドグからは約1km、
徒歩約30分。上から見ると
松の木を囲んだ広い柵が見え
るが、泉はさらにその先

生きいきと語られる伝説の舞台　　　　　　折込表-D1、P.105外

ハジョー・ボラグ（チンギス・ハーンの泉）
Хажуу булаг

　チンギス・ハーンが生まれたときに体を洗い、母ホエルンがこの水でお茶を沸かしたという伝説がある湧き水。干ばつ気味の夏には水がかれるといわれているが、実は2013年頃、元大統領の家族が水源付近をボーリングをしたことが遠因だという土地の者たちもいる。

中央の清水が湧き出る緑の木に、青いハダグが巻かれている

眼に火あり、面に光ある子……テムジン　　**MAP** 折込表-D1、P.105

テムジン博物館
Тэмүжин музей

ダダル町役場の北西にある小さな博物館。南側にダダル郷土博物館も併設。館内はチンギス・ハーンがテムジンと名乗っていた頃の資料が集められている。閉まっていることが多いが、宿泊施設や役場に頼めば係員を呼び出してくれる。

チンギス・ハーンの子供時代の銅像

テムジン博物館
🏠 ダダル町役場西隣
☎ 98389169
🕐 9:00〜18:00
　（13:00〜14:00は昼休み）
休 無休（冬季は休館）
料 5000Tg
写真撮影　1万Tg
ビデオ撮影　1万Tg

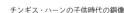

🛏 ホテル　　　　　　　　　　　ACCOMMODATIONS

ドルジスレン・ゲストハウス　　ゲストハウス
Dorjsuren's Homestay　　　　　　**MAP** P.105

現地で知らない人はいないといわれる明るいブリヤート人が経営。朝食5000Tgのほか、乗馬や釣りの手配も可能。バックパッカーが多い。

🏠 町役場から東に約1km
☎ 98224720
✉ dorjsurengalsan2009@
yahoo.com
料 2万Tg/人（トイレ・シャワー共同）
カード 不可　　📶

バヤン・ボラグ・ツーリストキャンプ　　ツーリストキャンプ
Баянбулаг жуулчны бааз　　　　**MAP** P.105

チンギス・ハーン生誕記念碑近く。ブリヤート式のパンがおいしいレストラン（6:00〜24:00）あり。乗馬など各種手配可。6〜9月のみ営業。

🏠 町役場から東北へ約1.8km
☎ 99343536、94080834、91227071
料 ゲル：10万Tg/人（5人用、トイレ・シャワー共同）　ロッジ（改装中）
カード 不可　　📶

ハル・ズルヒン・フフ湖　　Хар зүрхний хөх нуур

近郊の見どころ

ヘンティ県ツェンヘルマンダル郡ハルズルフ山の南側にある湖。標高1675m、大小ふたつの湖がつながっている。この湖のほとりで1189年に開かれた遊牧部族長会議で、テムジンがハーンの位に推戴され、チンギス・ハーンという称号を得たと伝えられている。

手前が大きい湖で、奥が小さい湖

ACCESS

◆ハル・ズルヒン・フフ湖へ
MAP 折込表-D2、P.105外
ヘンティ県ツェンヘルマンダル郡中心部（ウランバートルから約200km）の北西約35km。ツェンヘル川近く。ツェンヘルマンダル郡から車チャーターで25万〜30万Tg/日(目安)。

ウグルグチン・ヘレム　　Өглөгчийн хэрэм

近郊の見どころ

バトシレート郡にある城塞跡。城壁の厚さ2.5m、高さ2.5〜4.5m。城塞の中心付近にある杭のような形の岩を、土地の人々は「チンギス・ハーンの馬つなぎ」と呼ぶ。遠くからでも目につく。

チンギス・ハーンの馬つなぎ

ACCESS

◆ウグルグチン・ヘレムへ
MAP 折込表-D1、P.105外
ヘンティ県バトシレート郡中心部（ウランバートルから約415km）の北西約45km。バトシレート郡中心部から車チャーターで25万〜30万Tg/日（目安）。

| 近郊の見どころ | **ラシャーン・ハド** | Рашаан хад |

ACCESS

◆ラシャーン・ハドへ
MAP 折込表-D1、P.105外
ヘンティ県バトシレート
郡中心部（ウランバートル
から約415km）の南約45
km。車チャーターで25万
～30万Tg/日（目安）。

バトシレート郡ビンデル山の東にある巨石。このあたり一帯で、数多くの鹿石（後期旧石器・中石器・新石器・青銅器・鉄器時代）や墳墓（匈奴・契丹・モンゴル帝国時代）が見つかっている。ラシャーン・ハドには、この長い年月の間に多くの人たちの手で描かれてきた絵や文字も残されている。

雨が降ってしたたり落ちる水が、目の病に効くといわれる

| 近郊の見どころ | **イフ・ビンデル・オボー** | Их биндэр овоо |

ACCESS

◆イフ・ビンデル・オ
ボーへ
MAP 折込表-D1、P.105外
ヘンティ県バトシレート
郡中心部（ウランバートル
から約415km）の南約
45km。車チャーターで25
万～30万Tg/日（目安）。

バトシレート郡ビンデル山の東に位置するオボー（→P.189）。活仏ザナバザルが「徳の高いオボー」と名づけ祀ったといわれる。その形状や周囲に残る多くの岩絵、鹿石、墳墓などから、内外の研究者らによって、極めて古くから祀られてきたオボーとされる。イタリア人のモンゴル研究者イゴール・デ・ラシュヴィルツの調査（1997年）によれば、最後の祭りが開催されたのは1927年だったことが発表されている。チンギス・ハーンを祀る祭り、仏教による祭りのふたつが行われていた。

参拝する人々

もうひとつのチンギス・ハーン生誕地

モンゴル国、内モンゴル自治区（中国）の各地にチンギス・ハーンにまつわる伝説が広がっていて、ゆかりの土地といわれる場所も点在する。チンギス・ハーン廟もいくつか存在し、どれも「チンギス・ハーンの心が宿っている」と記されている。

数多くの歴史研究者たちがチンギス・ハーンの生誕地や墓地を探し、推定し、議論してきたが、いまだ結論が出ていない。アジア最大のミステリーといっていい。

生誕地としてはダダルが有名だが、そこからそれほど遠くないビンデルに住む人々もまた「こちらが本当のチンギス・ハーンの生誕地だ」と主張する。もちろん根拠もある。旧石器時代に遡る遺跡、信仰を集める場所を証明する岩絵や文字、鹿石、墳墓の存在、イフ・ビンデル・オボーにいたっては、活仏ザナバザルによって祭祀が執り行われたというお墨付き、さらには外国人研究者によるチンギス・ハーン祭祀の存在の指摘……。モンゴル最古の書物『モンゴル秘史』に記載される数々の地名が存在することも、この地をゆかりの土地であると確信させるに十分なのだろう。

ビンデル、バトシレート、ツェンヘルマンダル、ダダル……ヘンティ県ほどチンギス・ハーン巡りをするとおもしろい所はない。訪れる前に『モンゴル秘史』を一読しておこう。

（NPO法人北方アジア文化交流センター
しゃがぁ理事長　西村幹也）

モンゴル南部

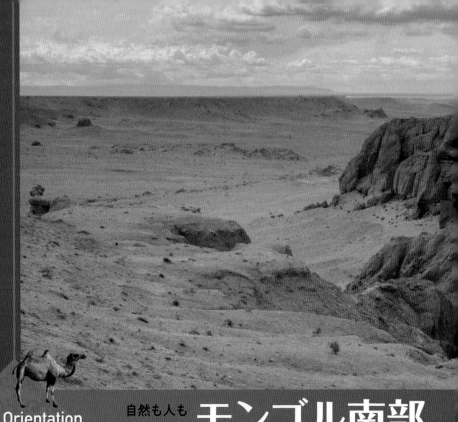

Orientation

自然も人も
豊かなゴビ

モンゴル南部

オブス県
УВС

フブスグル県
ХӨВСГӨЛ

ボルガン県

ザブハン県
ЗАВХАН

アルハンガイ県
АРХАНГАЙ

ロシア　ロシア

モンゴル
ウランバートル

中国　中国

ホブド県
ХОВД

ハンガイ山脈

中央(トゥブ)県
ТӨВ

ゴビスンベル県
ГОВЬСҮМБЭР

ゴビアルタイ県
ГОВЬ-АЛТАЙ

ウブルハンガイ県
ӨВӨРХАНГАЙ

P.118
バガ・ガザリン・
チョロー

イフ・ガザリン・チョロー P.117

バヤンホンゴル県
БАЯНХОНГОР

オンギン・ヒード
P.118

マンダルゴビ P.116
Мандалговь

P.118
モリン・
トルゴイン・ツァブ

ドンドゴビ県
ДУНДГОВЬ

ウーシ・マンハン

ツァガーン・ソブラガ
P.118

ドルノゴビ県
ДОРНОГОВЬ

ゴビ砂漠

P.112
バヤンザグ

ゴビ砂漠

モルツォグ砂丘 P.112

P.112 ホンゴル砂丘

ダランザドガド P.114
Даланзадгад

P.119 ザミーンウード
Замын-Үүд

ヨリーン・アム渓谷、ゴビ自然博物館
P.113

南(ウムヌ)ゴビ県
ӨМНӨГОВЬ

南ゴビ P.112

内モンゴル自治区
ӨВӨР МОНГОЛ
(ӨМЗО)

0　100　200km

中　国
ХЯТАД

中　国
ХЯТАД

1 バヤンザグ。広々としたゴビ平原を見渡せる　2 ゴビ砂漠（南ゴビ県）の地表に散らばる竜脚類の歯の化石　3 イフ・ガザリン・チョロー。さまざまな自然の造形作品を楽しめる　4 ウーシ・マンハン。夏の日中はとても熱くて裸足で歩けなくなる　5 ラクダの搾乳。ラクダは大きいので……　6 夏でも雪が残る「ヒゲワシの谷」ヨリーン・アム渓谷

どんなエリア？

　モンゴル南部はゴビと呼ばれ、延々と乾燥した大地が続く。小石が敷き詰められた礫砂漠、大小さまざまな砂丘、巨大な岩山、砂岩地形など地形変化に富んでいる。また、人口密度が低いためか、野生動物がわが物顔で走り回っているのも楽しめる。さらに足元の草花に目を向けると、思いのほか多種多様で、小さな世界も充実している。

どんな暮らし？

　草がまばらにしか生えないので、井戸を中心に互いの家は非常に離れ合って暮らしている。隣の家は見えても小さな点にしか見えない。日頃の人の往来が少ないため、とてもお客好きな人々で、オルティン・ドーを歌える人も多い。家畜はラクダと山羊、羊を多く飼っており、ラクダを利用した独特の生活が営まれている。

これだけは見逃せない

- ●ゴビのオアシス
  オンギン・ヒード ⇒P.118
- ●自然の芸術作品
  イフ・ガザリン・チョロー ⇒P.117
- ●多様な自然景観
  ホンゴル砂丘 ⇒P.112
- ●地平線が見える
  ツァガーン・ソブラガ ⇒P.118

旅のヒント

　日差しが強いので帽子は必須。体の露出部分が多いと脱水症状の危険があるので長袖シャツも必要。雨が降ると気温が急激に下がるので、防寒対策も忘れずにしたい。とげのある草花も多いのでトレッキングシューズを基本として、適宜サンダル履きにするなどが便利。牧民宅に滞在するのでなければ、水筒もあったほうがよいだろう。

変化に富んだ景観で、野生動物が豊か

南ゴビ

Өмнөговь

ウランバートル
南ゴビ ★

ACCESS

◆南ゴビへ
🗺 折込表-C3
✈ ウランバートルから南（ウムヌ）ゴビ県都のダランザドガドまで飛行機と長距離バスの定期便（→P.223、228）があるので、そこから車をチャーターして各地を回ることも可能だ。通常はウランバートルのゲストハウスか旅行会社でパックツアーを申し込む人が多い。

南ゴビ内の移動
各見どころが離れて点在しているので、余裕を持ったプランニングを心がけよう。全部をまわると最低でも5〜6日かかる。車のチャーター代のみで、28万Tg/日が目安。ガソリン代は別なことが多い。

モルツォグ砂丘
📍ダランザドガドから北西へ約70km
🚗車のチャーターのみ

ホンゴル砂丘
📍ダランザドガドから北西へ約240km
🚗車のチャーターのみ

夏季は涼しい朝夕に登るのがおすすめ

「ゴビ」とは中国内モンゴル自治区からモンゴル国にかけて広がる地域を指す。モンゴルの「ゴビ地域」は、ドルノゴビ県、ドンドゴビ県、南（ウムヌ）ゴビ県、ウブルハンガイ県南部、バヤンホンゴル県、ゴビアルタイ県、ホブド県南部地域、バヤンウルギー県南部で、モンゴル国南部のほとんどを占める。砂漠という言葉は草一本生えない不毛の土地を連想させるが、「ゴビ」とは礫砂漠に属し、砂利や小石が敷き詰められた土地を指す。また、南（ウムヌ）ゴビ県にはアルタイ山脈の東端に当たるゴルバン・サイハン山脈がそびえ、変化に富んだ自然景観を見せる。南（ウムヌ）ゴビ地域は早くから観光業が発達し、今では地下資源開発や中国との国境貿易により、地域が加速度的に発展している。

南ゴビの見どころ

突如として現れる「砂の川」　　　　　　　🗺 折込表-C3

モルツォグ砂丘
Молцог элс

ボルガン郡バヤンザグの北東約35kmにある砂丘。南（ウムヌ）ゴビで最も古い観光地のひとつ。土地の人々は砂丘を「川」を意味する「ゴル」と言い表す。風に吹かれて砂が流れ、砂丘が川のように移動しているからである。

美しい景観を一望！　モンゴル最大級の砂丘　　🗺 折込表-C3

ホンゴル砂丘
Хонгорын элс

セブレイ郡からバヤンダライ郡にかけて横たわる砂丘。北西から南東に全長約180km、面積965㎢、最も幅の広い所は28kmにもなる。南側に岩山、北側には川が流れ、オアシスが点在する奇妙で美しい景観を展望できる。最も高い所は195m。急勾配を砂が滑り崩れると、飛行機の飛ぶような音がすることから、ドートマンハン（音のする砂丘）とも呼ばれる。

恐竜の卵で世界をにぎわせた　　　　　　　🗺 折込表-C3

バヤンザグ
Баянзаг

アルツボグド山に沿って横たわる砂岩の丘。「バヤンザグ」とはザグ（サクソール）が豊かに生える所の意味。この砂岩地

形は幅5km、長さ8km、最も高い所は地表より50m。土地の人たちは「泥の丘」「ラクダの丘」と呼んできたが、赤砂でできた丘が太陽に照らされて燃え上がっているように見えるため、1920年代に訪れた外国人研究者に「燃える崖・丘」（flaming cliffs）と名づけられた。

生命の宝庫、ゴビ地域を物語る　　　**MAP** 折込表-C3

ゴビ自然博物館
Байгалийн музей

ゴルバン・サイハン山脈、ヨリーン・アム渓谷にある博物館。ダランザドガドの県立博物館の分館で、各種鉱石、珪化木を展示。この地域に生息する植物、鳥類、哺乳類の剝製の展示も充実している。希少なゴビヒグマや野生のラクダの剥製もここならではの貴重な展示だ。

標高2800mのヒゲワシの谷　　　**MAP** 折込表-C3

ヨリーン・アム渓谷
Ёлын ам

アルタイ山脈東端のゴルバン・サイハン山脈にある渓谷。ヨリーン・アムとは「ヒゲワシの谷」の意味。標高2800mに位置し、非常に冷涼。7月初めまで雪が残る。駐車場から馬で15～20分、そこから徒歩10分で雪渓にたどり着く。全行程は約1時間。

道中、ナキウサギがあちらこちらから顔を出すことも

バヤンザグ
住 ダランザドガドから北西へ約90km
交 車のチャーターのみ

世界で初めて恐竜の卵が発見されたことで有名

ゴビ自然博物館
住 ヨリーン・アム渓谷の手前
交 車のチャーターのみ
☎ 95843025
営 8:00～20:00
休 夏季無休（10～5月は全休）
料 外国人　5000Tg
写真撮影　5000Tg
ビデオ撮影　1万Tg

ゴビ自然博物館

ヨリーン・アム渓谷
住 空港から西へ約70km
交 車のチャーターのみ
休 夏季無休（10～6月中旬くらいは閉鎖）
※乗馬はガイド付きで2万～2万5000Tg（往復）。登山用の靴が望ましい

🛏 ホテル　　　　　ACCOMMODATIONS

ゴビ・オアシス・エコキャンプ　　ツーリストキャンプ
Говийн Баянбүрд2　　　**MAP** 折込表-C3

スタンダードサイズのゲル20棟。電気利用は時間制限あり。シャワーは24時間利用可能。レストランやみやげ物屋も併設する。4～10月中旬のみ営業。高級ゲルもある。

住 ボルガンソム バヤンザグ
☎ 99013017、95953012
E gobioasis_mn@gmail.com
料 ゲル：2万1000Tg/人（トイレ・シャワー共同、3食付き）
カード 不可

夜は星空鑑賞も満喫

ゴビ・エルデネ・ツーリストキャンプ　ツーリストキャンプ
Gobi Erdene Tourist Camp　　　**MAP** 折込表-C3

レストラン（7:00～23:00）あり。トイレ、シャワーは男女別各6室あり。19:00～23:00に電気使用可。英語や中国語などが可能。

住 ホンゴル砂丘
☎ 77200333、88036038、88056038
E gobi_erdene@gmail.com
料 ゲル：20万Tg/人、ロッジ：30万Tg/人（トイレ・シャワー・3食付き）　**カード** MV

ゴビ・ツアー・ツーリストキャンプ　ツーリストキャンプ
Говь Тур жуулчны бааз　　**MAP** 折込表-C3

バヤンザグがよく見える立地にあり、サービスのよさなどで優良ツーリストキャンプに選ばれている。周辺への各種旅行手配可能。

住 ボルガンソム バヤンザグ
☎ 99091285、99093235、91917055
E gobitour_bayanzag@yahoo.com
料 ゲル：19万Tg/人、高級ゲル：28万Tg/人（トイレ・シャワー・3食付き）　**カード** MV

ウランバートルから南下すること約540km、モンゴル国で最大の面積を誇る南（ウムヌ）ゴビ県の中心都市。かつては飛行機がおもな交通手段だったが、舗装道路の開通後は、車でゴビ砂漠を縦断してアクセスできるようになった。

ダランザドガドは、「たくさんの水があふれる所」の意味。すぐ南西にあるゴルバン・サイハン山脈からダランボラグ川が流れ出している。川の名は「70の泉＝たくさんの泉（70は数が多いことを表す）」の意味。乾燥したゴビ地域に恵みを与えてくれる大切な川のほとりに30数世帯ほどが暮らしはじめたのが、ダランザドガド市の始まり。今では中国との国境貿易、観光基地、地下資源開発などでにぎわう巨大な町に変貌している。

ダランザドガドの歩き方と見どころ

町の中心部、県庁舎前にはダヤン・ハーンの銅像（2014年設置）が立つ。ダヤン・ハーンは南（ウムヌ）ゴビ県フルメン郡に生まれ、モンゴル中興の祖とたたえられる。この銅像の前の中央大通りには、博物館や銀行、航空会社、ホテルが多く並ぶ。中央には恐竜のオブジェを施した遊歩道があり、街路樹が整備されている。この道路の1本南東側の通りに中級ホテルや商店などが集まり、経済の中心地となっている。また劇場では盛んにコンサートなどが開催されている。

ACCESS

◆ダランザドガドへ
MAP 折込表-C3

✈ ウランバートルからアエロモンゴリアが週4便、フンヌ・エアが週4〜7便、MIATモンゴルが週2便運航（→P.223）。帰りの便も同日折り返し。所要約1時間30分。片道28万1000〜38万Tg。

🚌 ウランバートルのドラゴン長距離バスターミナル（→P.226）から火・水・土・日曜の9:00発、所要約6時間。4万4700Tg。

恐竜遊園地
(Dino's Land)

10体以上の恐竜の模型のほか、観覧車やメリーゴーラウンドなどのアトラクションがある。県のレクリエーション施設も併設。夜になるとライトアップされた恐竜の模型が動くショーが見られる。恐竜好きの子供におすすめ。
🕐 17:00 〜 24:00（最終入場22:00）
🎫 入場無料（各アトラクションごとに料金を支払う）

ホンモノの恐竜化石に合う前に立ち寄ってみては

ダランザドガド市内図

ゴビ地域の自然や考古学、暮らしを紹介 **MAP** P.114外

ゴビ自然歴史博物館
Gobi Museum Of Nature And History

　2023年に開館。地下1階から地上4階まで、ゴビ地域の自然や考古学に関する展示物を中心に紹介する。ゴビ地域といえば恐竜化石の産出地として世界的に有名。化石発掘調査の様子、恐竜の骨化石、恐竜が卵を温めたまま砂に埋もれて化石になったという珍しい標本も展示されている。自然資源の豊富なゴビ地域から産出された水晶やトパーズなどの鉱物展示のほか、フタコブラクダの生態、遊牧民の飼育技術や利用方法、関連民具類の展示も充実し、世界的にも珍しい博物館になっている。二次元コード読み込みで説明が表示される。

モダンなデザインの建物
ゴビ自然歴史博物館
🏠Umnugobi Province, Dalanzadgad sum
☎70533781、70533872
📧Museumumnugovi@gmail.com
🌐museum.om.gov.mn
🕐9:00～17:30（冬季9:00～17:00)
休無休（冬季は日曜)
💴2万Tg　写真撮影 5000Tg
ビデオ撮影　1万Tg

🛏 ホテル　　　　　　　　ACCOMMODATIONS

ハーン・オール　　　　　　　　中級
Хан-Уул зочид буудал　　　　　**MAP** P.114-A

　ダランザドガド最高級ホテル。町の中心部から少し離れていて静かで落ち着いた環境。部屋はきれいで、サービスもよい。レストランはモンゴル料理と西洋料理を提供。ホテルの隣にカラオケパブが併設されている。

🏠県庁舎から南西へ約500m
☎70534999
📧info@khanuul-hotel.mn
🌐khanuul-hotel.mn
💴⑤9万～16万Tg　①16万Tg　⑩28万～32万Tg（トイレ・シャワー・朝食付き)
カードAMJV　　📶

町でひときわ大きな建物

ダランザドガド　　　　　　　　中級
Даланзадгад　　　　　　　**MAP** P.114-B

　2006年開業のゴビ地域で初の2つ星ホテル。町なかにあり便利。レストラン（8:30～18:00）あり。旅行会社につないでくれる。英語可。

🏠第3バグ、県庁舎から西へ約120m
☎70534455
💴⑤15万Tg　①13万Tg　⑩20万5000Tg（トイレ・シャワー・朝食付き)
カードAJMV

町の中心部にあって便利な立地

バヤンゴビ　　　　　　　　　経済的
Баянговь зочид буудал　　　**MAP** P.114-B

　町の中心部からやや外れていて静か。買い物に便利な立地。見た目はパッとしない古い建物だが、清潔で安く泊まれる。レストラン併設。

🏠県庁舎から北東へ約600m
☎89995655、70533130
📧tungaa_d2013@yahoo.com
💴⑤3万～3万5000Tg　①3万5000～4万Tg（トイレ・シャワー共同)　カード不可　📶

ビー・ハッピー・ホステル・アンド・コーヒー ゲストハウス
Bee happy Hostel and coffee　**MAP** P.114-A

　バスルーム付きの部屋もある。スタッフは英語が話せて親切。ツアーの相談にものってくれる。ダランザドガド空港との送迎サービスあり（1万Tg)。

🏠No.18 Apartment25、第3バグ　☎86671999
📧tuul.alexander1999@gmail.com
💴6万5000Tg（トイレ・シャワー共同、朝食付き）、15万Tg（トイレ・シャワー・朝食付き)
カード不可　　📶

エルヘス・トゥブ　　　　　　　中級
Эрхэс Төв　　　　　　　　**MAP** P.114-B

　繁華街中心部にある。2階建て、全6室。1階のレストランのメニューは豊富で評判がよい。モンゴル人の利用が多い。

🏠第3バグ、県庁舎前を南東へ入って約50m
☎99059206、70955506
📧gobiin.erhes@gmail.com
💴⑤9万Tg（トイレ・シャワー・朝食付き)
カードMV　　📶

ゴビ・オアシス・ロッジ　　　ツーリストキャンプ
Говин Баянбүрд1　　　　　**MAP** P.114-A外

　空港から車で約10分。ゲル30棟、ゲル型ロッジ10棟。4～11月のみ営業。レストラン、ショップ併設。各種旅行手配可。

🏠中心部より西へ約10km
☎99013017、95953012
📧gobioasis_mn@yahoo.com
💴21万～28万Tg（トイレ・シャワー・朝食付き)
カード不可　　📶

歌と馬頭琴のふるさと

マンダルゴビ

Мандалговь

ウランバートルの南約270kmにあるドンドゴビ県の中心都市。ドンドゴビ県は1942年にトゥブ県と南（ウムヌ）ゴビ県から一部ずつ切り離して設置された。チャグダルジャブの出身地として名高い。チャグダルジャブは1911年のボグド・ハーン政権設立時に、財務大臣に任命された人物。県庁舎前には彼の騎馬像が建てられている。また、20世紀最高の歌姫と呼ばれたノロブバンザドや、馬頭琴俳優ダギーランズをはじめ、ネルグイやドルジパラムといった馬頭琴奏者、文化センター運営に力を入れたハドフーら文化人を輩出してきた。

マンダルゴビの歩き方と見どころ

チャグダルジャブの騎馬像のある県庁舎から東に行くと、ドンドゴビ県博物館がある。そこから南に向かうと、県中央通りで、商店やショッピングモール、食堂などが並ぶ。この通りの南端近くに、フムール（ゴビ・チャイブ）の塩漬け瓶やゴビの野草茶など、ご当地商品を扱う店がある。町の北側、県庁舎の真北には公園があり、モンゴル最大の馬頭琴のオブジェとジョノンハル像がある。ジョノンハルは馬頭琴起源説に登場する翼をもった馬。モンゴル人たちは大切な物を北に配置するが、いかに馬頭琴を大切に思う土地柄かわかる。

◆マンダルゴビへ
MAP 折込表-C2

ウランバートルのドラゴン長距離バスターミナル（→P.226）から毎日8:00、9:00、12:00、16:00、20:00発、所要約5時間。2万1400Tg。
タクシーはナラントールザハから2万5000～3万Tgで所要約4時間。

音楽の町
ドンドゴビの人は穏やかな人が多いといわれ、犯罪発生率がモンゴルで最も低い。音楽好きな人が多いからだという話も聞くが、あながちうそではない。オルティン・ドーを歌える一般人も多い。ドンドゴビ県が「歌と馬頭琴のゆりかご」と呼ばれるゆえんである。

ドンドゴビ県博物館
住 ドンドゴビ県庁舎東側
TEL 70592547
開 9:00～17:00
休 無休
料 大人　5000Tg

地域を知る手がかりに訪れたい　　　　　　MAP P.117

ドンドゴビ県博物館
Дундговь аймгийн музей

1949年に設立された博物館。考古資料、鉱石、民俗資料がわかりやすく展示されている。特にハルハモンゴル人の装飾品、古いゾースンシレー（ひも織り具）は貴重な展示品。宗教関連では、高僧ザバ・ダムディン（1867～1936年）の資料が充実していて、20世紀初頭に活躍した師の功績を知ることができる。

貴重な展示品が揃う

マンダルゴビ

0 | 200m

・馬頭琴オブジェ

・ジョノンハル像

バガ・ガザリン・チョロー、
ウランバートルへ

ドンドゴビ県博物館◉

県庁舎・

チャグダルジャブ
騎馬像

B銀行

B銀行

B銀行

バガトイロー通り

BB銀行

B銀行

ショッピング
モール

タクシー、バス乗り場

ガソリンスタンド

イフ・ガザリン・チョロー、
オンギン・ヒード、
ツァガーン・ソブラガ、
ツーシ・マンハン、
モリン・トルゴイン・ツァブ、
Bオンギン・ヒード・ゲル・ボゥダル
Cシークレット・オブ・オンギー
ダランザドガドへ

ショッピング
モール

ショッピング
モール

ショッピングモールS

ドンドゴビ産ショップS

ブルド
HR

・キリスト教会

🛏 ホテル

ACCOMMODATIONS

ブルド

中級

Burd Restaurant & Hotel

🗺 P.117

宿泊施設のほかに、レストラン、サウナ、ショッピングセンターなどを併設。レストランではモンゴル料理のほか、パスタ、ピザ、ハンバーガーなどの西洋料理も提供する。メインストリートにあり、便利。全18室。

🏠 サインツァガーン第7バグ128
☎ 70592199、77772199
📧 Ogoo_0308@yahoo.com
💴 ⑤7万〜8万Tg ①11万〜14万Tg（トイレ・シャワー・朝食付き）
💳 MV

3階建ての建物

オンギン・ヒード・ゲル・ボゥダル

ツーリストキャンプ

Онгийн хийд гэр буудал

🗺 P.117外

家族経営のツーリストキャンプ。通年営業。レストラン（7：00〜23：00）あり。朝食1万5000Tg。24時間通電だが、ゲルにコンセントはない。

🏠 オンギン・ヒード
☎ 88909454、88177078、95115080
💴 4万Tg/人（トイレ・シャワー共同）
💳 不可

シークレット・オブ・オンギー

ツーリストキャンプ

Secret of Ongi

🗺 P.117外

ゴビ砂漠のオアシス内の高級ツーリストキャンプ。ゲル45棟。5〜10月中旬のみ営業。レストラン、サウナ、マッサージ、ランドリーなど充実。

🏠 オンギン・ヒード 0450 📧 info@mongoliansecrethistory.mn 🌐 mongoliansecrethistory.mn/accommodation ☎ 7000
💴 標準ゲル：15万Tg/人（トイレ・シャワー共同・3食付き）
💳 MV

イフ・ガザリン・チョロー

Их газрын чулуу

近郊の見どころ

　モンゴル最大の花崗岩地帯。大小さまざまな形の岩がそびえ、重なり合い、不思議な景観を造り出している。2003年に自然保護地域に指定された。アイベックス、アルガリ（オオツノヒツジ）、ガゼルなどの野生動物のほか、時季が合えば岩場でクロハゲワシやノスリ、トビなどの巣やヒナを見ることができる。近くのツーリストキャンプでキャンプも可能。付近には野外劇場のほか、オルティン・ドー歌手ノロブバンザドを記念する碑も立っている。

ACCESS

◆イフ・ガザリン・チローへ
🗺 折込表-C2、P.117外
マンダルゴビから北東へ約80km。ジープチャーターで28万Tg/日（目安）。

岩場に登って見る朝日や夕日は絶景

近郊の見どころ

バガ・ガザリン・チョロー　Бага газрын чулуу

ACCESS

◆バガ・ガザリン・チョローへ
MAP 折込表-C2、P.117外
マンダルゴビから北西に約70km。ジープチャーターで28万Tg/日(目安)。

花崗岩の岩山が連なる。泉が湧き出し、古い墳墓や岩絵などの考古遺跡などが点在。2頭のアイベックスを狩る人々が描かれたゲル岩の岩絵は、青銅器時代まで遡るといわれている。人が掘ったかのように見える50cmほどの穴の底に、「眼の泉」と呼ばれる泉が流れている。その泉の水を眼に塗ると、病気が治ると信じられている。

近郊の見どころ

オンギン・ヒード　Онгийн хийд

ACCESS

◆オンギン・ヒードへ
MAP 折込表-C2、P.117外
マンダルゴビから南西へ約230km。ジープチャーターで28万Tg/日(目安)。

オンギ川
ウブルハンガイ県に水源をもち、ゴビに流れ込む全長約435kmの川。

オンギ川のほとりにある仏教寺院。1760年から1810年にかけて造られた。当時は28の伽藍(がらん)に1000人を超える僧侶が暮らし、ハルハの大寺院のひとつとして周囲の寺院を合わせて「オンギの3寺院」と呼ばれていた。1939年に完全に破壊され、200人以上の僧侶が殺されたり、投獄されたりした。社会主義崩壊後、2001年にゲル博物館が造られ、かつての仏具などが集められ、2004年に寺院のひとつが再建されている。

近郊の見どころ

ツァガーン・ソブラガ　Цагаан суварга

ACCESS

◆ツァガーン・ソブラガへ
MAP 折込表-C3、P.117外
マンダルゴビから南へ約160km。ジープチャーターで28万Tg/日(目安)。

砂岩地形。遠くから見ると「白い(ツァガーン)舎利塔(ソブラガ)」のように見えることから、この名がついた。

地上約60mの高台が400m以上連なり、まるで城壁のよう

近郊の見どころ

ウーシ・マンハン　Өөш манхан

ACCESS

◆ウーシ・マンハンへ
MAP 折込表-C3、P.117外
ウルジート郡中心部(マンダルゴビから南へ約100km)から東へ約70km。ジープチャーターで往復28万Tg/日(目安)。

古くから腎臓病の温熱治療に利用されてきた砂丘。1978年に診療所が建てられた。治療を受けられる季節はかぎられるが、医師が患者の症状に合わせて、砂丘に潜る時間や回数を指示してくれる。

夏の日中の砂丘は非常に熱くなり、やけどをするほど

近郊の見どころ

モリン・トルゴイン・ツァブ　Морин толгойн цав

ACCESS

◆モリン・トルゴイン・ツァブへ
MAP 折込表-D3、P.117外
ウルジート郡中心部(マンダルゴビから南へ約130km)から東へ約120km。ジープチャーターで28万Tg/日(目安)。

「馬頭の崖」を意味する砂岩地形。ここには黄玉(トパーズ)にまつわる言い伝えがある。「男が馬ほどの大きさの黄玉を見つけ、多くの貴族たちがそれを奪わんと争いを始めた。美しい娘の助けを借りて、男は黄玉を隠したが、争いのなかで、ふたりは命を落とした。その黄玉が隠された場所がモリン・トルゴイン・ツァブ。ここに黄玉があるかぎり、人々は幸せに暮らせる」。

中国とモンゴルを結ぶ「道の扉」

ザミーンウード

Замын-Үүд

ウランバートル
★
ザミーンウード

　ザミーンウードはドルノゴビ県の最南部にあり、1956年に鉄道の敷設によって造られた。直訳すると「道の扉」という。中国内モンゴル自治区との国境の町である。

　中国側の二連浩特(モンゴル語でエレンホト、中国語でアールリェンホト)は、広大なゴビ砂漠の中にある町で、内モンゴル自治区に属している。現在、外国人のモンゴル～中国間の出入国が許可されている国境施設はザミーンウードのみである。徒歩で国境を越えることはできない。これまでは乗合ジープでザミーンウードの国境を越えることもできたが、コロナ禍以降、国際列車および国際長距離バスのみが許されている(2023年12月現在)。

　民主化以降、自由に商売できるようになり、駅や列車は買い出しの人々で常に大混雑している。多くの中国製品はこの国境を通過している。また、ザミーンウード(モンゴル)と二連浩特(中国・内モンゴル自治区)に、「エレンホト－ザミーンウード経済合作区」を設立する構想もある。実現すれば、中国との産業協力や辺境地域の発展にますます勢いが増すだろう。

中国との国境はすぐそこ

ACCESS

◆ザミーンウードへ

MAP 折込表-D3

🚆 ウランバートルから毎日16:40発276番列車で翌7:20到着、所要約15時間(→P.225)。国際列車も停まる(→P.216)。普通車両3万200Tg、開放寝台5万7900Tg、個室寝台8万8600Tg。二連からザミーンウードまで毎日17:10発で17:35の到着、66元。切符は駅構内のCITSか、駅向かい右側の售票処で事前購入可能。

🚌 ウランバートルのテンゲル長距離バスターミナル(→P.227)から毎日20:00発、所要約12時間。5万9800Tg。二連浩特の長距離バスターミナルから毎日9:00～16:00に30分に1本バスが出る。切符は早めに購入すること。国境通過も含め所要約1時間30分。50元。

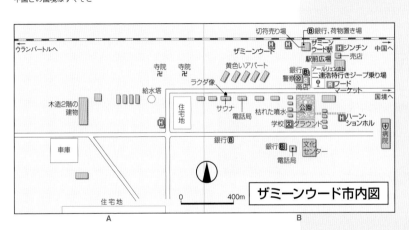

ザミーンウード市内図

ハーン・ションホル

中級

Khan Shonkhor 　　　　　MAP P.119-B

　ザミーンウードの中心部、駅前の公園近くにあり、便利。黄色とピンクの格子柄の外観が目印。最上部にホテル名が書かれている。ホテルの1階にレストランがあり、3食とも予約をすれば、食べられる。

🏠 公園の東側
☎ 88429442
💰 ①6万Tg　⑩10万〜15万Tg（トイレ・シャワー付き）
カード MV

📶

黄色とピンクの格子柄の外観が目印

ジンチン

中級

Жинчин 　　　　　MAP P.119-B

　駅から中国方向に見える、3階建てのホテル。緑色の外観が目印。夜間はライトアップされる。チェックアウトは14:00と遅めでゆっくりできる。ホテル内のレストランの営業時間は8:00〜17:00。

🏠 駅舎の南側
☎ 88469914
💰 ⑩7万9000Tg（トイレ・シャワー共用）、9万9000Tg（トイレ・シャワー付き）
カード AJMV

📶

夜間にはライトアップされる

列車での飲酒にご注意！

　夜行列車といえば、ビールやワインを買い込んで、車内で一献というのは誰もが考えるところだろう。ウランバートル発呼和浩特（フフホト）行き34番列車に乗車した私たちも、スーパーで買ったビールやワインを開けてコンパートメントで宴会をしていた。発車から1時間ほど経過した頃、ふたり組の警官がコンパートメントにやってきた。

「パスポート」。

　外国人だからパスポートを確認するのか（旧共産圏ではよくあること）と思い、パスポートを渡すと、警官は片言の英語で「列車での飲酒は禁止されている」と言う。そのような規則があるというのは初耳だったので、「知らなかった、ごめんなさい。もう飲みません」と謝って、酒類を全部袋にしまった。しかし、警官はパスポートを持ったまま、どこかへ行ってしまった。面倒なことになったなと思っていると、警官が戻ってきて、「あなたたちは罰金を支払わねばならない。ついて来なさい」と言う。

　呼和浩特行きの客車は一番端に連結されているので、10

ウランバートルと呼和浩特間で乗車した34番列車

両以上を歩き、警官の詰め所のある車両まで行く。途中、私たち日本人以外に、何組かのモンゴル人グループも同じ違反でパスポートを回収されていた。

　詰め所では、モンゴル語で書かれた書類が差し出され、これにサインしろと言う。しかし、内容のよくわからないものにサインはできない。すると別の警官が、英語版の書類があると持ってきたのだが、どう見てもロシア語の書類であった……。

　辞書や翻訳アプリを使って書類の確認を延々としていると、今度は警官が車内を探して日本語のできる人を連れてきた。この人が書類を翻訳してくれたので、書類にサインし、罰金と振込手数料を支払い、解放された。

　帰国してから調べると、モンゴルではロシアと同様、列車内での飲酒は食堂車を除いて禁止されているようだ。しかし警告ではなく1回目から罰金とはなかなか厳しい。車窓から大草原を眺めながらビールを1杯とは楽しそうであるが、寝台での飲酒はくれぐれもしないように。

（松島露水）

メモ：2023年12月現在、ウランバートル〜呼和浩特の国際列車は運休中。情勢によって変更の可能性もあるので、事前に最新情報を入手されたい。

モンゴル北部

森と水に
祝福された土地 **モンゴル北部**

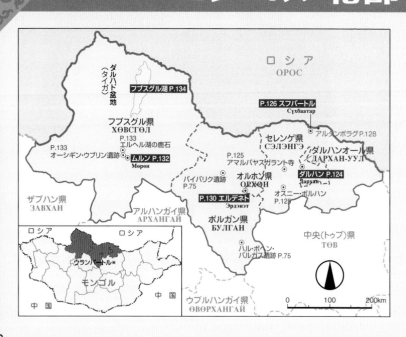

ロ シ ア
ОРОС

ダルハド盆地
（タイガ）

フブスグル湖 P.134

P.126 スフバートル
Сухбаатар

フブスグル県
ХӨВСГӨЛ

アルタンボラグ P.128

P.133
エルヘル湖の鹿石
P.133
オーシギン・ウブリン遺跡

セレンゲ県
СЭЛЭНГЭ

ダルハンオール県
ДАРХАН-УУЛ

ムルン P.132
Морон

P.125
アマルバヤスガラント寺

ダルハン P.124
Дархан

バイバリク遺跡
P.75

オルホン県
ОРХОН

ザブハン県
ЗАВХАН

P.130 エルデネト
Эрдэнэт

オスニー・ボルハン
P.125

アルハンガイ県
АРХАНГАЙ

ボルガン県
БУЛГАН

中央（トゥブ）県
ТӨВ

ロ シ ア

ロ シ ア

ウランバートル

モンゴル

ハル・ボホン・
バルガス遺跡 P.75

中 国

中 国

ウブルハンガイ県
ӨВӨРХАНГАЙ

0   100   200km

122

1 世界第2位の透明度を誇るフブスグル湖 2 オーシギン・ウブリン遺跡の鹿石群。付近には古い墳墓も多い 3 秋のトナカイ放牧。タイガではトナカイに乗る 4 ヘツダワー峠から見るダルハド盆地。最も湖の多い地域だ 5 復興の進むアマルバヤスガラント寺 6 縞々模様が特徴のセレンゲの農地 7 モンゴルの工業発展を一手に支えたエルデネト鉱山

どんなエリア？

　モンゴル北部は雨が多い湿潤な地域。その雨を利用してセレンゲ県では農業が盛んに行われている。広大な森林地域と湖、湿地を造り出し、フブスグル県には世界第2位の透明度を誇るフブスグル湖、永久凍土のダルハド盆地などがある。テュルク系民族の遺跡も多く点在、古くから人々の営みが盛んであったことをしのばせる。

これだけは見逃せない

● ダルハド盆地の絶景 ⇒P.136

● タイガでのトナカイのいる暮らし ⇒P.136

● 透明度を誇るフブスグル湖 ⇒P.134

どんな暮らし？

　セレンゲ県では農地が多く、農地をもつ企業と契約を結んで酪農的生活を始める遊牧民が現れている。

　ダルハド盆地のダルハド人は森林資源を利用した木工技術に長けており、日用品の多くを自作しながら、ヤクを中心とした遊牧生活を営む。タイガ地域ではトナカイを飼育する人々が独自の生活を行っている。

旅のヒント

　特にフブスグル地域は寒冷で、夏季でも雪が降ることも多いため、いつ行くにせよ、しっかりとした防寒着が必要だ。寝袋は夏季で－10℃対応、冬季は－30℃に対応するものが欲しい。夏季でも薄手のダウンジャケットなどは重宝するだろう。雨も多い地域なので雨対策も必要。靴は防水性の高いものがいい。夏季のセレンゲ地域は蚊対策も忘れずに。

ダルハン

Дархан

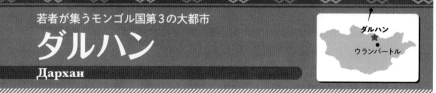

1961年に町が開かれて以降、ロシア、東欧諸国、さらに日本などの資金援助を受けて工場建設を続け発展してきた。ブルガリア、ドイツ、アメリカ、ハンガリー、ロシアなどと姉妹都市や提携都市となっている。人口約8万7500人と、人口ではモンゴル国第3の都市だが、「中心都市開発戦略地域」として位置づけられている。厚生福祉施設、公共交通機関、教育施設などのインフラと人口のバランスがとれ、すがすがしい町だ。

ダルハンの歩き方と見どころ

町は旧ダルハンと新ダルハンに分けられる。旧ダルハンは商工業地帯となっていて、新ダルハンにはホテル、高層アパート、公園などが多い。新旧市街をつなぐ大通り上につり橋が架けられ、馬頭琴の丘と大仏像の丘が両側にある。馬頭琴の丘には馬上で馬頭琴を弾く人の像が立つ。新市街の中心には広々とした公園がある。夜はつり橋がライトアップされ、公園の周りは市民の憩いの場になる。市内にはめぼしい観光スポットはないが、郊外の見どころには、匈奴時代の墳墓や岩絵などがあり、どちらも四駆車をチャーターして数10kmを走る。

新旧市街間のつり橋

ACCESS

◆ダルハンへ

🗺折込表-C1

🚆 ウランバートルからダルハンへは毎日10:35発271番列車、20:30発263番列車（スフバートル行き）、18:40発273番列車（エルデネト行き）が出ている。それぞれ、17:38、翌2:53、翌0:40に到着。普通車両1万4900Tg、開放寝台3万7500Tg、個室寝台5万2800Tg。

🚌 ウランバートルのドラゴン長距離バスターミナル（→P.226）から毎日11:00〜20:00に8便、所要約4時間。2万600Tg。ミニバスも毎日運行。

◆ダルハンから

🚌 ウランバートルへ：新ダルハン長距離バスターミナルから11:00〜20:00に8便、ミニバスも毎日運行。

エルデネトへ：乗合タクシーが同上から運行（大型バスの運行なし）。所要約2時間、2万5000Tg。満員になり次第出発。

アルタンボラグ（スフバートル）へ：乗合タクシーが同上から運行。所要約1時間30分、1万5000Tg。

ムルンへ：乗合バスが新ダルハン長距離バスターミナルから出発。所要約5時間、4万4000Tg。バスターミナルのトイレは1階にある。

由緒正しきザナバザルの面影を残す　**MAP** 折込表-C1、P124外

アマルバヤスガラント寺

Амарбаясгалант хийд

仏教寺院。清朝の雍正帝の命によりジェプツンダンバ2世が1727年から1736年にかけて建造した。学問寺としても栄えたが1937年の大粛正によって破壊された。最盛期には207m×175mの壁に囲まれた敷地内に40以上の寺院や伽藍があり、1500人ほどの僧侶がいた。1988年から復興事業が開始され、1990年からは法会も行われている。現在、寺院の北の丘には大仏像などが造られ、地域一帯を眺めることができる。

アマルバヤスガラント寺
住 セレンゲ県バローンブレン郡　**交** エルデネトへの舗装道路を約100kmののち、北へ約30km。往復25万〜50万Tg　**電** 99085577、88118522　**開** 9:00〜20:00 (冬 季9:00〜18:00)　**休** 無休　**料** 室内見学　1万Tg

北部最大の大きさを誇る

活仏ザナバザルの伝説の仏像　**MAP** 折込表-C1、P124外

オスニー・ボルハン

Усны бурхан

オルホン川に架かる橋の南にある岩に彫られた仏像。かつて活仏ザナバザルがこの地を訪れたとき、オルホン川が氾濫し、しばし滞在を余儀なくされた。逗留地を探させる間にザナバザルが彫ったと伝えられる。彫り終わるやふた手に分かれて川の水は引き、歩いて川を渡ったという伝説がある。

オスニー・ボルハン
交 エルデネトへの舗装道路を約70km、橋手前の南河岸の岩壁。往復25万〜50万Tg

表情も読み取れる

🛏 ホテル　　　　　　　　ACCOMMODATIONS

ブーダイ　　　　　　　　　　　　中級
Buudai　　　　　　　　　　**MAP** P.124外

ロビー、部屋、サービスともにレベルが高く、コストパフォーマンスがよい。静かな環境にあり、庭の手入れも行き届いている。館内にはカフェ、レストラン（アジアン・西洋料理）、スパ、プール、ジムなどの施設も充実。全30室。

住 第10バグ、第5ミクロ地区　**電** 70377037　**URL** www.buudaihotel.mn　**料** ⑤15万Tg　①20万Tg　②25万Tg (トイレ・シャワー・朝食付き)　**カード** AMV

ドラマ『VIVANT』のロケ地にもなった

コンフォート　　　　　　　　中級
Comfort　　　　　　　　**MAP** P.124

5階建ての3つ星老舗ホテル。部屋も広く清潔で、フロントの対応もいい。レストランあり。静かな環境だが、買い物には便利な立地。全57室。

住 第14バグ、アルタンフングループ　**電** 70379090　**E** Gantsetseg.altankhuns@gmail.com　**URL** www.comfort.mn　**料** ⑤10万Tg　①13万Tg　②15万Tg　⑩18万Tg (トイレ・シャワー・朝食付き)　**カード** AJMV

MBM　　　　　　　　　　　　中級
MBM　　　　　　　　　　**MAP** P.124外

新旧ダルハンをつなぐ大通り沿いにある。つり橋や大仏像、馬頭琴の丘から近い。部屋も広く清潔。レストランの食事もおいしいと評判。全47室。

住 第5バグ、デブシル地域　**電** 70376565、99702226　**E** mbm.hotel@yahoo.com　**料** ⑤13万Tg　①15万Tg　⑩19万4000Tg　②24万Tg (トイレ・シャワー・朝食付き)　**カード** AJMV

ダルハン　　　　　　　　　経済的
Дархан зочид буудал　　**MAP** P.124

1982年開業の老舗ホテル。大きなレストランや家族サウナ、ビリヤードなどを備える。古いロシア風の内装も楽しめる。全57室。

住 第11バグ、6ホローロル　**電** 80230550、80232020　**E** darkhan.zb@gmail.com　**料** ⑤12万Tg　①14万Tg　⑩40万Tg (トイレ・シャワー・朝食付き)　**カード** 不可

ニューキウイ　　　　　　　経済的
Нью Киви зочид буудал　**MAP** P.124

「私のモンゴル公園」の北側にある3階建て2つ星ホテル。外国人の評判もとてもよい。レストラン、カラオケあり。4ベッドの家族部屋もある。全19室。

住 第3バグ、XT地区中心部　**電** 70378301、70378300　**料** ⑤8万5000Tg　①9万5000Tg〜 (トイレ・シャワー・朝食付き)　**カード** 不可

セレンゲ県の県都。モンゴルの穀倉地帯で、いたるところに麦の穂を模したモニュメントがある。ロシアと国境を接しているので、ロシア風の建物や、ロシアの商品を扱う商店が多い。鉄道、道路などの交通が発達し、常にウランバートルやロシアへ行くバス、タクシーや列車が行き来している。

第2次世界大戦中、多くの日本人捕虜がここに抑留されていたが、今となっては、地元で知る人も少なくなっている。

スフバートルの歩き方と見どころ

こぢんまりとした町で、隅から隅まで歩いて回ることができる。駅前を東西に走る道がメインストリート。ロシアとの交易が盛んで、市場や商店などではロシアの商品を購入できる。かわいらしいお菓子屋や、コーヒーショップなどもあるので、ひと息つくのにちょうどいい。

セレンゲ川とオルホン川の交わる川原には果物が自生している。郊外へ少し足を運ぶと、キツネ、オオカミ、ハリネズミなどの野生動物を観察することができる。

1台10万Tgほどでスフバートルの見どころをまわってくれるタクシーを利用するのもいいだろう。

ACCESS

◆スフバートルへ
MAP 折込表-C1

ウランバートルから毎日10:35発271番列車で19:50到着、20:30発263番列車で翌5:31到着。所要約9時間。普通列車1万9900Tg、開放寝台4万3800Tg、個室寝台6万3600Tg。

ドラゴン長距離バスターミナル(→P.226)より、毎日16:30発、所要約7時間。2万4600Tg。

バスや乗合タクシーの便数が多いダルハンまで出てから、セレンゲ行きの乗合タクシーに乗り換える。ダルハンから乗合タクシーで北に約90km。ダルハンからの乗合タクシーは、ビルジ市場から常時出発。料金は1万Tg/人。

スフバートル駅の切符売り場
MAP P.127-A2
国内列車6:00~8:00、18:30~20:55
列車の発着時刻は構内の電光掲示板で確認可能。

日本人墓地跡
開 24時間(門や柵はない)
料 無料

北の大地で命尽きた日本人捕虜たちの証し

MAP P.127-B1

日本人墓地跡
Япон цэргийн дурсгалын багана

1945~1947年の間に捕虜としてスフバートルに送られた日本人兵士の墓地跡。アルタンボラグへ向かう道の国際ショッ

ピングセンターを過ぎたあたりを左に曲がり、送電線沿いに歩いた丘の上にある。かつては手入れがされ、門や柵があったが、今はさびれている。スフバートルでは、日本人捕虜は木材工場の建設や同工場で強制労働に従事させられたといわれている。栄養失調や寒さなどで亡くなった人が多かった。遺骨の多くは日本・モンゴル両政府の共同事業として、1990年代に収集され日本に返された。

訪れる人も少なくなり、さびれた墓地跡

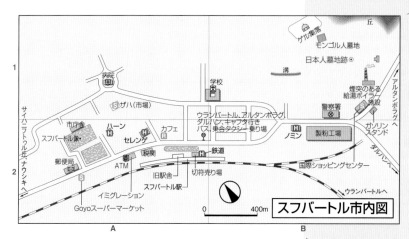

スフバートル市内図

0　　　　400m

チンギス・ハーンの側室の故郷　　　MAP P.127-A2外

サイハニフトゥル丘
Сайханы хөтөл

チンギス・ハーンの側室ホラン妃の生まれ故郷と呼ばれる丘。セレンゲ川とオルホン川のふたつの大河が交わる地点を見渡すことができる。セレンゲ県を訪れるモンゴル人が、必ず足を運ぶという名所。丘と丘の間を滑り降りるジップライン（2万Tg）もあり、風を切りながら眺望を堪能することができる。

ロシアまで見渡せる

サイハニフトゥル丘
🚗 メイン通りを西へ道なりに10kmほど進むと、ロシアとの国境（通過はできない）にぶつかる。その左側がサイハニフトゥル
🕐 24時間
💴 3000Tg／台　500Tg／人
※ロシアとの国境に近く、国境警備隊に入場料を支払う

スフバートルのザハ
　魚の燻製や大きなパンなどその土地ならではの珍しいものがいっぱい。ぜひ訪れてみて！

魚の燻製がずらり

🛏 ホテル　　　　　　　　ACCOMMODATIONS

セレンゲ　　　　　　　　　　　　　中級
Сэлэнгэ зочид буудал　　　MAP P.127-A2

　スフバートルで最も室数が多い。メイン通りに面し、駅からも近くて便利。朝食は、モンゴル式のバンタンというスープや、アメリカンブレックファストなどから選択できる。

🏠 スフバートル駅から北へ約300m
📞 99827187、77489295
📧 VVREE9982@gmail.com
💴 Ⓢ5万Tg　Ⓣ9万Tg　ⓧ10万Tg（トイレ・シャワー・朝食付き）
カード V

ガラス張りの入口

ハーン　　　　　　　　　　　　　中級
Khan　　　　　　　　　　　　MAP P.127-A2

　スフバートルのなかで最も高級で清潔。朝食は、数種類から写真を見ながら選択できる。地下にサウナがある（別料金）。1階に有名モンゴル料理チェーンのモダン・ノマズが入っている。

🏠 ザハから南へ約200m
📞 70363433
💴 Ⓢ10万Tg　Ⓣ12万Tg　ⓧ16万9000Tg（トイレ・シャワー・朝食付き）
カード AJMV

黄色い壁が目印

127

ノミン
中級
Номин буудал MAP P.127-B2

手頃な料金のホテル。最低限のサービスしか期待できないが、冬場はシャワーも使える。朝食は、食堂で注文する（別料金）。夏場はシャワーが使えないため、どうしてもシャワーが必要な場合は、別の宿をおすすめする。

🏠 製粉工場の隣
☎ 70363743
料 ⑤4万～6万Tg ⑦8万5000Tg
⑩10万9000Tg、12万9000Tg（トイレ・シャワー付き）
カード V 📞

国際ショッピングセンターに近くて便利

鉄道
経済的
Төмөр зам буудал MAP P.127-A2

リーズナブルな料金で、バックパッカーや国内の出張者がよく利用する。駅舎内にあり便利。シャワー付きの部屋とない部屋があるので、事前に確認を。人気があり、満室のことがあるので、予約しておくことをおすすめする。

🏠 スフバートル駅構内
☎ 0236240371
料 ⑤3万5000Tg（トイレ・シャワー共同）⑦5万Tg（トイレ・シャワー共同）⑩10万Tg（トイレ・シャワー付き）
カード V 📞

列車待ちにも利用できる

ACCESS

◆アルタンボラグへ
MAP 折込表-C1
🚗 スフバートル駅前の乗り場から乗合タクシーが出ている。3000Tg/人。
◆スフバートルへ
アルタンボラグの入出国管理所付近に集まっている車を頼む。料金は1万Tg。

セレンゲ県総合博物館
🏠 アルタンボラグ中心部
🕐 8:00～18:00
休 旧正月
料 5000Tg

セレンゲ県総合博物館

国境越え
モンゴル人はビザなしでロシア国境を越えられるため、以前は物価の安いキャフタに気軽に買い物などに出かけていたが、ロシアのウクライナ侵攻後、国境を越えることに慎重な姿勢を示す人が多くなっている。

アルタンボラグ
Алтанбулаг

アルタンボラグは、県庁所在地スフバートルから北東へ約25km、ロシアとの国境の小さな町。ロシア側のキャフタはキャフタ条約で有名。清朝時代に、清朝とロシアの茶の交易が、キャフタ、アルタンボラグにかぎられたため、100年ほど前はとても栄えていた。ウランバートルから、最も近い北の国境であるため、国境を越える車が絶えず通る。モンゴル人はビザなしで通過できる。日本人はビザが必要だが、ロシアのウクライナ侵攻後、日本外務省よりロシアへの渡航中止勧告が出ている（2024年1月現在）。

セレンゲ県の郷土の歴史や自然を伝える MAP P.128-A
セレンゲ県総合博物館
Сэлэнгэ аймгийн нэгдсэн музей

アルタンボラグはモンゴル人民革命における歴史的な名所。武装蜂起により、モンゴル人民義勇軍によって1921年3月18日に解放された。その武装蜂起のリーダーの名前スフバートルから県都のスフバートルが名づけられた。この博物館は人民革命の偉業をたたえるために造られ、1階は武装蜂

アルタンボラグ

起を中心としたモンゴル人民革命の展示、2階はこのあたりの郷土の歴史や自然博物館となっている。

免税価格で買うならココ！　地元民も通う　　**MAP** P.128-B

アルタンボラグ自由貿易区
Алтанбулаг худалдааны чөлөөт бүс

モンゴル、ロシア両側からアクセスできる自由貿易区。酒、たばこ、菓子やナッツ類などが免税価格で売られているが、かつてほどのにぎわいはない。モンゴル人が大好きなウォッカだけでなく、そのほかのお酒も市場価格の半値ほど。免税範囲は決められている。ここから、キャフタの町にある教会の屋根が見える。

アルタンボラグ自由貿易区
🕒9:00～18:00
休無休
※車で入場し入場許可を得てから駐車場に車を停めて買い物する。入場手続きにはパスポートが必要

広い敷地に店が点在するため、域内の移動には車が必要

モンゴルで養蜂をやっています！

私が養蜂を始めたのは2015年。テレビのコーディネーターとして、モンゴルの養蜂家を取材したのがきっかけでした。当時、養蜂はモンゴルの産業として認識されておらず、小規模の養蜂家が少量のハチミツを生産するにとどまっていました。

モンゴルの象徴ともいえる「草原の花」のエッセンスを、商品にして売ることができたら、なんてロマンティックなのでしょう。「たくさんの蜜源（ハチミツのもととなる花）がハチミツになることなく秋を迎えるのは、もったいない」「もっと利益を追求すれば、ひとつの産業にできる」という強い思いがあと押しとなり、セレンゲ県を中心に養蜂をしています。2022年からウランバートル郊外のボグド・ハーン山の麓でも養蜂を始めました。

ハチはモンゴルの厳しい冬を乗り越えられる、ロシア産の黒いセイヨウミツバチです。

養蜂の技術については、たまたまJICAの草の根支援プロジェクトで来られていた、干場英弘先生率いる養蜂指導チームに、一から教えていただきました。

ご存じのとおり、ハチミツはハチが取った花の蜜。蜜源の違いによって、ハチミツの味わいは変わります。うちで

ハチの世話の様子

は、ヤナギ、ウワミズザクラ、リンゴの仲間、タイム、マツムシソウ、オドリコソウなど、季節により蜜源がさまざまに変わっていきます。

秋が近くなると、菜の花畑に巣箱を移動させます。「タイムのハチミツ」は、モンゴル固有薬草である「ガンガ（タイム）」が蜜源で、炎症に対する効果も期待されています。独特の香りがあり、結晶の粒が小さく味は繊細です。希少なため、高価です。ハチミツのおいしさは蜜源だけでなく「適切な管理」で決まります。2020年にはISO9001を2021年にはHACCAPを取得しました。それによって販路がさらに広がりました。

「TOMOKO'S PURE HONEY」というブランドで売り出していますので、モンゴルにいらしたら、ノミンなどのスーパーマーケット

「TOMOKO'S PURE HONEY」のハチミツ

トでぜひ購入なさってみてください。

日本にも少量ながら、輸出をしています。国際的な基準を満たしたモンゴル特有のハチミツを、皆様にぜひ味わっていただき、「モンゴルのハチミツはすばらしい！」と世界中の方々に思っていただけるよう、これからもがんばります。4～9月にはウランバートルで養蜂教室を開催予定です。皆様のお越しをお待ちしています！
☎99096359、✉tomoko@mihachi.mn
（MIHACHI LLC社長　衣袋智子）

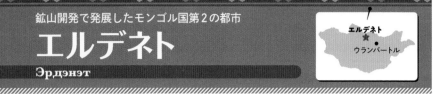

鉱山開発で発展したモンゴル国第2の都市

エルデネト

Эрдэнэт

ACCESS

◆エルデネトへ

🚉 折込表-C1

🚆 ウランバートルから毎日18:40発273番列車で翌7:40到着、所要約13時間。普通車両2万1100Tg、開放寝台4万5700Tg、個室寝台6万8300Tg。エルデネト駅は町の中心部から西に約9km離れている。ウランバートルとの間の列車は毎日1便のみで、約13時間かかるため、あまり利用されていない。

🚌 ウランバートルの新ドラゴン長距離バスターミナル（→P.226）から毎日9:00～17:30に6便、所要約5時間50分。2万9300Tg。
　ウランバートルからの道路はよく舗装され、長距離バスは約370km離れたウランバートルと町の中心部を5～6時間で結んでいる。

◆エルデネトから

🚌 ウランバートルへ：9:00～17:30に6便、2万9300Tg。
ダルハンへは：乗合タクシー2万5000Tg/人。このほか、フブスグル（ムルン）4万Tg。

　エルデネトは、「貴重な物（エルデネ）がある所（ト）」の意味。1975年にエルデネティン・オボー鉱山の北に建設された。急激な人口増加により、エルデネト市に格上げされたのが1976年。このときすでにモンゴル国第3の都市になっていた。1994年よりオルホン県の県庁所在地となり、1999年以降、ダルハンを抜いてモンゴル国第2の都市となった。10万5058人が暮らしている（2023年4月）。

　アジア最大、世界で4番目に大きな銅鉱山開発のためにつくられ、町の発展はモンゴルとロシアの合弁企業「エルデネト鉱業株式会社」とともにある。

　銅、モリブデンのほかレアメタルが精製され、この鉱山だけでGDPの13.5％、国税収入の7％を占める。オルホン県の経済のほとんどが鉱業関連工場によって成り立っている。そのほかエルデネト絨毯会社も、国内外から高い品質を評価されている。早い時期にウランバートルと舗装道路でつながり、今ではボルガン県やフブスグル県にも舗装道路が延びてい

エルデネトにとって重要な鉱山

る。2000年頃より仕事を求めてやって来る人たちが増え、各種産業も生まれている。技術者、研究者、外国語通訳などの活躍の場も多く、教育活動も充実している。将来性あふれる若者たちが集う活気ある町だ。

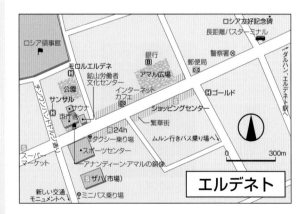

エルデネトの歩き方

ロシア領事館は町の北にある。モンゴルには大切なものを北に配置する習慣があり、ロシアとの関係を象徴しているかのようだ。正面道路を南に下った左側に市庁舎がある。市庁舎前の銅像は1928年から2年間モンゴル国総理大臣として活躍したアナンディーン・アマル（1886〜1941年）。現在のボルガン県ハンガル郡の出身で、革命の英雄スフバートルが相談役として迎えた人物。モンゴルが独立国家であることを貫き通し、スターリン主義に反対的態度を示したことで、最後はチョイバルサンらによって首相の座を追われ、モスクワで処刑されてしまう。その後、スターリン批判の流れのなか、1962年に名誉が回復された。市庁舎のすぐ東側には鉱山労働者文化センターがある。この町が鉱山労働者によって支えられていることを象徴するようにそびえる。

アナンディーン・アマルの銅像。ロシア、モンゴル友好の象徴

町の様子

市庁舎と鉱山労働者文化センターの前の広場が町の中心。広場前から東西に延びる道路の両側にショッピングセンターや商店、レストラン、郵便局などが並ぶ。東にはロシア友好記念碑のある丘があり、エルデネト市の発展の源である鉱山やエルデネト市を望むことができる。

町行く車は多いが、運転マナーはよく、大通りを走る車は歩行者に道を譲って停まる。公園で過ごす人々も穏やかで、和やかな空気をつくる。古くから外国とのかかわりが多かったために、異文化や新しい物に対する敷居が低いのだろう。安心して歩ける町だ。

🛏 ホテル

ゴールド
Gold　　　　　　　　　　　　　　　　中級
MAP P.130

交差点からはセレンゲホテルの大きな文字が眼に入るが、フロント正面右側に入るとゴールドホテル。どちらも建物は古い。付近はスーパーが多く、滞在には便利。近くのアマル広場は人々の憩いの場となっている。全22室。

🏠 アマル広場角交差点南東側
☎ 70352868
料 Ⓢ9万〜13万Tg　Ⓣ10万〜14万Tg（トイレ・シャワー付き）
カード MV

南側に正面玄関がある

モロルエルデネ
Молор-Эрдэнэ зочид буудал　　中級
MAP P.130

2009年開業の4階建て3つ星ホテル。クラシックスタイルの内装。日本語が話せるスタッフもいる。レストラン（10:00〜22:00）、カラオケ、ランドリーサービスあり。

🏠 オルトボラグバグ
☎ 99666584、95307030　E chingisiin_chuluu_llc@yahoo.com　URL www.facebook.com/p/Molor-Erdene-Hotel-100054219322015　料 Ⓢ7万9000Tg　Ⓣ9万5000Tg　Ⓦ15万Tg（トイレ・シャワー・朝食付き）　カード MV

夜は電光看板が目印

サンサル
Сансар зочид буудал　　　　　経済的
MAP P.130

ユニークな外観が目印の1つ星ホテル。2009年に設備の全面改修を行い、各種サウナ、フィットネスジム、ビリヤードなどを備える。リーズナブルなわりに部屋は豪華で、滞在自体を楽しめるホテルになっている。全10室。

🏠 チンワンハンドドルジ通り25A-5
☎ 70358917、70357927、99929543、99935743
料 Ⓢ6万5000Tg　Ⓣ5万4000〜7万5000Tg（トイレ・シャワー・朝食付き）
カード AMV

個性的な外観が目を引く

ムルン

Мөрөн

フブスグル県の中心都市で人口第5位の町（4万2855人、2023年）。1809年、デルゲルムルン川のほとりに「ムルンギン・フレー」という寺院ができたのが町の始まり。寺院は20世紀初頭には1300人余の僧侶を擁する規模に大きく成長したが、社会主義時代の1937年に破壊された。2014年以降、電力事情が改善し、深刻な大気汚染の原因となっていた石炭利用を大幅に減らすことに成功。県北端のハンハではロシアとの国境貿易が盛んで、経済の中心地となっている。

ムルンの歩き方と見どころ

チングンジャブ公園付近が県庁舎のある行政地域。1本北の通りが目抜き通り。ホテルやショッピングセンターなどがまとまっており、チンギスホテルのある交差点付近が中心部。

「完璧な喜びのある場所」の思いを込めた
MAP P.132-A

ガンダンダルジャイリン寺院

Гандандаржайлин хийд

寺院と伽藍は1937年に破壊されたが、1990年に寄付が集められ、かつての中心的寺院、チョグチン寺院があった場所に復興された。寺院の名は、1809年、「ムルンギンフレー」が造られるとき、僧侶ジャブガングーセグが「ガンダンダルジャイリン」とチベット語で名づけたことに由来。「完璧なる喜びのある場所」を意味する。

モンゴル仏教界の最高学府となっている

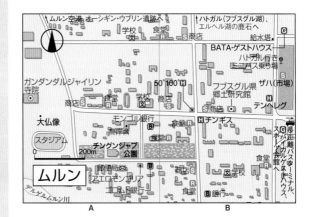

ダルハドモンゴル人の生活文化を展示

フブスグル県郷土研究館
Хөвсгөл аймгийн орон нутаг судлах музей

MAP P.132-B

フブスグル県に多く住むダルハド
モンゴル人の生活文化やシャーマン
に関する展示がとても興味深い。

1987年に動物資料館を併設。2010
年には地質資料の展示も開始した。

シャーマンに関する展示も

歴史ロマンあふれる鹿石群がたたずむ

オーシギン・ウブリン遺跡
Уушгийн өөрийн буган хөшөөний цогцолбор

MAP 折込表-B1、P.132-A外

オーシグ山の南東麓にある鹿石群。付近にはヘレクスル
（積石塚）も多い。約30個の鹿石は、低い物で
133cm、高い物で375cm。色彩豊かな絵が刻ま
れる。柱の南面には人面がリアルに彫り込ま
れ、耳飾りや首飾りなど装飾品も彫られ、そ
の下に鹿が描かている。製作年代は紀元前10
〜前6世紀と推定される。人面鹿石は、テュ
ルク系民族によって石人が作られる過渡期を
示し、石人研究において貴重な資料である。

鹿の姿が刻まれた石柱

世界一の高さを誇る!?　鹿石群

エルヘル湖の鹿石
Эрхэл нуурын буган чулуу

MAP 折込表-B1、P.132-B外

エルヘル湖西側にある鹿石群。ダルハド盆地へ最短距離で
走るルート脇にある。土地の人の話では世界一の高さの鹿石
だという。

フブスグル県郷土研究館
🏠 第8バグ、トゥブ交差点近く
☎ 70388630　🕐 10:00 〜
19:00（冬季9:00〜18:00）
休 無休（冬季は土・日曜）
料 5000Tg
写真撮影　5000Tg
ビデオ撮影　1万Tg

オーシギン・ウブリン遺跡
🏠 ムルン空港から車で北に
約15分（約18km）
🚗 ムルン中心部から車チャー
ターで往復約6万Tg

エルヘル湖の鹿石
🏠 湖西岸から西へ約7km。
ムルン中心部から北西に約
50km　🚗 ムルン中心部から
車チャーターで往復約15万
Tg（ガソリン込み）

世界一の高さといわれる鹿石

🛏 ホテル

テンヘレグ
中級
Тэнхлэг зочид буудал
MAP P.132-B

中心部から少し離
れ、静か。道路側に
ショップ、北側にホテ
ル入口がある。モン
ゴル料理と中国料理
を提供するレストラ
ンがある。全19室。

🏠 第8バグ
☎ 70382090、90382090
料 ⑤11万Tg　①20万Tg（ト
イレ・シャワー・朝食付き）
カード MV

🛜

チンギス
中級
Chingis
MAP P.132-B

2013年開業の5階
建て3つ星ホテル。
地下1階にはサウナ
がある。部屋は広々
としていて欧州家具
がしつらえられてい
る。全25室。

🏠 第8バグ、第4第4街南
☎ 70383999、70383899
E chingishotel2012@gmail.
com　料 ⑤11万Tg　①12万
Tg　⑫20万Tg（トイレ・シャ
ワー・朝食付き）　カード MV

🛜

50° 100°
中級
Тавь зуу зочид буудал
MAP P.132-B

モンゴル語でタビ
ゾーと読む。4階建
て老舗ホテル。1階
にレストラン、2階に
パブがある。中心部
にある。各種旅行手
配が可能。全28室。

🏠 第8バグ、トゥブ4ザム
☎ 70382000
E otnoo50100@gmail.com
料 ⑤20万Tg　①35万Tg（ト
イレ・シャワー・朝食付き）
カード AJMV

🛜

BATA・ゲストハウス
ゲストハウス
Bata's Guesthouse
MAP P.132-B

2003年開業。空港
送迎US$10。各種チ
ケット手配、旅行手配
可。シャワーは9:00
〜21:00（4000Tg）。
全6室、ゲル1棟、カ
フェ用ゲル1棟あり。

🏠 第5バグ、第8街街4番
☎ 91387080　E bata.guest
house@gmail.com　FB
page:BATA's Guesthouse
料 US$12〜20（トイレ・シャ
ワー共同、朝食付き）
カード MV

🛜

フブスグル湖

Хөвсгөл нуур

フブスグル湖
★
ウランバートル

モンゴル国北端に位置する淡水湖で、モンゴルで最も深く（最深部の水深は267m）、貯水量が多い。南北136kmで表面積はオブス湖に次いで国内2番目（2760㎢）に大きい。透明度はバイカル湖に次ぐ世界第2位。200万年以上前にできた「古代湖」（世界に約20ヵ所）のひとつ。「フブスグル」はテュルク系言語で「たくさんの水の湖」の意味。モンゴル語では「広く深い海」を表す「ダライ」という単語を使って「フブスグルダライ」と呼ばれてきた。

湖の北端のハンハ村と南端の町ハトガルとの間を船舶が結ぶ。湖が凍りつく冬季は、車両による氷上輸送が盛ん（12月末から2月半ば）。

国内でも人気の名勝で、湖畔のツーリストキャンプエリアが観光客で混み合う。

多くの観光客でにぎわう

ACCESS

◆フブスグル湖へ

MAP 折込表-B1

✈ ウランバートルからフブスグル県の県都ムルンまで定期便（→P.132、223）がある。そこから各ツーリストキャンプの送迎（有料、要予約）を利用する。所要約2時間。

完全に氷結すると湖は車道となる

ハトガル港

🚶 ハトガル中心部から徒歩約20分。
🎫 港内入場料5000Tg

観光船
🕐 10:00～16:00（事務所）、出航12:00、15:00（乗客が少ない場合は欠航、遅延あり）
💴 3万Tg（乗船時に支払う）、約2時間の周遊

フブスグル湖の見どころ

モンゴル唯一の港　**MAP** P.134-2

ハトガル港

Хаттал боомт

かつてモンゴル海軍（～1997年）がロシアからの石油や物資の輸送のために利用してきた港。今では夏季のみ、物資輸送や観光船「スフバートル号」が運航している。港周辺にはおみやげ屋が集まっている。

フブスグル湖

0　　4km

1

ヒルベステッグ・ツーリストキャンプ
トイログド・ツーリストキャンプ
グランド・ツアー・キャンプ
カフェ
ミッシェル・キャンプ
ダライ・キャンプ
フブスグル湖

2

アシハイ・ツーリストキャンプ
ハンハ村
ガレージ24ゲストハウス
ハトガル港
郵便局
ハトガル空港
MS-ゲストハウス
レイクビジターセンター

🛏️ ホテル

MS・ゲストハウス　ゲストハウス
MS Guest House　🗺️P.134-2

　シャワーの利用は7:00～22:00。ムルンの空港とバスターミナルからの送迎可（US$30/台）。トナカイ牧民訪問ツアーなど各種手配可。ゲル12棟。

🏠ハトガルのバス停から徒歩約10分　☎88367666、99796030
📧lake_hovsgol@yahoo.com
💲US$15～（トイレ・シャワー共同、朝食付き）　US$30（トイレ・シャワー共同、3食付き）
💳MV　📶

ダライ・キャンプ　ツーリストキャンプ
Khuvsgul Dalai Tourist Camp　🗺️P.134-1

　5～10月とアイス・フェスティバル（3月第1週）のみ営業。各種手配可能。15名集まれば観光用ボートで近くの島へ行く有料ツアーもあり。

🏠湖西岸、ハトガルから約6km　☎88881708、98114408
📧info@travelsmongolia.com
🌐www.travelsmongolia.com
💴ゲル：12万Tg／ロッジ：25万Tg（ともにトイレ・シャワー・朝食付き）　💳MV　📶

ミッシェル・キャンプ　ツーリストキャンプ
Misheel Camp Khuvsgul Lake　🗺️P.134-1

　ゲル5～6棟、ロッジ4棟。レストランあり。ムルンから送迎可（有料）。乗馬トレッキング、サイクリング、カヤックなど各種手配可能。

🏠フブスグル湖西岸、ハトガルから約6km　☎99981422、99773835
📧e.baaskae@gmail.com
💴10万Tg／人（トイレ・シャワー・朝食付き）
💳MV　📶

グランド・ツアー・キャンプ　ツーリストキャンプ
Grand Tour Khuvsgul　🗺️P.134-1

　夏季とアイス・フェスティバルの3月第1週のみ営業。ムルン空港からの送迎可（往復30万Tg）。ゲル12棟、ロッジ8棟。

🏠ハトガルから約12km　☎99734300、90100090
📧grandtour.khuvsgul@gmail.com
💴ゲル：15万～20万Tg／（トイレ・シャワー・3食付き）　ロッジ：20万～50万Tg　💳MV　📶

◆◆◆◆◆◆ モンゴル冬の観光3大祭り ◆◆◆◆◆◆

　観光立国をうたうモンゴルは、厳寒のなかで行う三大イベントに力を入れている。3月最初の1週間に開催される①フブスグル湖「アイス・フェスティバル」②首都ウランバートルで催される「鷲フェスティバル」③南（ウムヌ）ゴビでの「ラクダ祭り」だ。

①フブスグル湖 「アイス・フェスティバル」

　例年3月2、3、4日に、フブスグル湖上で盛大に行われる。氷で造られたおしゃれなバーではワインを楽しめる。シャンシャンと鳴る鈴を首に付け、着飾った馬ゾリが湖上を駆けるシーンは、この時期の風物詩となっている。子供には氷の滑り台や犬ゾリが人気。地元住民が並べる新鮮な魚や伝統工芸のおみやげ品を見て歩くのも楽しい。

氷上でゲームに興じる人々

　メモ： ウランバートルから飛行機でムルンまで約1時間30分。ムルンから車でハトガル湖畔まで約2時間。

②ウランバートル市観光局主催 「鷲フェスティバル」

　例年3月4、5、6日、チンギス・フレーキャンプ場で行われる。バヤンウルギー県から多くの鷲匠が出張してきて雪上で華やかなパレードを見せる。鷲狩り、騎馬戦、流鏑馬……など見せ場が多い。カザフ民族刺繍のバッグなど展示販売も好評。

　メモ： ウランバートル中心部から車で約40分。民族服デールを着たモンゴル人に交じって外国人の姿も目立つ。

③南（ウムヌ）ゴビ観光協会主催 「ラクダ祭り」

　例年3月6、7日。1000頭のラクダのパレード、疾駆するレース、ポロリーグ戦、すてきなカップルコンテストなどが行われる。大型ラクダの迫力は抜群。

　メモ： 飛行機便がないので、ウランバートルを車で前日に出発し、途中で1泊。翌日の昼、会場のボルガン村に着く。翌日は1000頭のレースを観たあと、車で帰る。帰途1泊。往復1200kmを走行するダイナミックな旅だ。途中で野生動物に遭遇するチャンスもある。

　※日程が変更されることがあるので、ウランバートル観光案内所に問い合わせを☎70108687

森と水の豊かな別世界

ダルハド盆地とタイガ

Darkhad Basin and Тайга

永久凍土に守られた風光明媚な楽園で
精霊の声に耳を傾けながら
森の妖精のようなトナカイと
ともに暮らす人々に出会える所……。

Text・Photo=Mikiya Nishimura

ダルハド盆地が朝を迎える。霧の中から営地が姿を現してきた

ツァガーン・ノール
ツァガーン湖
ハルマイ川
タイガ地域
ドンドダワー峠
ヘッダワー峠
ダルハド盆地
リンチンスフンベ
橋（通行料5000Tg）
ソヨーバリガード（集落）
ツーリストキャンプ
バヤンオール
テルゲル・ハーン
▲（3087m）
モンガック川
オラーンオール
グリーンダワー峠（2000m）
ハトガル
トーミンダワー峠
トーミンバリガード
フブスグル湖
エルヘル湖
ムルン
0　　40km

ダルハド盆地

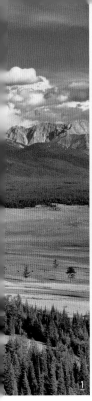

1 バヤンオールからの眺望。中央に見える三角の山はデルゲル・ハーン　2 ウリーンダワー峠のオボー。ダルハド盆地へのゲートだ　3 ダルハド盆地南部は開けていて牧草が豊かな地域だ　4 ヘツダワー峠からの眺望。ダルハド盆地北部を一望できる　5 この地域にはヤクが多い。モンゴルのヤクは角がないことで有名。角があるのはヤクとモンゴル牛の子供。モンゴル語ではハイネグという　6 ヤクの搾乳風景

四季折々の美しさで
そっと迎えてくれる

「こんなひどい道は初めてだ」。

百戦錬磨の運転手がぼやいた。ムルンを出て120kmほどを走った頃だ。草原を快適に走っていたはずだったのだが、気がつくと、とがった石がゴツゴツと頭を出し、時速30km以下でしか移動できなくなっていた。トーミンバリガードで食事を終え、トーミンダワー峠にたどり着く。峠から見える遠くの山頂は7月半ばを過ぎているのに雪で覆われている。

崩れそうな急勾配の峠道を下り、次の峠を再び登る。登り切った所がウリーンダワー峠（標高2000m）だ。ここには木を組んで作ったオボーが13基ある。大きなオボーを中心に両側に6基ずつ、それぞれの頭頂部に干支が書かれた板が付いている。この峠を越えた先がダルハド盆地だ。土地の人はこの峠を「盆地の扉」と呼ぶ。

峠を下り始めると、道路脇近くまで森が迫ってくる。森の中を抜けて川沿いを走り、オラーンオール郡中心部へと入る。町は森に囲まれ、色とりどりの屋根の木造家屋が建ち並ぶ。峠から見え隠れしていた白い三角山、デルゲル・ハーン（標高3087m）がよく見

える。土地の人々が愛する大切な山だ。

町を抜けてモンガラグ川を渡ったら、右の丘に登るといい。バヤンオールと呼ばれる場所だ。デルゲル・ハーンやダルハド盆地南部を一望できる。

＊

ダルハド盆地は南北100km以上に及ぶ大盆地だ。永久凍土の大地に、周囲の山々から流れ出した川が、北のツァガーン湖に流れ込む。永久凍土層が保水するため、盆地内には河川や湖沼、湿地が多く、植生も豊かで、ほかのモンゴル地域とは違った雰囲気に覆われる。雨の多い夏は氾濫した川で土地は分断され、湿地は車にとって大変な難所となり、冬は雪深く、かつ凍結したたくさんの河川や湖沼がこの地を−50℃近くにまで冷やす。

極端に厳しく、思いどおりにならない自然のなかに暮らすがゆえに、自然界の精霊と関わることのできるシャーマンが必要とされ、ここでは、今も彼らが活躍している。シャーマンは精霊を呼び出し、その教えを説き、人々の願いを伝える。この地域のシャーマンは特に力が強いとモンゴル人の間でも有名だ。

＊

ダルハド盆地を北へ進む。進むほどに湿地帯や川は増え、ツァガーン・ノール郡中心部手前のヘツダワー峠からはたくさんの湖沼を眼下に見下ろす。

ツァガーン湖から流れ出るシシギト川を挟んだタ

1 秋のタイガは木々が色づき、黄金に輝く
2 夏の朝の放牧にトナカイを出す。夏のトナカイの角は立派だ　3 放牧からトナカイを連れ戻す娘（6歳）。夏営地で

イガ地域にはトナカイを飼って暮らす人々がいる。ツァータン（トナカイをもつ者）と呼ばれる人々だ。彼らの多くはトゥバ民族で、テュルク系のトゥバ語を母語とする。トナカイに乗り、日常的な交通の手段として利用しながら、タイガで狩猟採集を営んできた。しかし、社会主義時代に狩猟採集からトナカイ飼育を中心とした生活様式に変えられる。周辺のモンゴル民族の影響を受け、徐々に生活習慣や言語がモンゴル化してきている。

*

　夏なら、麓から丸1日馬に乗って、さまざまな花が咲き乱れる森の中を抜けて峠を越えると、彼らの夏営地だ。秋営地へは麓から2～3日かかるが、黄金色に色づいたカラマツの美しさは道中疲れを忘れさせる。冬は雪に閉ざされ、－40℃に達することもあるが、森の中は意外に寒さを感じさせない。冬営地、春営地は麓に近く、比較的アクセスしやすい。むしろダルハド盆地のすべての湿地や川が凍るため、夏より移動が楽になる。

　5月初旬に行けば、生まれたての仔トナカイに合える。夏には、立派な角を生やしたトナカイに合える。秋には、トナカイに乗って森に木の実を採りに行ける。冬には、白銀の世界でトナカイと戯れられる。まるでおとぎ話の世界に迷い込んだような経験ができる。タイガというのはそんな所だ。

　タイガの森から下りてきて、車に乗って南に走る。ウリーンダワー峠を越えると、デルゲル・ハーンが見えなくなる。ムルンの明かりが見える頃、「あぁ、またタイガに行きたい……」とつぶやく自分と出会う。

行き方

　ダルハド盆地へはムルンから車をチャーターして行くのがいちばんよい。行った先で新たに移動手段を得にくいからだ。

　ムルンからハトガルに向かう舗装道路を北上。途中からダートに入る。ムルンから約185kmでウリーンダワー峠に到着する。ここがダルハド盆地の入口。そこを下ってしばらく行くと、オラーンオール郡の中心地に到着する（ムルンから約200km）。

　ゲートがあるので、国立公園入場料を払う（5000Tg）。ゲートに人が不在の場合、町のビジターセンターで支払う。

　タイガまで行かず、ダルハド盆地低地部を観光する場合は、国境警備軍に入境登録をしなくてよい。

　タイガを目的地にする場合は、ツァガーン・ノール郡の中心地（オラーンオールから約100km）の国境警備軍にて登録を済ませる必要がある。

　タイガに入る場合は、ツァガーン・ノールの町なかにあるツァーチンセンターや宿泊所で馬やトナカイの手配をしてもらうのが一般的。行った先で手配をするより、ムルンを出るときに旅行会社などに手配を依頼しておいたほうが安心だ。

　基本的にどこに行ってもモンゴル語しか通じないと思ったほうがよい。

138

モンゴル百科

地理と気候

国土・地形

ユーラシア大陸にあるモンゴルは、東アジア北部に位置する内陸国である。南から東は中国の内モンゴル自治区、西は新疆ウイグル自治区、北はロシアと国境を接する。日本の約4倍の面積があり、地域によって気候が大きく異なる。地形は西高東低、西は標高4300mを超えるアルタイ山脈や標高3500mのハンガイ山脈がそびえ、東には標高1000〜1500mの高原が広がる。南には乾燥した砂漠地帯が、北には緑豊かな針葉樹のなかに湖が点在する。中央部はおもにステップ植生からなる。

湖沼数約3500、河川数約7000だが、北に流れる川がバイカル湖やエニセイ川に注ぎ、東に流れる川のいくつかがアムール川に合流する以外は、湖（塩湖を含む）に流入するか大地に消えてしまう内陸河川である。

4地域に分けられる自然環境
砂礫地帯（ゴビ）

南東部の大部分には標高平均1000mの砂礫性の土地が広がり、ザクと呼ばれる木が生えるほかに樹木はほとんどない。このような土地をモンゴル語で「ゴビ」という。モンゴル総面積の約27％を占め、年間降水量が50〜80mmと少ない。日本では「ゴビ砂漠」という言葉で表現されるため荒涼とした不毛の大地を想像するが、地下水は豊かで、草もまばらに生えている。モンゴル人口の約10％が、ラクダや山羊を中心とした家畜を放牧す

るなどして、ゴビで生活している。ゴビは、冬や春の冷たい風を遮る場所も与えない厳しい地形だが、同時にこの広大な空間は地元の人たちにとっては、天地の間に生きている実感をもてる場所になっている。

草原地帯（ヘール・タラ）

北上するにしたがって草の密生した「ヘール・タラ」と呼ばれる草原地帯に入る。起伏がほとんどない平地に樹木は生えず、草丈の短い草原が広がる大ステップ地帯だ。放牧されている家畜は羊が目立つようになる。

肥沃な土地（ハンガイ）

さらに北上を続けると、草原は起伏を見せ、斜面の北側には樹木が目に入る。南側は乾燥のため木が生えない。起伏の間を川が流れ、モンゴル人が「肥沃な土地」と言い表す「ハンガイ」地帯に入る。北上とともに樹木が多くなり、シベリアのタイガ地帯へと連なる。降水量も豊かで、湖水も多く、草丈は高くなる。

山岳地帯

西部地域にはアルタイ山系の山岳地帯がある。西端のバヤンウルギー県からホブド県、ゴビアルタイ県の3県をまたぐようにして東西約600km、標高3000〜4000mの長大な山脈が連なる。モンゴル、ロシア、中国の国境が交わるタバン・ボグド山地には最高峰フイテン峰をはじめ、4000m級の山がある。緯度が高く、標高も高いため、夏季でも降雪があり、白く覆われている。

カザフ遊牧民の夏営地、ダヤン湖。遠くの山々は夏でも雪をかぶっている

気候

北から南に向かってタイガ気候、ステップ気候、砂漠気候の順で現れる。標高1350mのウランバートルは、「世界で最も寒い首都」のひとつともいわれており、典型的な大陸気候のステップ気候に属する。ウランバートルの年間平均気温は－0.32℃、年間平均降水量は東京の4分の1以下だが、降水量の約70％が夏に集中している。1月の平均気温は－21.4℃、7月は19.1℃と、気温の年較差が大きい。地域によっては、年較差が90℃に達する所もある。

春（ハワル）2～4月

春は目まぐるしく天候が変わり、突然の吹雪や砂嵐、雨交じりの雪が降るなど非常に不安定である。1日のなかで急激に気温が変化することもあり、日本の春のようなのどかで過ごしやすい季節ではない。

夏（ゾン）5～7月

草原が緑の絨毯と可憐な花で覆われる。地域によっては最高気温が35℃近くになることもあるが、湿度は低く快適に過ごせる。一方、朝晩は10℃近くまで冷え込む。昼はTシャツ、朝晩はジャケットを着るなど調整が必要だ。日中でも突然の雨で気温が急激に下がることもある。

秋（ナマル）8～10月

天候は安定しているが、9月に入ると気温は下がり、雪がちらつき始める。樹林帯や草原は黄金色に染まる。草原では羊の解体が行われ、冬支度が始まる。

冬は湖が分厚く凍り、氷上がイベントの会場になる

冬（ウブル）11～1月

最も寒さが厳しいのは、12月末から1月末頃。ウランバートルでは平均最低気温は－30℃近く、日中でも－15℃前後までしか上がらない。夜空に満天の星が輝き、晴れた昼にはダイヤモンドダストがきらめくこともある。

モンゴルの風土が生み出すもの

内陸性気候のモンゴルは海洋の影響を受けにくく、また、平均標高1500mと高地に位置するため、空気が乾燥し、寒暖の差が激しい。寒冷の季節は長く、半年以上続く。－30～－40℃に達することもあり、北西部では－50℃に及ぶこともある。一方、夏は30℃、ゴビ地方において40℃に達することもある。年間の寒暖の差は50～60℃、1日のうちでも、20～30℃近くなることもある。年間を通して降水量が少なく、全国平均で約200mm。降水量の豊かなハンガイ地方でも400mmほど、ゴビ地方においては50～80mmしかない。この激しい乾燥と厳しい寒さがモンゴル草原の風土を育んできた。

微妙なバランスの上で成り立つ暮らし

激しい乾燥と寒冷をもたらすモンゴルの気候は農業に適していない。畜産にしても過酷な自然条件のなかで、いったん家畜が草を根こそぎ食べてしまったり、耕作で掘り起こしてしまったりすると、乾燥に加えて、砂礫性の土質などのために、再び草が生えてくるのは難しい。それゆえ家畜を一定の場所にとどめておくわけにはいかず、移動することが要求される。

自然や人間のちょっとしたいたずらで少しでもバランスが崩れると、たちまち大きな影響をこうむりかねない。夏はわずかでも雨量が少ないと、干ばつを招き、秋に雨が多いと、干し草が腐って冬を越すことができない。また、冬の雪が多いと、羊や山羊が餌にありつけない。雪が少ないと、水代わりに雪を食べて水分を補給している家畜に飲ませる水がなくなる。

モンゴル人が農耕ではなく家畜を飼っているのは、気候風土のなせる業なのだ。

化石の宝庫、モンゴル

モンゴルは世界でもトップレベルの恐竜化石の産出国である。

モンゴルが位置する地域には、恐竜が生息していた中生代（今から2億～6600万年前の時代）に、河川や湖が広く分布し砂漠も点在していた。現在の環境よりも湿潤であり、大型の生物の生息に好条件だった。内陸にあるが、当時、シベリア西部には北極海から南に向かって海が広がり、そこから湿潤な空気がモンゴルに流れ込んでいたのだ。恐竜の時代には、アジア大陸南部にそびえるヒマラヤ山脈は存在せず、インド大陸はインド洋のはるか南に位置していた。

ゴビ砂漠は、中国北部からモンゴル南部に広がる極度に乾燥した地域。ここに分布する中生代の地層から、多くの恐竜化石が産出する。恐竜化石を含む地層は、当時の河川や湖、砂漠でたまった砂岩や泥岩だ。多様な自然環境が存在し恐竜の生息環境も多様だった。

地層からは、恐竜の骨化石以外にも、恐竜の足跡や卵（殻や巣）が大量に発見されている。また、恐竜以外にも、鳥（肉食恐竜から進化した）、翼竜（空を飛ぶ爬虫類）、ワニ、カメ、トカゲ、魚、原始的な哺乳類の化石も豊富だ。また、川や海にすんだ魚、昆虫や植物の花粉、葉、樹幹（珪化木）なども多い。

新種のハドロサウルスの恐竜骨格化石
（フンヌ・モール展示）

モンゴルで発見された恐竜

ゴビ砂漠から発見された恐竜の種類は、70種類にも及ぶ。それらのほとんどが新種である。有名な恐竜は、プロトケラトプス、シッタコサウルス、サウロロフス、タルボサウルス、ベロキラプトル、オビラプトルだろう。また、全長10mに及ぶオピストコエリカウディアは長い首と尾をもった四足歩行をする竜脚類である。角竜類に属するプロトケラトプスやシッタコサウルスは、北米に生息したトリケラトプスと近縁な種類だ。2本足で走行する植物食のサウロロフスは、その頭に骨でできた大型のトサカをもつ。これは、メスに対するオスのセックスアピールとして役立っていたと考えられる。

モンゴルの恐竜化石産出地

142

このような植物食の恐竜を襲って食べていた肉食恐竜も多岐にわたっている。全長7mにもなる巨大なタルボサウルス。これは、北米のティラノサウルスとほとんど見分けがつかないほど近縁な種類だ。また、映画『ジュラシック・パーク』シリーズでもおなじみのベロキラプトルは、全長2mほどで、小さく鋭い歯と大きな鋭い爪で獲物をしとめた。ベロキラプトルとプロトケラトプスが格闘したまま砂漠の砂に埋もれて化石となったという、非常に珍しい標本も発見されている。

恐竜が産んだ卵や、卵が産みつけられた巣の化石にも、さまざまな種類がある。恐竜の種類によって卵や巣は異なった形をしている。これらの卵は、ゴビ砂漠を訪れると容易に発見することができる。

卵の中に胎児の骨が保存された恐竜チティパチの化石や、巣の中でたくさんの卵を鳥のように腕を広げて守るようにして死んだチティパチの化石もある。プロトケラトプスは、全長2mほどに成長する小型の植物食恐竜だ。その子供たちが20頭ほど集団で化石になっている。恐竜の集団行動を示していて興味深い。

壮観なのは恐竜の足跡化石だ。数cmから1m以上にわたる足跡が発見されている。二足歩行をする3本指の肉食の恐竜や四足歩行をする大型の植物食恐竜の足跡がたくさん残っている。

これら貴重な恐竜化石は、ソ連（当時）、ポーランド、米国、日本とモンゴルとの共同調査隊によって発掘、研究されてきた。研究成果と標本は、現在、ウランバートルのフンヌ・モール（→P.46）内に展示されている。

化石の宝庫、モンゴル

恐竜化石が大量に発見される有名な産出地は、南ゴビ県のバヤンザグやツグリキンシレ、ヘルミンツァフ、バイシンツァフ、そしてバヤンホンゴル県との県境のブギンツァフ、ゴビスンベル県のフルンドホ、ドルノゴビ県のホンギルツァフ、バインシレなど、枚

バヤンザグの恐竜化石産地風景

挙にいとまがない。

美しい自然にあふれたモンゴルでも、ゴビ砂漠は、日本ではまったく見ることのできない特別の場所だ。大規模な砂丘や広大な塩湖、乾燥した草原が広がり、そのなかに恐竜化石をたくさん含んだ地層が広大な崖を造って分布する。

モンゴルが誇る化石は恐竜ばかりではない。ゴビ砂漠南東部のザミーンウードの近くからは、今からおよそ3400万年前の哺乳類の化石がたくさん産出する。当時は、今では絶滅してしまったサイやバク、原始的なシカ、巨大なイノシシが闊歩していた。また、モンゴル西部、ホブド県やオブス県では、今からおよそ700万年前の地層から、原始的な馬、サイ、ゾウ、キリン、ハイエナ、トラなどの化石が発見される。モンゴルにはアフリカのサバンナのような光景が広がっていたのだ。

恐竜化石産出地には、国内線で近くの県庁所在地まで飛び、そこから車で訪れることができる。また、時間はかかるが、整備された道路を使ってウランバートルから車で行くことも可能だ。各種ツアーを企画している旅行会社もあるので、それに参加するのがよいだろう。ただし、許可を受けた専門家以外による恐竜化石の発掘・収集行為は、法律で禁じられている。また、自然保護区に位置する産出地を訪れる際は政府の特別の許可を得なければならない場合がある。なお、化石の国外への持ち出しは禁止されているので注意しなければならない。

ゴビ砂漠は、恐竜の世界を垣間見ることができる貴重な「窓」。その窓は大きく、よく磨かれていて見通しがよい。

（早稲田大学国際教養学部非常勤講師　渡部真人）

大草原の遊牧文化

遊牧生活

　誰が、いつ、どこで始めたのか？　遊牧の起源はよくわかっていない。だが有史以来、モンゴルでは遊牧を生業としてきたことは確かなようだ。モンゴル草原は乾燥が激しく農業には適さず、北部以外は森林がないので採集生活も不可能、動物から身を隠す場所もないから狩猟も成り立たない。辛うじて可能だったのが遊牧で、しかもその最適地だったわけだ。

　遊牧は日本人にはおよそなじみのない世界。中国史家の影響であったろうが、「水草を求めて移ろいゆく」かのようなイメージを抱いてきた。だが子細にみれば、遊牧は「移ろいゆく」単純粗放なものではなく、生きもの相手の生業であるだけに、むしろ農業よりも人手を必要とし、さまざまな制約のなかで移動していることが見えてくる。

典型的な中央部の草原。のどかな風景が続く

遊牧の四季——制約のなかの移動

　地域差はあるが、遊牧移動は基本的に年4回、春夏秋冬の季節に合わせて、さまざまな制約のもとで行われている。近代化によりオートバイでの放牧やトラックでの移動などの変化も見られるが、基本的な遊牧の形は変わらない。古くからの言い伝えには、次のようにある。

　　春は防風戸を建て
　　夏は水辺に宿営し
　　秋は山の裾野に宿営し
　　冬は古い畜フンのそばに宿営しろ

仔家畜出産の緊張と喜びの春

　ツァガーン・サル（白い月）と呼ぶ正月を祝ったあと、仔家畜の出産が始まる3月には冬営地を離れて春営地に入る。春営地での大仕事は仔家畜の出産だ。

　春は冬以上に厳しい季節、寒さは緩むが変化が激しく、ポカポカ陽気が突然吹雪に変わったり、気温が急降下したりする。ときに強風が吹き荒れる。日中の暖かい日差しで雪が解け、急な冷え込みでそれが凍る。それが繰り返されると草原はアイスバーン状態になり、家畜は餌も食べられなくなる。草の芽生えはまだない。

　準備した肉や乳製品は底をつき、牧草もなくなり、人も家畜も飢える季節

春は出産の季節。子供たちも手伝う

だ。家畜の大量死や草原の火事などの災害の多くが春に起こる。狼の出没が多いのもこの季節だ。こんな春を人々は、「1年のように長い1日で、ガラスのような茶を飲む」と表現する。1日が1年にも長く感じられ、乳もなくスーテイ・ツァイ（乳茶）も飲めないというのだ。仔家畜誕生は何事にも勝る喜びだが、一方で人々は緊張の連続のなかで春を過ごす。

　仔家畜出産の季節だから冬以上に周到な準備が必要で、予定地には夏も秋も計画的に家畜を放牧せずに牧草を残しておく。一度放牧すると草は食い尽くされ、丈の短い草はわずかな積雪にも埋もれてしまう。また仔家畜用畜舎、いざというときの干し草、燃料用畜フンの準備も欠かせない。急に春営地を変えようとしても、そこには牧草も畜舎も畜フンの

備えもなく危険があるだけ。結局は備えのある、知り尽くした去年の春営地で過ごすことになる。

生産の夏営地

厳しい春を生き抜くと歓喜の夏だ。5月に入り仔家畜が乳離れし、移動に耐えられるようになると夏営地へと移動する。夏は河川や井戸などの水場さえあれば、どこでも牧草は豊かだし、燃料の心配もないので比較的自由に移動できる。

痩せ細った家畜は新鮮な草を食べて太り、母家畜が乳を豊かに出し、家畜の鳴き声さえ力強く感じられる。春の緊張から解放され、乳製品の山に囲まれて人々には笑顔があふれる。ナーダム祭の季節、男たちは馬で友のゲルを訪ねて馬乳酒を酌み交わし、子供たちは草原を駆け回る。外国人の目には、遊牧が「気ままに移ろいゆく」ように映るだろう。

夏は楽しい一方で、忙しい季節だ。まず去勢の仕事が待っている。すべてのオス家畜が対象だが、健康に配慮してハエやアブなどの発生前までに終わらせる。羊や山羊の剪毛も夏営地での仕事。馬の去勢や剪毛は3、4人で馬を引き倒し押さえつけての重労働だ。日に何回もの搾乳、親類縁者を集めてのフェルト作りや日々の乳製品作りなど、夏は楽しい季節だが、休む暇もないほどに忙しい。

越冬準備の秋営地

ナーダム祭が終わると秋だ。短い夏だが、実際8月の声を聞くと草原は秋の気配に包まれ、山沿いでは8月下旬には降雪を見る。急激な気温の低下で草原は黄金色に輝き、家畜は脂肪をたくわえて丸々と太り、山では木々が実をつける。人々はこんな季節を「ひと秋は3つの春より価値がある」と言って愛でる。

秋営地への移動は、雪の降り始める9月中頃には開始される。風通しのいい、小高い丘の中腹など

移動にラクダを使う遊牧民もいる

が選ばれる。そこは急な寒さで草が立ち枯れる場所、急激に立ち枯れた草は栄養価も高いという。

秋の作業のほとんどは、これから迎える長い冬の備えに費やされる。干し草刈り、乳製品作り、仔家畜用畜舎の修理等々。家畜に力をつけさせるため短い周期で移動を繰り返す「オトル」は欠かせない。オトルを繰り返すことで家畜は脂肪太りになり、寒さに耐える体力をつけるという。

移ろい得ない冬

オトルで家畜が十分に太り、草原が雪で覆われる11月中頃には冬営地に入る。−30℃、−40℃に達する酷寒の冬営は4ヵ月に及ぶ。

まずは搾乳が始まる初夏までの食糧として家畜を屠る。外気温は−10℃以下になるから肉は冷凍保存される。遊牧民はこの時期を「屠殺月」と呼び、ほかの季節に家畜を屠ることを嫌う。この時期を過ぎると家畜は痩せはじめ、晩春には痛々しいほどになる。また青草を食べて太った夏の家畜は水太りだという。家畜を屠るのはこの季節しかない。

冬営地は北風を避けて谷あいや山の南斜面に設営するが、ここも毎年同じ場所だ。むやみに

冬営地。小屋には干し草が北風を防ぐように積まれる

変えられないいくつもの理由がある。まずは十分な牧草が必要だ。春と同じように冬営地周辺はほかの季節も放牧せず牧草を残しておく。そこには不文律としてほかの遊牧民も放牧しない。

大量の燃料の確保も欠かせない。森林のある北部は薪も利用できるが、草原は樹木1本ない世界、頼れるのは家畜のフンだけだ。畜フンは、ほぼ1年間乾燥させて使う。今年利用するのは去年の冬に集積したもの、今年集める畜フンは来年の燃料になる。その場で集めようとしても、わずかな雪にも覆われてしまう。まさに畜フンは命綱、去年の冬営地に

はその備えがある。

　さらに冬は常に大雪や狼などの危険と隣り合わせ、干し草や羊などを寝かす囲いの準備も欠かせない。冬営地に着いてからでは間に合わない。結局、去年と同じ冬営地を選択せざるを得ないというわけだ。

　こうして草原の1年は動いている。

遊牧民の住居　ゲル

草原の暮らしに最適なゲル

　遊牧民の暮らすゲル（中国語で包：パオ）は草原の移動生活には不可欠かつ最適だ。3、4人で1時間もあれば組み立てられ、しかも軽くて牛車やラクダで簡単に移動が可能だ。夏は裾を開ければ涼しい風が通り、夜は天窓から星を眺め、草の香りを嗅ぎながら眠りにつくことができる。冬は外側のフェ

ルトを重ねればいい。円形だから隅というものがなくて広く使えるし、暖房は隅々までいきわたる。

　間仕切りはなく、ベッドの前にカーテンをするくらい。家財道具は極めてシンプル、中央にストーブがあって暖をとり、煮炊きもこれでする。左右の壁際にベッドが3つ、4つ。暖かいゴビではベッドさえも不要。ベッドの下に衣類用の長持ちが置かれ、入口のそばに

機能性と快適性を備えるゲル。意外に広い

図1：ゲルはどうなってる？

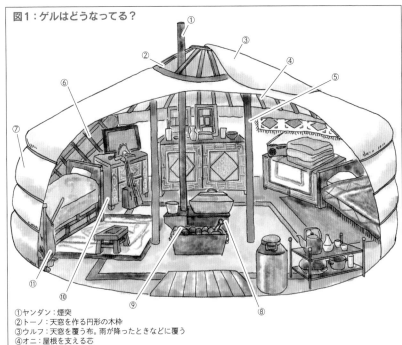

①ヤンダン：煙突
②トーノ：天窓を作る円形の木枠
③ウルフ：天窓を覆う布。雨が降ったときなどに覆う
④オニ：屋根を支える芯
⑤バガナ：屋根を支える柱。トーノに2本のバガナを差し込んで屋根を支える
⑥ハナ：壁の骨組みとなる。5枚くらいを円形に広げて使う
⑦ブレース：ハナを覆うフェルト製の布。現在は防水の白い布でくるみ、木製の扉を付ける
⑧ゾーホ：鉄製のストーブ。薪や家畜のフンを燃料に調理したり、暖を取ったりする
⑨アルガリ：乾かした牛フン。大事な燃料になる
⑩アブダル：衣装箱。家財道具をしまっておく
⑪アイラグ：馬乳酒。継ぎ足しては撹拌する。牛の革袋のほか、木やプラスチック製の桶の場合も

食器棚、水桶、家畜乳容器などがあり、ストーブの前に小さなテーブルと腰掛けがいくつかあるだけ。台所もトイレもない。テレビやパソコンも置いてあるが、どのゲルを訪ねても、このスタイルは変わらない。まさに徹底したシンプルさ、余分は一切ない。余分はないが、それでいて生活に不足もない。

ゲルの組み立て

ゲルの構造は、木組みの扉を中心に細材で矢来に編んだ伸縮するハナという壁部分を4、5枚円形につなぐ。畳部屋のようにハナの数でゲルの大きさが決まる。5ハナが普通。扉は南か南東に向け、扉から搬入が難しい家具やストーブはあらかじめ中に入れておく。中央部に2本の柱（バガナ）で丸い天窓（トーノ）を持ち上げ、天窓に傘骨のように梁（オニ）を差し込み、梁のもう一方をハナの上端に結んで骨組みはできあがり。

次に骨組みをフェルトで覆うが、まずハナ部分を巻き、屋根部分は扇状に裁断したフェルトをかぶせる。最後にロープでフェルトを締める。ハナ部分は横巻きに、屋根部分はたすき掛けにする。天窓にはロープをつけた1m四方の布（ウルフ）をかぶせ、ロープで開閉する。床は板敷や絨毯などを敷く。中央にストーブを置き、煙突を天窓から出して完成というものだ。支えの棒も綱も一切なく、ただ草の上に置かれるだけ、それでいて強風にも耐える。

遊牧社会の食生活

肉

遊牧家庭の食の基本は肉と乳製品。「肉と言うとほおがふくらむ」といい、「食事で最上は肉」という言葉があるほどに、肉料理を称賛する。すべての肉が食されるが、一般的に、「肉」といえば羊肉を指すほど羊肉が好まれる。

伝統的料理は体外に血を流さずに処分した羊を、しきたりに沿って肩、肋、胸、腿などに解体し、骨付きのまま大鍋で塩ゆでするだけ、香辛料さえ使わない。これが料理かというほどに単純なものだが、肉の味が引き出されて実に美味だ。文字どおり内臓から骨の髄まで食され、血の1滴も無駄にしない。血は腸詰めにする。伝統的には肉を焼くことはタブー、「肉汁が落ちて火を汚す」という。焼くのは滋養分である肉汁の無駄、燃料の無駄ということだろう。

「肉それぞれに、しきたりあり」という格言があるほどに、処理ばかりでなく、食べ方、並べ方、客人への供し方から握り方まで決まりがある。

牛肉や山羊肉で干し肉、羊肉でショーズという塩を加えてコンビーフ状になるまで煮込んだ保存食を作る。粉末に近いほど細かくした牛1頭分の干し肉は牛の膀胱に、山羊のそれは山羊の膀胱に収まるという。草原では手作りのウドンに干し肉やショーズを入れたゴリルタイ・シュル（肉ウドン汁、→P.30）が夕食の定番料理だ。長旅にも欠かせない。

乳製品

夏、どのゲルを訪ねても乳製品が山と積まれて供される。ゲルの屋根には乾燥チーズのアーロールが干され、ゲルの入口左側には馬乳酒を作る牛の革袋が置いてある。この季節、ゲルは乳製品の甘酸っぱい匂いに包まれる。これら乳製品はツァガーン・イデー（白い食べ物）と呼ばれ、肉と並ぶ基本的な食品だ。家畜が乳をたくさん出す夏から秋にかけては乳製品が食の中心で、夏は肉をほとんど口にしない。

モンゴルの乳製品の種類は世界でも有数だろう。すべての家畜乳は生乳では飲まずに加工される。酒さえも乳から作られる。その種類、加工工程は図2に示したが、それぞれ静置、攪拌、加熱などの工程を重ねて作られる。ただ馬乳は凝固しないので馬乳酒を作るだけだが、「1頭の牝馬の乳は3人を飽かし得る」とあるように滋養分豊かで、馬乳酒だけで夏を過ごす人もいる。お茶まで

ミルクはさまざまな乳製品に加工される

モンゴルでは乳をそのまま飲むということはせず、発酵、分離、撹拌、こすなどして、その日のうちにさまざまな乳製品に加工する。「ウルム」「ビャスラグ」「エーズギー」「アーロール」の4つがスタンダードな乳製品。

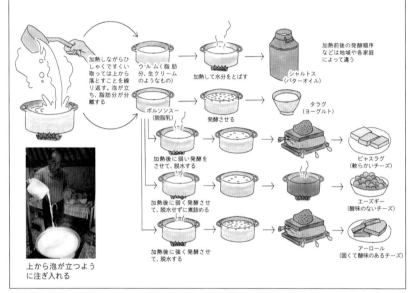

上から泡が立つように注ぎ入れる

も乳入りだ。スーテイ・ツァイ（乳茶）と呼ばれるもので、大鍋で沸かした湯の中に茶葉を入れて煮出し、生乳と塩を加えて撹拌したもの。乳脂やバターを入れることもあり、まるでスープのようだ。

乾燥していることもあり、朝から晩までスーテイ・ツァイを実によく飲む。肉をあまり食べない夏の朝や昼の食事は、アーロールなどの乾燥チーズをかじりながらスーテイ・ツァイを飲んで済ます。

冬の命綱——畜フン

家畜のフンというと、日本人は顔をしかめがちだが遊牧民にとっては命綱、草原の宝物だ。よく乾燥していて火力があり、香りもよく、一酸化炭素も出ず、草原でこれ以上の燃料はない。すべての畜フンを利用するが、それぞれ用途も異なり、固有の名前さえある。いかに暮らしに大切かということだ。畜フンのある風景は、モンゴル人の郷愁を呼び起こして、詩にさえ詠われる。

乾いた牛フンは「アルガリ」。大きくて集積が容易で、反芻しているので火持ちがよく一般的に利用される。馬フンの1年物は「ホモール」。馬は反芻しないので火持ちが悪く炊きつけ用だが、2〜3年物は「フフ・ホモール（青いホモール）」といい、青光りして雨も通さない見事な燃料となる。羊や山羊のフンは「ホルゴル」。小さいので拾って使うことはないが、夜間に収容された囲いの中で毎晩排泄し、踏み固められて厚い層になったものを切り取り乾燥させて使う。「フルズン」といい、大量に調達でき、火力が強くて最良の燃料となる。

畜フンの用途は燃料ばかりではない。ゲルの北側に積み上げて風よけになるし、羊などの囲いフンの下は真冬でも凍らない天然の冷蔵庫、馬乳酒などを埋めて保存できる。冬にはゲルの下に敷いたりもする。また馬フンや牛フンはよく煙が出るので、畜舎の周囲で燃して子家畜をハエやアブから守ることにも使われる。またフンは草原の肥料となって

牧草の生育を助けてくれる。まさに草原の宝物なのだ。

馬とモンゴル人

「モンゴル人は馬上で育つ」とか「モンゴル人の足は4本」などという諺をもつ世界、馬と遊牧民の暮らしは切っても切り離せない。「馬がいい」とは運がいいこと、「アブミを外す」とは目的地につく、仕事を終えること、「馬を見に行く」はトイレに行くことを指す慣用句だ。「心を清めるには山に登れ、病を治すには馬に乗れ」とか、「男の勇気、鞍付き馬の能力」という諺もある。病気を退治するのも、勇気を奮い立たせるのも馬が活躍するあたり、モンゴル人にとって馬が何なのかを教えてくれる。

羊が実質的な財産としての価値が評価されるのに対して、馬は実質的価値のほかに装飾的な、社会的地位の象徴的な性質を強くもっている。そこで駿馬にまたがり、草原を自由に疾駆することは、遊牧民にとっての誇りとなり、駿馬をもつことへの憧れは歌に詠われ、物語に語られて尽きることがない。馬は民話などに心の通い合う仲間として、またあるときには人間に勝る能力さえ認めて主人公を助ける役目を担って登場する。

モンゴル人が憧れる駿馬とはどんな馬か？　すべてに先駆けて走り、しかも長い距離を走り抜ける耐久力に優れていること、駆けっぷりも大事な条件だ。ジョローと呼ばれる左右の足を交互に出して走る、いわゆる側対歩の馬などは普通の馬の10倍の値がつく。

このように誇りである馬は敬意をもって遇される。馬の頭には好運が宿るとして鞭で

「モンゴル人は馬上で育つ」。馬を乗りこなす遊牧民の少年

たたくようなことはしないし、愛馬は食用にされることもない。普通の馬は食用にもされるが、それでもほかの家畜とは区別されて、食べ終わったあとにはオボーに祭られるといった待遇を受ける。

遊牧民の知恵——去勢

モンゴル遊牧の特徴のひとつに去勢がある。群れを作る動物は発情期になると、メスを巡ってオス同士が争い分散しやすい。遊牧は家畜を群れとして飼うわけで、群れが分散しては成り立たない。かといって間引けば財産である家畜が減る。そこで一定数を種オスとして残してほかを去勢することで、家畜を減らさずに群れの分散を防ぐというのが目的だ。その起源は不明だが見事な知恵だ。したがってモンゴルでは間引きで処分される家畜はいない。ラム肉として世に出回っている仔羊肉は間引きされたもので、モンゴルにはない。

馬は明け3歳、牛は2歳、羊、山羊は3ヵ月頃に去勢するのが一般的だ。羊などは簡単だが、馬ともなると重労働。馬をつかまえるのも大変だし、その馬を引き倒して押さえるには大の男の3、4人仕事。毛刈りは女性も手伝うが、去勢は男の仕事だ。

去勢には群れの分散、家畜の減少を防ぐ以外にも利点が多い。例えば残された種オスがリーダーとして群れを率いるので、そのオスを掌握するだけで群れを管理でき、馬群の管理には欠かせない。また去勢馬は温和で乗りやすいので乗用馬に利用される。かのチンギス・ハーンの軍団も去勢馬で構成されていた。また去勢された羊は肉が軟らかく、臭みもなくて美味だという。

犬と狼の評価

忠実な番犬

遊牧民のゲルに車で近づくと、猛烈な勢いで額にふたつの斑点がある、耳の垂れた大きな犬が吠えかかってくる。所謂モンゴル犬だ。客人は「犬を見ろ！」と大声で家人に呼

びかける。これがあいさつの第一声、主人が
出てきて犬を押さえるのを確認して客は車
から降りる。「犬が噛まない客」とは知人、
よく来る客の慣用語だ。

どのゲルにも1、2匹の犬が飼われている。
ゲルの周囲や羊群への外敵の侵入を防ぐ役
目を与えられていて、車が近くを通過するだ
けでも吠えかかってくる。そして守るべきテ
リトリーから車が出ていくと、役目が終わっ
て安心したかのように戻っていく。実に忠実
な番犬だ。

山が雪に覆われ、小動物が姿を消す冬から
春にかけて、狼が家畜を狙って宿営地付近に
頻繁に出没する。その狼を撃退するのが犬の
重要な役目だ。そんな役割を与えておきなが
ら、犬に対する評価は低い。

外敵に向かって必死に吠えても、「犬は吠
えても、吠えなくても同じ」とか、「犬は吠
えるもの、ラクダは歩くもの」と、ほとんど
役立たずの評価だ。「犬の性格」とは悪い性
格、「犬の顔」は見た目に感じが悪いこと、「犬
の道」とは人道に外れることを指す。悪癖は
簡単に直らないことを「犬は千里行っても、
フンを食べるのをやめない」と言ったりす
る。「かわいがった犬がほおをなめる」とは
恩を仇で返すこと。犬が親しみでほおをなめ
ても仇になってしまう。犬もとまどうだろ
う。「犬になめられろ！」とは罵り言葉だ。

もちろん、「犬がよければ羊が太り、妻が
よければ人が集まる」とか、「本を持たずに
学問するのは、犬を連れずに狩りをするのと
同じ」等、犬の役割を評価する諺もあるが、
それにしてもその働きぶりからすると、評価
が低過ぎるのではないかと同情してしまう。

複雑な評価の狼

山岳地帯ではユキヒョウも家畜を襲うが、
草原で家畜を襲うのは狼だけだ。肉食獣は、
不必要に獲物を襲わないというが、狼は群れ
に飛び込んで見境なく羊ののど元に噛みつ
いて殺すという。事実、一夜のうちに100頭
もの羊が狼に殺されたといった話は、今でも
ニュースになる。特に山に小動物がいなくな
る冬から春の被害は大きい。この季節の遊牧

狼除けの案山子（かかし）。大事な家畜を守る

民の重要な仕事のひとつは、狼から家畜を守
ることだ。

馬も餌食になりやすい。狼は馬肉が好物だ
というが、そればかりではなさそうだ。反芻
しない馬は実によく食べる。そんな馬が宿営
地付近にいては羊や牛の草がなくなってし
まうから、馬は宿営地から離れた場所に放牧
される。もちろん監視はつけるが、狼は巧み
にスキをついて群れから離れた馬や足の遅
い子馬を襲うのだという。

当然ながら、家畜を襲う狼は「狼は羊を、
金持ちは貧乏人を」とか、「食っても狼、食
わなくても狼」といって、悪役の最たるもの
としての評価を受ける。

だが狼を脅威と見なしつつも、一方で犬の
ように人に媚びない、一種近寄り難いその姿
に孤高さと威厳を感じるのか、人々は畏敬の
念さえ抱いている。そして「天の庇護を受け
た動物」で「好運をもたらす動物」だとして、
旅の途中で「狼にあえば吉兆」として喜び、
「狐にあえば凶」だとして道を変えたりする。
狼のくるぶしの骨を厄除けとして身につけ
る風習が今もある。狼が来る家は家畜が増え
るといい、家畜が食われると「天が取るべき
ものを取った」といって甘受する。弱い家畜
が襲われる、自然淘汰だと考えるようだ。

モンゴルの最古の古典『モンゴル秘史』は、
チンギス・ハーンの始祖が天命を受けた狼と
湖を渡ってきた鹿であったと伝承し、狼が古
来、畏敬すべき対象であったことを伝えてい
る。このように狼は、モンゴル人にとって評
価の定まらない、複雑な思いを抱かせる不思
議な動物である。

（亜細亜大学名誉教授　鯉渕信一）

仔馬の焼き印式を見学して

モンゴルの馬の左側の後ろ足をよく見ると、黒っぽく焦げた「焼き印」があることに気づくだろう。焼き印の文様は家庭ごとに異なる。これまで私はただ単に自分と他の家畜を区別するためだけのものだと思っていた。しかしそれ以上に大切な意味があることを知ったのは、「仔馬の焼き印式」という伝統的な儀式という存在においてだった。縁起の良い日（モンゴルでは馬に関わることは「丑」「寅」「戌」の日に行われる）を選んで、親戚や隣人を招き、決まったしきたりのなかで行われるこの儀式（全土で行われている訳ではない）。2023年は8月24日がちょうど「寅の日」に当たり、見学のチャンスが巡ってきた。

今回訪れたのはモンゴル中央部トゥブ県に住む遊牧民宅。首都ウランバートルから車を走らせることわずか2時間ほどで、なだらかな丘に草原の風景が広がっていた。もっとも夜遅くに着いたのでそれを知ったのは翌朝のことだったが。

翌日、家族たちは朝からいつも通り、家畜の世話に追われていた。

昼頃になると入れ替わり立ち替わり、儀式を祝うお客様たちがゲルに姿を現した。そのたびに交わされるのが嗅ぎたばこ。人と人があいさつをするとき、自分の嗅ぎたばこ入れを相手の嗅ぎたばこ入れと交換して、互いに相手の粉末たばこを嗅ぐという独特な風習だ。私たち旅行者にも嗅がしてくれたのがうれしかった。

さてゲルの片隅ではすでにボーズ作りが始まっていた。祝い事につきもののボーズ、いったい何個できあがったのだろうか。

ボーズを食べたり、馬乳酒を飲んだり、ゲルの中はにぎやかになってきた。肝心な仔馬の焼き印式はどうなったのだろうとゲル

仔馬も人も真剣勝負！

の外に出ると、白い煙がもくもく……。焼き印のこてを熱する火をたいていた。馬乳酒やらフルーツやらアーロール（→P.31）やらが草原に運ばれ、祝いの席も整ってきた。いよいよ儀式の本番だ。

仔馬に母乳を飲ませてから搾乳し、母馬と離して焼き印の場に連れてくるのだが、屈強な男が2～3人がかりでも仔馬が思い通りに動いてくれない。やっとのことで仔馬を押さえ込みじっとさせている間に、熱した焼きごてを馬の左側の後ろ足に押し当てる。「ジュッ」という音とともに、白い煙がうわっとたち上った。無事に紋章をつけ終えた仔馬は、すぐさま草原を走り、ゼル（柵の綱）につながれた。

代々家に伝わる紋章を押し当てるという大役を務めたのは、24歳の青年。今春急逝した父親の後を継ぐために都会から戻ってきたこの家の長男だ。初めての焼き印式とあって、どことなく緊張している面持ちだったが、立派にやり遂げた。

繁栄の喜びを皆で分かち合う

春に生まれた仔馬たちに焼き印を押すということは、今年も馬が増えたからこそ。馬の繁殖は家の繁栄の表れであり、彼らにとってこの上ない喜びである。祝いの口上を述べながら、ウォッカやアルヒで乾杯し、宴会が始まった。にぎやかな雰囲気に包まれながら、焼き印のこてを馬乳酒に浸して、滴る馬乳酒を手に受け顔に塗りたくる。「来年も馬乳酒に恵まれますように（＝仔馬に恵まれ良い夏が訪れますように）」という願いを込めて。かたわらには焼き印を刻まれたばかりの仔馬と母馬が草を食んでいる……。こんな幸せな儀式に居合わせることができて、私自身も幸せな気持ちでいっぱいだった。焼き印に込められた思いがこれほどまでに深く大きなものだったとは……。彼がこれからどんな遊牧民になるのか楽しみだ。　　　（古谷玲子）

モンゴルの草原で、でっかい愛に包まれて

息子のナランを日本で産んで1ヵ月後、モンゴルへ戻りました。ナランは遊牧民の夫との間にできた子供です。

ただでさえ、初めての子育てにとまどうことばかりなのに、文化の違った環境での子育ては驚きの連続でした。

まずは、モンゴルのおしゃぶり。羊の尻尾の脂身をナランの口に入れて、チュッパチュッパさせるのです。吸い込んで詰まらせないように少し太めに長く切り、ふかしておきます。口の中で脂身が溶けて、ナランはどんどん太っていきました。

お風呂もただのお湯ではありません。お茶だったり、羊や山羊などの骨をゆでたスープだったり。なるほど、スープだと油があるので、肌は乾燥することなく、ナランはぐずることもありませんでした。

眠くなると、夏は薄手の布で、冬は毛布でぐるぐる巻きにしました。こうすると常に抱かれているように感じて、安心して眠ることができるそうです。その後、股関節を悪くすると言われるようになり、上半身だけぐるぐる巻きにしていました。

ナランの口に吹き出物ができたときは、走った馬のハミ（馬を操縦するために口に挟む金具）を、ゲルの扉越しにゲルの外からゲルの中にいる子供の口に当てると治ると言われ、実践しました。

夜、泣き止まないときは、ストーブに塩をまき、パチパチ鳴る上でナランを右回りに3回、回しました。塩と火は浄化を意味するそうで、「守る」行為だったと思われます。おでこの上に水の入ったコップをかざすこともありました。そこに溶かしたろうを落とすと、子供の怖がっているものの形が浮かび上がってくるので、それを排除すれば泣き止むとか。泣き止まない理由をこのような方法で突き止めるとは、驚きです。その日は、犬や狐の形が見えたので、犬に驚かされたのだろうということで一件落着しました。

最も驚いたのは、子供が風邪をひいたときに、お母さんのおしっこを飲ませるということ。少し抵抗がありましたが、試してみました。劇的に治ったという訳ではなかったので、思い込みだけのような気もしましたが、それで皆が丸く収まるならいいかなという感じでした。ちなみに、3歳までの子供のおしっこは大人にもよいというので、私も風邪をひいたときにチャレンジしましたが、あまりにも苦くて、飲み込めませんでした。

とにかく、私には驚きの連続で、オロオロするばかり。

でも、周りの皆はとまどう私にていねいに教えてくれ、ナランが泣きやまないときはあやしたりしてくれました。私が働くキャンプ場のアルバイトの学生は、私よりもあやすのが上手で、手の空いた学生が順番にあやしてくれました。

ナランが1歳のときに、秋営地に引っ越し、職場のキャンプ場まで遠くなったので、馬で通勤する私たちはナランを連れて行くことができませんでした。それを知った近所の遊牧民が預かってくれ、無事に仕事に行くことができました。

夫のサンボーが放牧に出てふたりきりのときに体調不良で私が寝込んだ際も、たまたま訪れた知り合いの遊牧民の男の子が、ナランと馬を二人乗りして、遊牧に連れて行ってくれました。私はゆっくり休むことができ、体調が戻ったこともありました。

今、振り返って思うことは、ナランは私が育てたのではなくて、モンゴルに育てられた子供だということです。子育てを通じて、血のつながりを超えたモンゴルの大きな家族を感じさせてくれました。未来をつなぐ子供を分け隔てなく自然に愛せるその温かさが、モンゴルにひかれる大きな魅力となっています。ナランは、たくさんの愛情に包まれて、本当に幸せな子供だと思います。

こんなに大きくなって今は日本の高校に通っています

（小山久子）

夏の祭典ナーダム

　ナーダムとは、遊びを意味するモンゴル語。かつては「男の3つの遊び」と言い表され、相撲、競馬、弓競技を男のたしなみとしていたが、現在、相撲以外は女性も参加するスポーツとなっている。2010年ユネスコの「世界文化遺産」に登録された。

　そもそもナーダムは雨乞い祭りであるオボー祭とセットで行われるものであった。オボーとは峠などにある石を積んだ塚や木を組んだ祭壇のような物をいう。大小さまざまなオボーがモンゴル各地に点在するが、それぞれの地域で特に祀るべきオボーというものが決められており、かつては、そこで祭りが開催されていた。オボー祭とは、地上のすべてを支配し、司る、しかし、人間の交渉には一切応じない存在である「テンゲル」（→P.182）に雨の恵みを乞い、草が生えて「地面の色が変えられる」こと、すなわち「よい夏が訪れること」を願う儀式で、シャーマンや仏教僧が取り仕切るものであった。そして、祭りを行うと土地の精霊、神々が集うと考えられ、そこに集まりくださった尊敬すべきものが守り賜いし地上に、今、「いかに壮健たる丈夫たち」「いかに速き駿馬たち」「いかに賢き賢者たち」がいるかをお披露目するために、行われたのが相撲、競馬、弓競技であった。「強きこと」「速きこと」「賢きこと」が草原に住む者にとって憧れであることがこれからもうかがい知れるだろう。

　したがって3つの競技は、勝ち負けは二の次（むろん当事者たちにとってはおおいに気になることである）の神事であったという。

政府庁舎からチンギス・ハーンの9つの旗が移動させられる

　しかし、社会主義時代に多くのシャーマンや僧侶が殺されるなど宗教が弾圧され、オボー祭は禁止された。

スタジアムに入ってきたチンギス・ハーンの9つの旗

本来の祭りから宗教的要素が取り除かれ、スポーツとして残されたのが現在のナーダムである。さらに信仰の自由を得た後、モンゴル各地でナーダムがオボー祭とセットで行われる地域も増え始めた。雨が降らないからオボー祭ができない（地域によってはその年の初めの雨が降ってからオボー祭を行う）、よってナーダムもできないという状況が起きたが、秋の遊牧仕事に影響が出ないよう、8月半ばまでには執り行うように行政側から指導がなされている。

　また、正月のナーダム、仏教寺院で行事が行われたあとのナーダムなど、行事や節目のあとに三種競技が行われるのであれば、ナーダムと呼び表す。また三種競技すべてを行わず、おもに競馬を中心に行われるものをナーダムと呼ぶこともある。弓競技においては競技者人口が少ない、競技者の居住地域に偏りがあるなどを理由に、地方によっては開催できないという場合もある。ナーダムだといって、必ず三種競技があるかというとそういうわけでもない。

　夏のナーダムは6月後半から8月にかけてモンゴル各地で行われる。県レベルのナーダムは国家大ナーダム（国家記念日の前後数日の7月8～13日くらいにウランバートルで開催）より前に終わらせる傾向にあるが、郡レベルのナーダムはこのかぎりではない。とはいえ、おおむね7月中に開催されている。

　スタジアムへの入場チケットや競馬ゴール付近の観覧席チケットは旅行会社がある程度押さえており、個人で入手するのは非常に困難だ。額面の10倍以上の値段をふっか

153

けられることもある。

一方、地方のナーダムの場合は、スタジアムにせよ、競馬ゴール付近にせよ、観覧場所を確保するのが比較的容易だ。うまく立ち回れば、相撲も競馬も、かなり間近で観戦することが可能だ。ただし、いつ、何が始まるのか、非常にわかりにくいので、見る側は忍耐力をもって、かつ周囲のモンゴル人たちの動向を気にしておかなければ、チャンスを見逃すことになりかねない。

地方のナーダム会場は力士の様子がよく見える

モンゴル相撲(ブフ バリルダーン)

力士のことをブフという。ブフはゾドク(長袖で胸部が開いたチョッキ。腹部を紐で縛る)とショーダグ(短いパンツ)、ゴタル(先端が反り返った革製の長靴。中にフェルト製の靴下を履く。力士が履くときは靴の外側を革紐できつく縛り上げることが多い)、ジャンジンマルガイ(将軍帽という意味。帽子中央部が塔のように高く伸びあがり、先端部分に珊瑚石などで装飾が施される。帽子は方形で高位の力士のものには4面にメダルが縫い付けられている)を身にまとう。

モンゴル相撲といってもひとつではなく、モンゴル国で一般にいわれる民族相撲(ウンデスニーブフ)、すなわちモンゴル相撲というのはモンゴル国最大集団であるハルハモンゴル人らのハルハ相撲をいう。

ほかにもブリヤートモンゴル人の間で行われてきたブリヤート相撲、中国の内モンゴル自治区で盛んなウゼムチン相撲、同じく新疆ウイグル自治区のオイラートモンゴル人らに伝わる相撲、カルムイク共和国に残る相撲などがあり、衣装の違いのみならず、ルー

ル、しきたりもそれぞれに異なる。たとえば、相手の肩を地面につけなければいけないとか、手で相手の足を取る技の可、不可などが挙げられるが、ここでは、モンゴル文化が多種多様であることを指摘するにとどめ、本稿ではハルハ相撲を中心に話を進める。

ルール

相手の手の平以外の身体の部位を地面につけることで勝負がつく。勝つことを「峠を越えた」、負けることを「地面に触れた」と表現するが、日本相撲で「土がつく」と似ていて興味深い。

相撲技については各論あるが、基本技45、複合技にいたっては、とある説によれば666種類に上るといわれている。むろん、ルール上、寝技はなく、立ち技ばかりになるが、かつて国際柔道大会に参加したモンゴル相撲の選手が立ち技だけで銅メダルを獲得し、モンゴル相撲の奥深さを証明したという。また、日本の土俵で活躍した旭鷲山がモンゴル相撲仕込みの巧みな技を見せるなど、日本角界を驚かせたものだった。戦ってみるとわかるが、いかんせん、彼らの足腰の強さ、バランスのよさはすばらしく、なかなか倒れてくれない。

かつて試合時間は無制限だった。数十分、数時間に及ぶこともあり、日をまたいでの取り組みもあったと聞く。しかし、2010年のルール改定によって、取り組みが始まってから制限時間(10〜25分:試合によって異なる)を超えて勝負がつかない場合、四つに組ませられることとなった。

称号

力士はその戦績にしたがってツォルと呼ばれる称号が与えられる。11世紀にはハルツァガ(ワシ)、ブルゲッド(イヌワシ)、ションコル(タカ)、ガルーダなどの鳥の名前が使われていたが、その後、さまざまに変化をしながら、13世紀中頃から、ナチン(ハヤブサ)、アルスラン(獅子)、アブラガ(巨大なる者、庇護者)というツォルが使われるようになっている。2005年以降は、国のナーダムで

勝者の舞

5回戦を勝ち抜くと「国のナチン」、6回戦で「国のハルツァガ」、7回戦で「国の象」、8回戦で「国のガルーダ」、9回戦以上で「国の獅子」の称号を与えられるようになった。初優勝の力士はアルスランの称号を得るが、アルスラン力士が優勝すると"国のアブラガ"の称号を得る。アブラガの称号を得た力士は優勝を重ねるに従い、ダライ アブラガ（広く深い海のようなアブラガ）、ダヤン アブラガ（大世界のアブラガ）、ダルハン アブラガ（聖なるアブラガ）の称号を得る。第2次世界大戦後、9名のダルハン アブラガが誕生したが、最多優勝者はバトエルデネ アブラガで、国家大ナーダムで11回も優勝している。

試合進行

競技はトーナメントで行われる。おおむね512人が9回戦を戦うことが多いが、ときに1024人による10回戦トーナメントになることもある。トーナメントといっても3回戦以降は称号が高位にある力士が対戦相手を指名していく。勝ち抜いていくためには相手の調子や残っている力士の面々をさまざまに計算しなければならず、意外なところで頭脳戦が繰り広げられているといわれる。

力士たちはスタジアムの南から闘技場へ登場する。それぞれがザソールと呼ばれるセカンド（力士が能力を発揮できるように、試合中、そばに立ち、助言を与える。ときに審判も行う）の周りを、両手を広げて鳥が羽ばたくかのごとく舞う。ザソールは自分の力士を朗々と謳いたたえ、その後、力士は帽子を預けて戦いに赴く。競技場は特に仕切られることもなく、したがって場外はなく、ザソールが組み直させないかぎり、ところかまわず

動きまわりながら取り組みは続く。勝負が決まると、敗者はゾドクの紐を解き、右手を高く上げた勝者の脇をくぐり抜けるが、称号が上、または年長者が敗者となった場合、勝者が敗者の脇をくぐる。前述のバトエルデネ アブラガは日本に柔道視察に来たとき、年長者を敬うという点で柔道とモンゴル相撲の両者は似ているといたく感慨深げだった。

勝者はその後、スタジアムに掲げられているチンギス・ハーンの9つの旗を鳥が羽ばたくかのごとく回り、勝利をチンギス・ハーンに報告し、捧げるのだ。

競馬(モリン オラルダーン)

モンゴル人は「馬は最高の友だ」と言い、すばらしい馬に乗ることを至福とするが、それにはそれ相応の技量が必要と知る謙虚さをもつ。馬に認められてこそ、背に乗ることが許されると考えている。

馬への負担を最小限にすることを考慮した馬具を発達させてきたほどの彼らであるから、競馬では、馬のすばらしい能力を引き出すことを最重要と考えている。調教師は知恵と経験のすべてを駆使して馬を最高の状態に仕上げた馬を知る者として、馬主はその馬の血統を守ってきた者として、騎手はすばらしき馬を見事に操った者として、それぞれに名声を得るが、あくまでもそれらは馬のすばらしさの引き立て役に過ぎない。したがって、各レースの先着5頭（アイラグの5頭と呼ばれる）の表彰の場においては、その馬がいかにすばらしい駿馬であり、この土地をいかに優雅に、見事に駆け抜けたかが高らかに、テンゲルに届くことを願い謳いあげられる。馬が主役なのだ。

しかし近年、馬は運気を高める動物である

草原のかなたから力走する馬が徐々に大きくなってくる

という考え方から、いい馬をもつことをステイタスシンボルとした富裕者が馬主になるなど、競馬本来の精神にそぐわない状況が生まれつつある。

調教はレース本番の約1ヵ月前から始まる。調教の前にちょっとした儀式を行う場合もある。レースに出す馬を選んだら、ハダック（絹布）をたてがみに結びつけ、オヤー（家の北側に張られた馬つなぎ）につなぎ止める。馬主や調教師が香を焚いて馬の周りを時計回りに回りながら、馬を清める。その後、騎手が乗ってから、馬のたてがみ、臀部にアイラグ（馬乳酒）を注ぎ清め、続いて、騎手が飲み、参加者たちは必勝を祈願しながら宴を楽しむ。

調教の基本は馬の体力を落とさないようにしながら体重を落とさせ、絞ることにある。調教師、もしくは馬主は日々の気象状況などを考慮しながら、走らせる場所、距離、速度などを騎手に細かく指示する。

地方のナーダムの場合は、練習試合（ソンガー）が行われる。そこで馬の仕上がりを見て、本番レースのための最終調整を行い、本番に臨む。国家大ナーダムには数百km以上遠方からやってきたり、地方レースを転戦して回る参加者もいる。

国家大ナーダムでのレースは7月10、11、12日の3日に分けて開催される。7月13日にもオヤーチディン ナーダム（調教師たちのナーダム）で、側対歩馬（ジョローモリ）やサラブレッド混血馬レースなどが開催される。

レース

馬の年齢ごとに行われる。ダーガ（生後1年を経過した馬。2歳馬）：10～12km、シュドゥレン（生後丸2年を経過した馬、3歳馬）：12～14km、ヒャザーラン（同丸3年を経過した馬、4歳馬）：15～17km、ソヨーロン（同丸4年を経過した馬、5歳馬）：18～20km、イフナス（同丸6年以上を経過した馬、成馬）：24～26km、アズラガ（同丸6年を経過した否去勢馬、種馬）：22～24kmをそれぞれ走る。

騎手は馬の負担を最小限にするため、体重の軽い小さな子供だ。

最後のムチを必死に入れる騎手

ギーンゴー（ギーンのゴー）という歌がある。出走前に騎手たちが謳って馬の士気を高めるのだと聞く。かつてギーンという貧しい若者が競馬に出ようとやってきたが、その貧しい身なりのせいで参加を認められず、自分の馬（ゴーという名のダーガ）がどれだけすばらしいのかを朗々と歌いあげはじめた。それを聴いた人々がそのすばらしい歌と歌声に心打たれ、参加を認めたところ、とんでもないスピードで優勝したという故事があり、それにあやかろうと歌われる歌だ。こんな歌を歌いながら、騎手はスタート地点に馬を向かわせる。スタート地点には可倒式の柵が置かれており、出走馬すべてがその柵の内側に入ったところで、柵が倒れてスタートとなる。馬を横一列に並べての出走ではないため、スタート時点での場所取りもまた騎手の腕の見せどころだ。

距離も長く、過酷なレースなために途中で絶命する馬が出ることもある。落馬する子供も出るため、ヘルメットとプロテクターの着用が義務づけられている。

モンゴル人たちは特にソヨーロンレースの土埃を浴びると運気が上がると言って好んで会場に出向く。また、ダーガレースでは最後にゴールした馬に関心が集まる。この馬を「バインホードード（豊かな腹持ち）」と呼ぶ。とても大きなお腹をもち、レースより道草を食うのが好きで、「調教されない」「半端な未熟者である」としながらも、これから成長し、すごい馬になるに違いないと期待を込めるのである。

スタート地点へ向かう馬と騎手を見送ったあと、帰ってくるまでの間、観客席前で披露されるパラグライダーの降下や馬の曲乗

りなどを見ながら待つことになる。そのうち、遠くに土煙が立ち、馬が駆け戻ってきたことが知られるや、観客は騒然となる。土埃のなかから徐々に馬たちが姿を現し、その姿が大きくなるに従い、観客席の熱気も頂点へと向かう。観客は大声援をあげ、そのなかを子供たちは必死にムチをふるいながら、ラストスパートをかけて、ゴールを目指す。先着5頭を見極める審判に併走されながら、ゴールラインを駆け抜ける。

　モンゴル人の遊牧騎馬民族としての誇りがかかるのが、この競馬なのだ。

弓競技

　相撲や競馬と比べると少々地味に扱われるようだが、国家大ナーダムでは最も長い期間（7月7～12日）にわたって開催される。オリヤンハイ弓、ブリヤート弓、子供弓、ハルハ弓などが競われ、それぞれにルールが異なる。ここではハルハ弓について紹介しよう。なお、弓競技への女性たちの参加は1950年代からといわれている。

　ハルハ弓は清朝時代後半に成立したといわれる。1940年代の弓は両端の木片が現代のものよりも長く、全体も大きなものであったが、1950～60年の間に、それまでの弓作りの技術は失われてしまった。その後、中国から500本の弓矢製作依頼を受けたことを契機に作られた弓が、現在の弓の原型となっているが、かつてのものよりも射程距離は短くなったといわれている。

　的はソル（円筒状に編まれた革紐）を積み上げて作る。ソルには2種類あり、壁状に積み上げた的をハナソル、12個のソルを中央

国家大ナーダムでは女性射手が多く参加する

シャガイ射的会場。小さなシャガイで熱戦が……

に2段に積み、その両脇に3個ずつを配置した的をハサーソルという。

　弓の長さ×45、もしくは男性75m、女性60mの距離から矢を射る。個人戦、団体戦があり、団体戦では8～12人が組となって、各自4本ずつ矢を射て競い合う。

　的に命中すると的の両脇にいる審判が両手を広げて「オーハイ」と言って知らせるほか、もう少し、あっちだの、こっちだのというのをジェスチャーで伝える。

　モンゴルでの弓射の弾き手は弦に親指をかけて、人差し指で親指爪をロックするようにした状態で引きしぼり、人差し指のロックを外して矢を射る。弦を引く手は矢に触れることはない。

　弓競技者のことをソルチ、ハルバーチなどと呼ぶが、優勝者には「メルゲン（知恵者）」という称号が与えられる。エルヒーメルゲンは「親指の知恵者」という意味で、弓を引くのに親指がいかに大切であるかを表現している。

　ウランバートルのスタジアム外にある弓競技場で行われるが、会場では馬で走りながらの弓射などさまざまなデモンストレーションが行われており、なかなかにおもしろい。競技場脇のベンチへの出入りは自由だが、射手はほとんどが左手を伸ばして弓を構えるので、射手の右側のベンチに行かないと弓をつがえる様子やさまざまな道具類などを観察するのは難しい。狩猟に弓矢を使わなくなって久しいため、競技人口はかつてほどいないのであろうが、知恵者に向けられる賞賛の声や尊敬が色あせることはないようだ。

　　　　（NPO法人北方アジア文化交流センター
　　　　　しゃがぁ理事長　西村幹也）

モンゴルの文化と芸術

モンゴルの音楽

ハイブリッドなモンゴル音楽

モンゴル音楽は遊牧生活に育まれてきた。さらにモンゴル高原はさまざまな民族が覇権を争い、モンゴル人たち自身も国境で分断されつつ広範囲に居住し、出自を異にする多くのエスニック集団と隣接するため、音楽文化もハイブリッドの様相を呈す。

古代遊牧民の音楽

モンゴル国内の遺跡から匈奴時代の骨製の口琴や突厥時代の竪琴が発掘されている。また6世紀中国の歴史書には匈奴にルーツをもつ高車という民族が狼の声真似をして歌った、と記されており、現在のオルティン・ドーのことだとの説がある。

家畜に聞かせる歌

家畜とともに暮らしてきたモンゴル人にとって、歌は家畜を飼いならす手段にも用いられてきた。母家畜が生まれた子の世話を拒む場合があるが、授乳を促すメロディ付きのかけ声を聞かせると乳を与えるようになる。また競走馬をレース前になだめる歌もある。

馬頭琴の謎

四角い胴、長い棹の先に付く馬の頭、馬の尻毛を束ねた2本の弦と弓。世界的に有名な楽器ながら実際の起源ははっきりしない。起源を語る民話は地方ごとに存在し、教科書に載る『スーホの白い馬』はそのひとつをもとに1950年代中国で創作された物語の再話。弓奏楽器がモンゴルに現れたのは元の時代以降であり、19世紀後半の写真が馬頭琴の最古の史料。古くは棹の装飾が馬以外にもさまざまな弓奏楽器がみられたが、20世紀以降に馬の頭のついたものが「モリン・ホール」として広まった。表板が皮製から木製になったのも1960年代のソ連技術者が改良した結果である。

さまざまな出自の楽器たち

モンゴルの伝統楽器とされるものは馬頭琴以外にも実にさまざまだ。もともと遊牧民の楽器だった胡弓ホーチル、内陸アジア起源で、一度廃れたが、20世紀に北朝鮮の指導者により復興された箏ヤトガ、中国との交流で普及した三弦シャンズ、揚琴ヨーチン、チベット仏教とともに伝わった巨大な喇叭や太鼓の一群、循環呼吸により息継ぎなしで演奏される横笛のリムベなどである。

ダランザドガド在住のバトジャルガル氏。リムベのガビヤット（演奏者の最高の位）勲章をもつ

モンゴル西部に残る独自の芸能

モンゴル西部には、近隣のトゥバや新疆にまたがって複数の少数エスニック集団が居住し、ビエルゲーというゲルの中でも踊れる生活様式を模した舞踊や、のどを詰めて発声し口腔内に舌で作った隙間で共鳴させる喉歌ホーミー、ホーミーの発声をしながら吹く縦笛ツォール、トプシュールという撥弦楽器で弾き語り土地の神々に聞かせ豊穣を願う「英雄叙事詩」などが伝承されてきた。これらは20世紀にモンゴル国で広まり舞台芸能化された。

躍進するクラシック音楽

このところチャイコフスキー国際コンクール声楽部門にモンゴル人入賞者が目立つが、モンゴル国では1940年代より本格的に西洋音楽の受容が進み、ソ連から指導者を招き歌劇場や交響楽団、音楽学校が整備された。モンゴル人作曲家による現代音楽作品も作られ、2001年にヨーヨー・マが取り上げるなど旧社会主義国以外でも演奏されるようになってきている。

国立馬頭琴楽団と共演する箏奏者

社会矛盾を突くヒップホップ

「母の歌が多い」「演歌のよう」などといわれるモンゴルの大衆音楽だが、1990年代末頃よりヒップホップが隆盛だ。恋愛ばかりでなく、民族的アイデンティティや社会問題を主題にした曲も多い。民族の誇り、国会議員の怠慢、警官の不正、首都郊外の貧困地区等をテーマにライムを刻むのだ。

（大阪府池田市立石橋中学校教諭　青木隆紘）

モンゴルのオペラ・バレエ

ウランバートルの中心、スフバートル広場東側に立つピンク色の瀟洒な建物が、モンゴル国立オペラ・バレエ劇場だ。1963年に、チャイコフスキーのオペラ『エフゲニー・オネーギン』の上演でオープンした。ロシア風な外観で観客席は500。10月から翌年の6月末までのシーズン期間は、毎週土・日曜にオペラとバレエが交互に上演されている。年間のオペラ、バレエともに公演回数は約40本。アジアでこんなに多い劇場は珍しい。おまけに国営のため入場料が日本円で800円から1500円という超格安。演目、技量ともに充実していて、「観ないと損」と言われるゆえんだ。

世界的なトップ歌手を輩出し、目覚ましい若手の躍進！

現在、最も脚光を浴びているのがバリトン歌手のアマルトゥブシンだ。2011年にチャイコフスキー国際コンクールで銀メダルを受賞したのを皮切りに、プラシド・ドミンゴコンクールで優勝、2015年にはBBC放送主催のオペラコンクールでグランプリを受賞した。2023年9月、ローマ劇場の日本公演で来日し、念願の日本の舞台に初デビュー。『椿姫』の父親役（主役級）で観客を感動させ、11月には「世界オペラ国際コンクール」で、この年の最優秀バリトン歌手に認定された。世界の檜舞台、ヴェローナ野外劇場では常連の歌手として毎夏、出演している。

ソプラノ歌手のムングンツェツェグはグリンカ国際コンクールで優勝。『トスカ』『蝶々夫人』で名声を得ている。一方、2015年のチャイコフスキー国際コンクールで優勝したバリトンのアリヨンバータルは、「草原の風のような情感」とプーチン大統領を感嘆させた。こうしたモンゴル若手歌手の躍進は目覚ましい。オーケストラも世代交代し、指揮者に若手が起用され、女性指揮者も誕生した。今後の課題は有名歌手の依存から脱却し、全体の技量の底上げと、国際交流の機会を増やすことだろう。年々観客数も増え、外国人の姿も目立つ。

民族オペラの復活

『カルメン』『アイーダ』『トスカ』『蝶々夫人』『椿姫』などのレパートリーはもちろん、ロシアの影響で、『エフゲニー・オネーギン』『イーゴリ公』など日本では滅多に観られない演目があるのも特徴のひとつだが、2019年からは創作民族オペラの復活と新しい演出が打ち出された。そのため、シーズンの開幕には、馬頭琴がどうして生まれたかという伝説の舞台化『フフーナムジル』が上演された。社会主義時代を経て上演2500回という『悲しみの三つの丘』、総勢200人が出演する『チンギス・ハーン』『ラマの涙』などモンゴルらしい演目がめじろ押しなのも、この劇場の誇りと強みである。

『フフーナムジル』にて、創作民族オペラの復活を果たす歌手たち

将来の観客を育てる子供の芸術教育

社会主義時代はソ連の影響下にあったため、オペラ、バレエともにソ連留学で高いレベルを修得してきたが、民主化時代が到来し、2000年代に入ると欧米で学ぶ者が増える傾向にある。「バレエは6歳から、オペラは10歳から」の方針で、観客に子供が多いところが日本とは違う。国立音楽舞踊学校で生徒を育て、国立芸術大学でさらに技量を伸ばす。将来、世界に羽ばたく層の厚い芸術家を国が育てている。(→P.63)

(雑誌『コンバイノー』編集長
移動図書館『ガゼル文庫』主宰 近 彩)

モンゴルのサーカス

世界で評価の高いモンゴルサーカス

モンゴルにおいてサーカスは、演劇やオペラ、音楽やバレエなどと同じように、優れた文化・芸術である。優秀なパフォーマーは国から「功労俳優」の賞を授与されるなど、「芸術家」として確固たる地位を誇る。

最盛期のモンゴルのサーカスでは、ショーの演出に男性の三大競技(競馬、相撲、弓技)の動きや、ラクダのアクロバットやオオカミの調教芸を行うなど、世界を見わたしてもふたつとない珍しい演目があった。エンターテインメント性、技術性ともに世界で高く評価され、国際大会で金賞を受賞したこともある。

モンゴルにおけるサーカスの歩み

古くはマルコ・ポーロの『東方見聞録』に、チンギス・ハーンの宴の際に軽業が行われていたという記述がある。また、騎馬民族であるモンゴル人は、馬の乗り方や調教について卓越しており、サーカスという名前がなかった時代より、さまざまな乗馬方法を競い合ったり、狩りの様子を見せたりしてきたという。

モンゴルのサーカスが大きく発展したのは社会主義時代。人民革命党とソ連の支援のもと1939年にサーカス学校が開校され、1941年に人民革命勝利20周年記念祭典でサーカスが公演されたのが、始まりとされている。その後、専門劇場が建てられ公演が盛んに行われるようになると、芸の種類が増えると同時にレベルも上がり、1970〜80年代に最盛期を迎える。2007年に民営化されるまで、国の運営が続いた。現在は国立音楽舞踊学校内のサーカス学科として姿を残し、約30名の学生が学ぶ。また、いくつかの民間の組織がショーやパフォーマンスの育成を行うなど、活動を続けながら、サーカス芸術の伝統を受け継いでいる。

魅惑の曲線美「曲がる芸術(уран нугаралт／オランノガラルト)」

「コントーション」と呼ばれる軟体芸がある。まるで関節がないかのように身体を自由自在に曲げながら、倒立やバランス技を行い、常人離れした柔軟さをアピールする。世界中のサーカスやショーでも演じられているが、モンゴルでは女性による「オランノガラルト」＝「曲がる芸術」として独自の発展を遂げ、パフォーマーのレベルは世界のトップを誇る。

「女神に奉納する踊り」がルーツといわれ、モンゴル文様(ヘー・オガルズ)にたとえられることもある。この神秘的な芸は、1940年代初めに「モンゴルサーカスの母」と呼ばれるT.ツェンドアヨーシの功労により発展した。優秀なパフォーマーが次々と誕生し、国内だけでなく世界でも活躍。驚異のしなやかさと強さ、バランスの力を融合させ、女性の美しさを総合的に見せる演出が特徴だ。オランノガラルトは、サーカスのひとつの芸の枠を超え、独立した芸術として認識されているといってもよい。

パフォーマーになるためには、幼い頃から

国際サーカスフェスティバルにて、オランノガラルトを披露するモンゴル人パフォーマー

厳しい訓練を積み重ねて、人並み外れた柔軟性、女性とは思えない筋力を習得する必要がある。現在、ウランバートル市内には20ほどの教室があるといわれている。

屈強な男たちによる肉体芸「ストロングマン（хүнд жин／フンドゥ ジン）」

鉄球を投げ上げたり、総重量500kg以上となる重さに耐えたりする力技芸。モンゴル相撲の衣装を身にまとい、モンゴル相撲の踊りを取り入れながら演じられる。モンゴル相撲の力士がサーカスの訓練を受けてパフォーマーとなることも多い。

モンゴルでサーカスを観るには？

残念ながら、現在、定期公演を行っている所はない。国際子供の日（6月1日）、夏の観光シーズン（7〜8月）、秋休み（11月）、新年パーティシーズン（12月末）のあたりか、「国際サーカスフェスティバル」を開催するタイミングと合えば、観られるかもしれない。

オランノガラルトのみであれば、観光客向けにショーを行う飲食店、子供宮殿などで鑑賞できる。また、相撲宮殿やUGアリーナなどでサーカスが上演されることがある。

（コントーションスタジオ・ノガラ代表 もーこ）

モンゴルの文学

口承文芸の伝統

モンゴルの文学は、韻文を中心とした口承文芸の豊かな伝統をもつ。ことわざ、讃詞、民話など、騎馬遊牧の暮らしや文化に密接に関わる言語芸術が口伝えで伝承され、のちの書面文学成立の基礎となった。

中世期最大の古典とされる『モンゴル秘史』には、見事な韻文を織り交ぜた文体でチンギス・ハーンの一代記が描かれている。また、『ジャンガル物語』などの心躍るような英雄叙事詩が語り手によって語り継がれてきた。

近世になるとチベット仏教や漢文化など周辺地域の影響を受けて、教訓詩、中国小説風の語り物などが作られるようになる。一方

で、聖俗の封建領主の支配に苦しむ人々の声を代弁する社会風刺に満ちた民衆文学も生まれた。

近代文学の幕開け

モンゴル国の近代文学は20世紀初頭の人民革命とともに幕を開けたとされる。識字率がまだ低かったこの時代、革命の思想を民衆に広めるため、韻文や演劇が大きな役割を担った。近代文学創成期の代表的な作家D.ナツァグドルジは、伝統的な修辞技法を用いた啓蒙色の濃い詩や戯曲を著すかたわら、西欧近代文学の影響を受けた一人称のミステリー風短編小説『黒い岩』など新しい文学の萌芽を予感させる作品を遺した。また、「ヘンティ、ハンガイ、サヤンの高く美しき山々……」と始まる有名な長編詩『わが故郷』は、故郷の山河をのびやかに謡いあげながら、モンゴル人としての誇りと団結を説いている。

長編小説の誕生

社会主義時代、文学は党の宣伝活動の道具として利用され、出版物は厳しく検閲された。政治・文化面ともにソ連の影響が強まり、文学の自由な発展はいったん途切れたかに見えたが、粛清と戦争の苦難の時代を生き延びた作家、学者のTs.ダムディンスレン、B.リンチェンらによる口承文芸や古典の研究、保存活動は、民族固有の文化遺産の再評価につながった。

1950、60年代になると、リンチェンの『曙光』を皮切りに、独立運動や人民革命を題材とした歴史小説が次々に誕生する。なかでも高い人気と知名度を誇るのが、D.ナムダグの『動乱の時代と国家』やCh.ロドイダンバの『清きタミル川』等である。大河小説『清きタミル川』はアルハンガイのタミル川を舞台として、実直で知的な貧しい牧畜民エルデネ、その弟で名の知れた義賊トゥムル、欲深で狡猾だが人間味あふれる富裕牧畜民イトゲルという3人の男たちを中心に、激動の時代に翻弄されながらも必死に生きようとする庶民の姿をいきいきとした筆致で描いた大作で、世代を越えて愛されている。

抒情詩の黄金期

1960、70年代は、政治詩一色だった当時の詩壇に抒情詩が花開いた時代であった。その先駆けとなったのがB.ヤボーホランである。モンゴルの詩は頭韻や脚韻、各行の語数を揃えるなどの定型があるが、ヤボーホランはそうした型にしばられず、細やかな心の動きを流れるような音楽的な言葉で詩に綴った。瑞々しい恋や草原の暮らしを叙情豊かに描いた彼の詩群は、後進の詩人たちに大きな影響を与えた。また、散文の分野では、思想統制の陰でS.エルデネ、S.ダシドーロブ、D.バトバヤル、D.オリアンハイら個性豊かな作家たちが、遊牧文化に根差した世界観や独自の哲学が漂う優れた作品を残した。

ウランバートル市内には著名な作家や詩人の銅像が建てられており、かつてレーニン像があったウランバートルホテル前でナツァグドルジ像、スターリン像があった国立図書館前でリンチェン像を見ることができる。ノミンデパートからほど近いヤボー公園にはベンチに座るヤボーホラン像があり、詩作にふけっていたという詩人の姿がしのばれ、文学ファンには絶好の撮影スポットとなっている。文豪たちの銅像を訪ねて市内散策してみるのもいい。

ヤボーホラン像。同公園内には彼の代表作『私はどこに生まれたか』の詩碑もある

民主化と作家たちの模索

1990年代初頭、かつて国家反逆罪で逮捕されるなど不遇な生涯を送った詩人R.チョイノムが没後10数年を経て名誉回復され、民主化運動のシンボル的存在となった。民主化後のモンゴル国では伝統回帰や民族主義的な文学の傾向が強まる一方で、革新を追求

する"90年世代"と呼ばれる若手が台頭し、さまざまな文学潮流が生まれた。モダニズム運動の旗手と銘打って登場した詩人B(D).ガルサンスフは、斬新な技法や新奇なイメージを散りばめたスタイルで注目を集めた。女性詩人L.ウルズィートゥグスは独特の感性と繊細なタッチで陰影に富んだ心象風景を詩やエッセイに綴り、多くの読者に支持されている。現在最も活躍する小説家のひとりG.アヨルザナが2010年以降に発表した『シャマン伝説』、『シュグデン』などの小説群は、国の枠組みを越えたモンゴル系民族の運命を主題とし、現代モンゴルにおける民族意識について問いかける作品となっている。

民主化によってモンゴルの文学は市場経済の波にさらされることになった。出版界の厳しさは世界共通であるが、モンゴルは"詩の国"といえるほど、詩を愛する人、本好きの人が多い。1980年代から続く国民的な詩の祭典「ボロル・ツォム（水晶杯）」ではベテランから若手の詩人たちが舞台で詩を披露する。毎年5月と9月にスフバートル広場で開催される大規模なブック・フェスは、新刊や古本がお得に購入できるほか、著名な作家や詩人らに直接会える機会とあり、多くの人でにぎわう。

文学性と大衆性との両立、伝統の継承と都市化、グローバル化の狭間で模索するモンゴルの作家たちが、どんな物語を紡ぎ出していくのか、ますます目が離せない。

（モンゴル文学翻訳者・東京外国語大学
非常勤講師　阿比留美帆）

モンゴルの美術

モンゴルの古代壁画

広大な自然のなかで、何世紀にもわたって、遊牧生活を営んできたモンゴルの人々は、古来よりともに生きる動物たちの姿を自然のなかに表現してきた。その最も古い作例としては旧石器時代のホイト・ツェンヘル洞窟（ホブド県）が知られている。また、アルタイ山脈の岩絵群（バヤンウルギー県）は世界遺産に登録されている。

モンゴルの仏教美術

中世以降、モンゴルで制作されるようになったのは仏教美術である。チベットから仏教が伝播して以降、チベットで一般的な「タンカ」とよばれる仏画がモンゴルでも制作された。なかでもアップリケによるタンカは乾燥したモンゴルの自然環境に適していたため作例が多い。

仏教美術の制作者として、最も傑出した存在であったのが、モンゴルの第一の活仏、ザナバザルである。ガンダン寺（→P.45）の執金剛神像などに代表される、端正で美しい仏像や絵画が多数残され、「モンゴルのダ・ヴィンチ」と称されている。

モンゴルの近代美術

20世紀初頭、モンゴルをとりまく周辺国の状況が急激に変化していくのと相まって、仏画の制作に携わっていた画家たちは現実の社会や人間に目を向けるようになっていった。その代表的な画家が、B. シャラブである。その作品『モンゴルの一日』と『馬乳酒祭り』は、民俗学的にも貴重な資料であり、またその生きいきとした表現は、モンゴル美術史上最高傑作といってよいだろう。

1924年に「モンゴル人民共和国」として、世界で2番目の社会主義国として歩み始めると、ソ連から美術教師が派遣され、モンゴルでも西洋美術が教えられるようになった。U. ヤダムスレン、N. ツルテム、G. オドンなど国費留学生が次々とソ連へ渡り、多くの油彩画が制作されるようになった。

B. チョグソム『タイハルの岩』やD. アムガ

モンゴル国立近代美術館。モンゴルならではの歴史的背景を物語る作品たち

ラン『夢』など、モンゴルの油彩画は、同時期のアジア諸国と比べると大作が多く充実しており、彫刻のジャンルでも革命の英雄を表した記念碑的な作品が制作された。

1960年代頃からは、かつておもに仏教美術で用いられていたモンゴル画（顔料で描かれる絵画で、日本の日本画に当たる）が、U. ヤダムスレンやA. センゲツォヒオといった画家たちによって復活し、社会主義的な題材やモンゴルの伝統が表現されるようになった。またこの頃、U. ルーニャやA. ツェレンフーらによって社会主義的なテーマでアップリケ作品が制作された。

社会主義時代、美術作家たちへの国の支援は手厚く、毎年最も優れた作品を国が買い上げた（それが現在のモンゴル国立近代美術館の所蔵品となっている）。一方で、この時代は仏教やチンギス・ハーンをテーマにすることや、抽象的な表現は認められないなど不自由さもあった。

モンゴルの現代美術

1990年代の民主化以降は、主題のタブーがなくなり、美術作家たちは自由に表現し、インスタレーションなど現代美術的な手法に挑戦する美術作家も現れるようになった。

2010年以降、最も注目すべき傾向としては、伝統的なモンゴル画の分野に、社会や政治、都市生活から個人の内面など、さまざまなテーマを扱った新しい表現が続々と出てきていることだ。そうした動きにともない、現代美術を扱うギャラリーも増え、モンゴル美術はアジアでも注目の存在となっている。

ザナバザル美術館（→P.46）では、19世紀以前の作品が、モンゴル国立近代美術館（→P.47）には、20世紀以降の美術作品が多数収集展示されていて、特に近代以降の美術作品は、見応えがある。またUMA（モンゴル芸術家連合）ギャラリー（Union of Mongolian Artists Art Gallery）のほか、私設ギャラリーも新たにオープンしている。ぜひ立ち寄って、モンゴルならではのさまざまなアートシーンを肌で感じてほしい。

（福岡市美術館学芸員　山木裕子）

モンゴル民謡の二大分野

モンゴル民謡は、独特のリズムでゆったりと歌われる「長い歌」オルティン・ドーと、テンポのはっきりした「短い歌」ボギン・ドーに大きく分けられる。

こうした分け方は、アジア・ユーラシア大陸の文化に共通しているという。家畜の番など単独行動が多い遊牧文化では「長い歌」が、農耕文化では協働作業の作業歌として「短い歌」が、それぞれ発達したのだそうだ。

オルティン・ドー、ボギン・ドーともに、故郷の情景や愛馬の様子などの情景を描写したうえで心情を歌う形が多い。

現在、人々が親しみ、気軽に歌うのはボギン・ドーのほうであり、特に都市部でオルティン・ドーを歌える人は珍しい。

とはいえ、どちらも日本における民謡より親しまれている。ポップス風のボギン・ドーや、ハモリを入れたオルティン・ドーが支持されるなど、アレンジを楽しみながら、自分たちの文化を継承しているのは、いかにも柔軟で誇り高いモンゴル人らしい。

ボギン・ドーの起源は、町の暮らしや、清朝時代の王侯貴族の文化などに求められる。時代を映し、恋愛から風刺まで、テーマは多様である。特に、好色な僧侶を茶化して笑いを誘うといった内容はボギン・ドーに特徴的である。

舞台演奏での伴奏は民族音楽オーケストラによることが多い。清朝時代の王侯貴族のお抱え楽団のスタイルを手本としているという。

オルティン・ドーを育む所

モンゴルの草原に立つと、無音室に入ったときのような不思議な感覚が耳をおそう。音が、跳ね返ることなく、地平線の彼方へ散ってゆく。ゲル（移動式住居）の中でも、音は壁や天井のフェルトに柔らかく吸い込まれていく。

オルティン・ドーは、そういう音空間で、家畜と暮らす人々によって育まれてきた。

その魅力は、豊かな声量、ゆったりとした節回し、不思議な音色の装飾音にある。反響の極端に少ない空間で、自分の体を共鳴箱として最大限に活用する見事な発声法は、モンゴルの人たちの誇りである。

呼吸の芸術のなせる業

オルティン・ドーは、祭りや結婚式など祝いの席で歌われることが多く、「かしこまって聴く祝宴の歌」と認識されている。両親への感謝や子供への教訓、恋人への愛情、哲学的内容などが歌われる。悲劇の民話をテーマにした歌もあるが、そういったものはお祝いの席では避ける。

伴奏はモリン・ホール（馬頭琴）が一般的で、「歌に楽器が付き従う」のが原則。歌い手はそのときの調子や気分によって、いつもより長めにも短めにも歌うことがある。弾き手はその呼吸を見つつ、歌の難易度の高い所では先回りしながらついてゆく。この絡み合いも聴きどころのひとつだ。

また、ほんのひとことの歌詞を伸ばすひと息が10秒から20秒程度と長く、歌詞のあてがわれない一節すらある。歌の力点はメロディにあり、旋律自体が非常に饒舌だ。大自然に抱かれて、ただただ大声で歌いたかったということだろうか。

オルティン・ドーは「呼吸の芸術」といわれる。全身の無駄な力を抜き、基本の呼吸を体得すれば、装飾音などの技巧がついてくる。オルティン・ドーには祝宴で酔った人々の興奮を抑える効果があったともいわれるが、聴く人がリラックスできるのは、その深い呼吸の影響なのかもしれない。

オススメは生演奏

モンゴルに行くなら、CDに収まりきらない要素の多いオルティン・ドーをぜひ生で聴いてみてほしい。

民族音楽のコンサートが組み込まれているツアーもある。演目の中で、オルティン・ドーは歌われても1曲ほど。聴き逃さないよう気をつけよう。訪れた家庭で宴会があれば、その地の名人の歌を聴くことができるかもしれない。草原の滞在で、遊牧民が馬を疾駆させながら歌うのを聴いたら、幸運だろう。　　（オルティン・ドー歌手　三枝彩子）

モンゴルの歴史

牧畜民の出現からモンゴルの台頭まで

　モンゴル国では今日も牧畜を生業とする人々がいるが、彼らがいつモンゴル高原に現れたのかはよくわかっていない。確実なのは、紀元前1000年頃には強大な権力者の率いる集団が現れていることである。そのような牧畜民の集団は、それ以降もモンゴル高原で興亡を繰り広げた。例えばそれぞれ紀元前3世紀頃、1世紀頃、5世紀頃に強勢を誇った匈奴、鮮卑、柔然などである。6世紀に一大帝国を築いた突厥は、8世紀前半には自らの文字を使って突厥碑文を残した。そして8世紀中頃に建国されたウイグルは、カラバルガスンに代表される草原都市を築いた。

　突厥やウイグルはテュルク系の言語を話していたことが明らかであり、匈奴や鮮卑、柔然は言語系統や血統がモンゴルにつながるのかそもそも不明である。実はモンゴルと呼ばれる集団が文献上で最初に確認できるのは9世紀頃で、その勢力が大きくなるまではあと数百年を待たねばならなかった。

　9世紀半ばにウイグルが瓦解した後、モンゴル高原を統一する勢力はなくなった。さまざまな集団が興亡を繰り返すなかで、1206年にテムジン率いるモンゴルが統一を成し遂げ、チンギス・ハーンとして即位した。

モンゴルによる統一と世界帝国経営

　チンギスは統一した牧畜民の集団を再編し、自らの弟や息子たちに征服した領地と人々とを分配した。これを基盤としてチンギスは、モンゴル高原から中央アジアや北中国まで軍事遠征を行ったのである。チンギスの死後、ハーン（皇帝）に即位したオゴデイはさらなる軍事遠征を行ったほか、帝都カラコルム（ハラホリン）を建設し、さらに駅伝を整備するなど広域支配体制の基盤を築き上げた。モンゴル帝国が領域拡大を続けた結果、14世紀初頭にはユーラシア大陸の大部分が支配下に組み入れられた。それは、モンゴル高原および中国にはハーンのいる元朝、イルティシュ河流域から南ロシアにはジョチ・ウルス、中央アジアにはチャガタイ・ウルス、イランにはフレグ・ウルスという4つの政権から成り立っていた。モンゴルのもとに統合されたユーラシアの東西では、遠距離の交易活動が促進され、また学問、宗教、芸術といった文化が相互に伝播したのである。

　しかしながら、4つの政権ではそれぞれ権力争いが絶えず、また14世紀の世界的な寒冷化と疫病の流行によって、各地で反乱が発生した。これによってユーラシア大陸の各地でモンゴルの政権は倒れていった。ハーンのいる中国でも14世紀の半ばに反乱が起こり、明朝の勢力が台頭すると、そこを去ってモンゴル高原に撤退したのである。

モンゴル高原撤退とその後の勢力争い

　モンゴルの撤退後のモンゴル高原ではさまざまな勢力が対峙していた。こうした状況のなかで特に強勢だったのが、西部のオイラートである。彼らはチンギス一族の子孫ではなかったが、エセンの現れた15世紀中盤には一時的にモンゴルを武力統一もしている。

　一方でモンゴル帝国以来の正統性をもったハーンによる統一は、15世紀の終わり頃にダヤン・ハーンによって達成された。彼はモンゴルを大きく6つの集団に分けて統治した。これらの集団のうちのひとつが、現在のモンゴル国の人口の多数を占めるハルハで、間もなく現在のモンゴル国の大部分に居住地を広げることとなる。しかし、ダヤン・ハーンによる統一は長くは続かず、16世紀前半にダヤンが死ぬと、再び分裂状態となった。

　このような状況下で16世紀半ばに勢力を拡大したアルタン・ハーンは、まずオイラー

トを征服して支配領域を広げた。またアルタンはチベット仏教に入信し、高僧ソナムギャムツォにダライ・ラマ（3世）の称号を送った。これをきっかけにモンゴルには急速にチベット仏教が広まり、モンゴルの有力諸侯はチベット仏教と結びつくことになる。例えばハルハのアバダイは、カラコルムの隣にエルデニ・ゾー寺院を建立した。さらに彼の曾孫のザナバザルは、17世紀の中頃に活仏ジェプツンダンバ1世として、モンゴルでのチベット仏教の権威となるのである。

大清帝国の勃興とモンゴル支配

17世紀の初頭には、リグデン・ハーンが分裂状態にあったモンゴルを再統一しようとした。当時遼東方面に進出していたヌルハチ率いるマンジュ人（満洲人）の後金（後の大清帝国）に対して、遼東に近い東部モンゴルは服属していった。リグデンは統一ならずして病死し、その息子は1635年にモンゴル帝国以来の伝国の玉璽をヌルハチの息子ホンタイジに献上した。これにより、ゴビ以南のモンゴルはマンジュ人の支配下に入った。

一方ゴビ以北のモンゴルは独立を維持していたが、17世紀の終わり頃にオイラート集団のひとつ、ジュンガルのガルダンが西方より侵攻した。清の康熙帝は派兵を行ってガルダンを撃破し、ゴビ以北のモンゴルを支配下とした。ガルダンの後裔は18世紀の半ば頃までジュンガル盆地に勢力を張っていたが、清の乾隆帝はこれを平定し、モンゴル集団を完全にその支配下に取り込んだ。

清は支配下のモンゴル人を旗という単位

悠久の歴史を刻む、物言わぬ証人「石人」

石人とは、角の繁った鹿の紋様などを刻んで立てた鹿石（ときにはストーンサークル状に複数立てられることもある）とともに、古代の騎馬遊牧民が中央ユーラシアの草原に残した遺物のひとつである。

この石製人物像は、もともとスキタイやサルマタイに習慣があった。その後、北カフカスや黒海北岸〜西岸ではキプチャク人によって、そしてモンゴル高原東南部では13世紀以降に作製された（多くは椅子に腰掛けたタイプ）。しかし現在、モンゴルで観察できる石人の多くは、モンゴル帝国から遡ること500有余年、突厥時代、特に第2王朝（682〜744年）に集中して造られたものである。

突厥の石人は、頭部が表現され、そこに目や鼻、口、髭などが浮き彫りにされている。眉と鼻は連続して描かれ、鼻の下に髭をたくわえるのが特徴である。上腕から手先も表現され、右手で胸の前に容器を持つもの、両手で腹の前に容器を持つもの、腰のベルトに装着された剣に手を添えるものもあれば、儀仗を執るものもある。ほとんどが石柱のような立像だが、王族の遺跡には座像もある。

これら突厥における石人の由来は、中国正史の記述や現存遺跡の分析などを勘案すれば、死者の生前の姿を彫刻したものとする説が有力である。また、貴人層は生前の権力に合わせて、死後も現世と同様の環境を提供するため、臣下や家族の姿もかたどられているという。上述の座像がそれに当たる。

なお、石人の習慣は、同じ古代トルク（テュルク）系遊牧民でもウイグル時代にはなくなったようで、モンゴル高原における遺跡を判別するメルクマールのひとつになっている。　　　（神戸女子大学准教授　鈴木宏節）

ゴビ・アルタイ山中の石人

に編成し、家畜や金品の貢納、労役や兵役を課した。モンゴルの有力者は旗下の人々を管理する役割を負った一方で、清の皇族と同じ格式の爵位を与えられ、またなかには清の皇族との婚姻関係を有する者もいた。さらに清がチベット仏教を手厚く保護したことで、モンゴルの各地に寺院が建設された。

大清帝国の崩壊とモンゴル独立問題

　19世紀後半頃には、ゴビ以南のモンゴルへの漢人入植によって牧地が農地として開墾され、その結果、牧地は荒廃し、モンゴル人は不満を募らせていた。20世紀初頭には清がモンゴル人への政策方針を根本的に変えて、モンゴル全体を開発して漢人の入植を推進しようとした。これがモンゴル人の反発を買ったことは言うまでもなく、ジェプツンダンバやハルハの諸公らはロシアへ支援を求めた。そしてロシアの介入によって、清はこれを断念することになった。

　1911年の辛亥革命により清が倒れ、中華民国が成立すると、モンゴルはジェプツンダンバ8世をボグド・ハーン（聖なるハーン）に推戴して独立を宣言する。しかし、最終的にはゴビ以北のみが中国の宗主権のもとで自治を承認され、ゴビ以南はこれに含まれなかった。これが今日のモンゴル国と中国・内モンゴル自治区との国境線の起源である。

　1917年にロシア革命が起こり、モンゴルにとって後ろ盾がなくなると、1919年に中華民国はモンゴルの首府フレー（現在のウランバートル）に派兵し、自治を撤廃させる。ほどなくして1921年、ウンゲルン男爵率いる反革命勢力の白軍は、民国軍占領下のフレーを制圧した。そこで支援を求められたソ連は、モンゴル人民党（現在の人民革命党の前身）並びに人民義勇軍を組織させた。そしてソ連赤軍の援助もあって、1921年7月にウンゲルン軍占領下のフレーを

最後の君主ジェプツンダンバ8世

解放、モンゴル人民政府が成立した。当初はボグド・ハーンを元首とする立憲君主政体であったが、1924年のボグド・ハーンの死により共和制に移行した。

社会主義国家モンゴルの発展と民主化

　共和制国家となったモンゴルは、その後圧倒的なソ連の影響力のもとに社会主義国家としての道を歩んでいく。これが顕著になるのは1920年代後半で、極左路線を取った政府が旧王侯や仏教界からの財産没収など強硬策を展開した。特に牧民の強制集団化は大規模な反乱を招いた。

　1930年代にソ連でスターリンの独裁体制が強化されると、モンゴルでもこれと同様にチョイバルサンによる独裁体制が敷かれ、粛清によって多くの指導者が抹殺された。この頃日本の傀儡国家である満洲国とモンゴル人民共和国との間に国境を巡る問題が起きていた。これを背景に、1939年に東部国境のハルハ河付近で日本軍との大規模な戦闘（日本ではノモンハン事件、モンゴルではハルハ河戦争）が起こったが、ソ連軍の支援を受けたモンゴルは日本軍の撃退に成功した。

　第2次世界大戦終戦後は、牧畜民の集団化が漸次的に行われ、1959年には集団化の完成を宣言、憲法上でも「社会主義国家」と明記されるにいたった。1962年にはコメコンに加入、ソ連・東欧諸国との経済的統合が強化された。折からの中ソ対立が激化するとモンゴルはソ連側につき、1980年代までソ連の圧倒的な影響下にあったのである。

　1980年代に始まったソ連のペレストロイカの影響は、モンゴルにも波及していく。1989年末には民主化運動が始まり、翌年に人民革命党は独裁を放棄して複数政党制を導入し、さらに大統領制が設けられた。民主化とともに、計画経済から市場経済への転換が図られた。外交面では中国との関係が正常化し、冷戦時の西側陣営の国々との外交も展開している。一方で北朝鮮との国交も維持するなど、モンゴルの外交は多方面に及んでいる。

　　　　（大阪大学大学院博士後期課程　伊藤崇展）

建国の英雄としてのチンギス・ハーン

1206年、テムジンはモンゴル高原を統一してチンギス・ハーンとして即位し、世界史上類を見ない大帝国の礎を築いた。そして彼の生きた時代から800年近くが経った現在でも、彼の名がウランバートルの空港名に使用されたり、政府庁舎の正面に像が建てられたりと、モンゴル帝国建国の英雄として崇敬の念を集めている。またチンギス・ハーンは、日本でも学校の歴史教育、さらには小説や漫画、映画などのさまざまなメディアを通じてよく知られた人物であり、彼の肖像画もまたなじみ深いだろう。このチンギス・ハーンの肖像画が当たり前に流布していること自体、実は大きな歴史的意義がある。これを紐解いていくと、チンギスがモンゴル人のシンボルとなっていく過程を垣間見ることができる。

モンゴル帝国におけるチンギス・ハーンの権威とその神聖化

チンギス・ハーンの肖像画の話に入る前に、モンゴル帝国期の歴史書におけるチンギスの姿、そして彼自身の死後間もなく神聖化されていった点に触れておきたい。歴史書が伝えるチンギスの姿は、実際のところよくわからない。ある文献では「英雄」として描かれ、またある文献では「征服者」として描かれるという具合に、文献編者の意図が多分に反映され、またときには虚構も織り交ぜて描かれるために、ひとつの確実な人物像として浮かび上がってこないのである。

実際にどのような人となりだったかはともかく、モンゴル帝国建国の父であるチンギス・ハーンは、その死後は崇拝の対象とされた。例えば13世紀中頃に帝都カラコルムを訪れたイタリアの修道士プラノ・カルピニは、チンギスの偶像に対する礼拝について記録している。チンギスの功績についても、彼の死後モンゴル帝国時代を通じて伝承として語り継がれた。その過程でチンギスの建国の父としての権威は強固なものとなり、チンギスは神聖化されていったのである。

しかし権威づけられて神聖化されたチンギス・ハーンのイメージも、一部の貴族層や地域を除き、次第に薄れていった。建国の英雄としてのチンギスが多くの人々の目に触れるようになるのは、なんと20世紀に入ってからのことであった。

民衆に広がるチンギス・ハーン

20世紀初頭に清が倒れて中華民国が成立し、やがてモンゴルもほぼ現在の領土をもって独立する。独立を果たしたモンゴル、そして中華民国内の内モンゴルではナショナリズムが起こり、そのシンボルとして利用されたのが、チンギス・ハーンであった。そして、イメージを可視化するものとしてチンギスの肖像画が大きな役割を果たしていく。20世紀のナショナリズム興起の過程で登場したチンギスの肖像画には大きくふたつの系統がある。以下ではそのふたつの画像の特徴や由来について見ていこう。

a. 元朝の皇帝チンギス・ハーン

概説書や学校の教科書でよく見るものは、この肖像画（図1）だろう。モンゴル帝国のうち元朝が中国に政権を築いた後に、元朝内部で作成されたというが、具体的な制作時期は不明である。この肖像画は、描写の特徴から元朝の創始者である5代目皇帝フビライのもの（図2）に倣ったものと考えられている。つまり、制作の段階でチンギス・ハーンの姿はもはや想像上のものであった。このチンギス、そしてフビライの肖像画は、18世紀中頃の清の乾隆帝の治世には、秘蔵の文化財のひとつとして宮廷に保管されていた。それは、中国の伝説上の伏羲から明の天啓帝にいたる、歴代の中国王朝の皇帝と皇后の肖像画のコレクションであった。中華民国の成立直後に、これらの肖像画を収めた1冊もの図録が国内外に流布した。この図録は中国が長い歴史をもつ国家であることを示すナショナリズムの象徴でもあった。一方でコレクション

（図1）歴代中国王朝君主のひとりとしてのチンギス・ハーン

のなかのチンギス・ハーン、そして元朝のモンゴル皇帝と皇后の肖像画は、モンゴルのナショナリズムの象徴となった。清の宮廷秘蔵の肖像画はいよいよ大衆に広がっていったのである。

(図2) 5代目皇帝で元朝の創始者であるフビライ・ハーン

b. 西洋風の君主チンギス・ハーン

日本でチンギス・ハーンといえば、源義経が生き延びて海を渡り、ユーラシア大陸でチンギス・ハーンとして世界征服の礎を築いたとする伝説が知られている。これは主に明治～大正時代にかけて流布されたものであるが、その伝説を記した本として有名な小谷部全一郎『成吉思汗ハ源義経也』(1924年刊) の冒頭には、一風変わったチンギスの肖像画 (図3) が載っている。兜を被って刀を背負った姿だが、これは20世紀の前半に、おそらくは日本の大陸進出を背景として創られたものであると考えられている。図1の肖像画がモンゴル帝国時代を思わせる衣服を着ているのに対し、この肖像画は西洋風で近代的な印象を与えるものである。実際にロシア人が描いた説やフランス人が描いた説、さらには日本人が描いた説もあるというが、真相はいまだに不明である。

(図3)『成吉思汗ハ源義経也』(1924年刊) の冒頭から

日本の大陸進出とチンギス・ハーンの肖像画

これら2種類の肖像画は、1910年代にはモンゴル人のナショナリズムのシンボルとしてのチンギスを可視化する役割を果たした。しかしチンギスの肖像画は1920年代になると、中華民国内の内モンゴルとソ連の影響下におかれたモンゴル人民共和国とで異なる道をたどることになる。

まず内モンゴルの場合は日本の大陸進出を背景に、政治的に利用されていく。1931年に日本が満洲国を建国した後、先の図1の肖像画は学校の教室で掲げられたり、カレンダーに掲載されたりした。図3の肖像画についても満洲国内で出版された新聞やカレンダーに使われた。これらは満洲国内のモンゴル人向けの宣伝として制作された政治的背景がある。当時のモンゴル人の信仰はチベット仏教が一般的であり、チンギス・ハーンを崇拝しようとする者はむしろ少なかったという。日本の政策によって、ここでようやくモンゴル人の民衆の間にチンギス・ハーンが意識されるようになったのである。なお第2次世界大戦での日本の降伏の後、図3の画像は見られなくなっていった。この画像が日本の大陸進出を背景にしていたからであろう。現在の中国・内モンゴルでは、モンゴル人が中華民族の一部であるという建前のもと、チンギス・ハーンは中華民族の英雄として評価されている。

文明の破壊者から民族の英雄へ

一方でソ連の大きな影響力のもとで発展を遂げたモンゴル人民共和国では、チンギス・ハーンは一種のタブーとされた。ソ連の領域には、かつてユーラシア大陸の東西に広がっていたモンゴル帝国の支配下にあった領域が含まれていた。そのため、ソ連にとってチンギス・ハーンとその一族は圧政者、文明の破壊者として捉えられた。1920年代の初頭に、首府フレー (現在のウランバートル) のある寺院を訪れた日本人は、図3の肖像画が貼られていたことを報告している。しかしこれも間もなく駆逐されたのだろう。

1980年代の終わりにモンゴル人民共和国が民主化すると、チンギス・ハーンはようやくモンゴル民族のシンボルとなる。彼の肖像画や像は、ここからいたる所で目に入るようになる。例えばトゥグルグ紙幣のチンギスの絵柄は先に見た肖像画 (図1) がもとである。

ここまで近代のチンギス・ハーンのイメージの形成について、彼の肖像画をもとに見てきた。チンギス・ハーンの英雄としてのイメージはモンゴル帝国以来絶え間なく続いてきたのではなく、20世紀の激動の歴史の結果、ようやく生み出されたものだったのである。

(大阪大学大学院博士後期課程　伊藤崇展)

ハルハ河戦争（ノモンハン事件）とモンゴル

日本とモンゴルの関係で忘れてはならないことがある。1939年5〜9月にわたって繰り広げられたノモンハン事件（モンゴルでの呼び名はハルハ河戦争）だ。日本での知名度は低いが、モンゴルでは非常に重大な歴史的事件と見なされている。

ノモンハン事件から85年に当たる2024年9月にロシアのプーチン大統領がモンゴルでの戦勝式典に参加すると明らかにしている。ウクライナ侵攻の「戦争犯罪」で国際刑事裁判所（ICC）から逮捕状を出されているプーチン氏のモンゴル訪問が実現するかは未知数だ。

ハルハとバルガの国境線

ノモンハン事件の舞台となったモンゴルの東方、ハルハ河周辺の地域には、モンゴル民族のなかでもハルハ族とバルガ族という部族が住んでおり、1734年に清朝によって、ハルハ河の東方約15kmの場所にハルハとバルガの境界線が引かれた（境界線の西側がハルハ、東側がバルガ）。バルガ族はこの決定に不満で、ハルハ河が境界線であると主張したびたび境界争いを起こしたが、清朝、そして清朝のあとを継いだ中華民国は、一貫してバルガ側の主張を退けていた。

ところが、1931年に満洲事変を起こした日本が満洲国を打ち立てると、バルガ族の土地は満洲国の領土となってしまう。国境についての歴史的経緯を何も知らない日本はバルガ族の主張を全面的に受け入れ、ハルハ河が国境線であると主張するようになった。こうして、ハルハ河を巡るモンゴルと満洲国の国境紛争が頻発するようになった。

「事件」という名の戦争

当時、モンゴルはソ連の強力な影響下にあり、ソ連は日本と激しい対立関係にあったので、モンゴルと満洲国の紛争は、たちまちソ連と日本の紛争に飛び火した。

こうして片やソ連とモンゴルの連合軍、片や日本と満洲国の連合軍によって行われた国境紛争が、ノモンハン事件＝ハルハ河戦争である。

1939年5月に行われた「第1次ノモンハ

ン事件」はほぼ引き分けの結果に終わったが、6月から始まった「第2次ノモンハン事件」は双方合わせて10万人近い兵力が激突する、実質上の戦争といえる規模まで拡大した。そして5月から9月までの戦いで、日本・満洲国軍は約2万2000人、ソ連・モンゴル軍は約2万7000人の損害を出した。損害はソ連・モンゴル軍のほうが多かったが、最終的に日本・満洲国軍は係争地帯のほぼすべてから撃退され、戦いはソ連・モンゴル軍の勝利に終わったのだった。

モンゴルとハルハ河戦争

日本では「ノモンハン事件」は国境紛争と見なされ、現地と上層部の仲たがい、無計画な規模の拡大、情報収集の軽視、失敗責任の下への押しつけといった「日本型組織の失敗の典型例」とされているが、モンゴルでの「ハルハ河戦争」の扱いはまったく違う。

モンゴルにとってハルハ河戦争は、ソ連の力を借りて自国領土への侵略を撃退した記念すべき祖国防衛戦争と見なされている。「祖国のために」というスローガンのもと国民一丸となった戦争への協力体制が築かれ、労働時間の自発的な延長や残業代の寄付、家畜の献納、物資運搬への協力などの運動が全国的に行われた。強大な日ソ両国にとっては「辺境の小競り合い」であっても、小さく貧しいモンゴルにとっては国家の総力を挙げた大戦争だったのだ。だからこそ、ハルハ河戦争はモンゴル人にとって忘れられない国民的記憶となっているのである。

（軍事史研究家　佐々木智也）

ソ連軍のシュテルン将軍（左）、ジューコフ将軍（右）と談笑するモンゴルのチョイバルサン首相

モンゴルの仏教

ラマという呼称

　ひところチベットやモンゴルの仏教を指してラマ教（ラマイズム）と呼ぶことがあった。この呼称は19世紀初頭、シベリアを調査したドイツの生物学者パラスが命名したもので、チベット仏教徒の自称ではなかった。ラマ教の語は便利な面がある反面、正統仏教とは異なる宗教を思わせる欠点があるため、現代ではチベット仏教とかモンゴル仏教と呼ぶのが好ましいとされている。

　インドからチベットに伝わり展開した仏教は、モンゴルのみならず、ブータンやネパール、インドのシッキムやラダック、清代の満洲、ロシアのカルムイクやブリヤートなど広範な地域に広まった。これらの地域の仏教に共通しているのは、ラマを深く尊崇する点である。ラマとはチベット語で「上の人」を意味し、「師僧」「尊師」に相当する。師僧とは、僧侶になる人が師事する師匠をいう。

　インド仏教では三宝帰依が仏教徒の必須条件である。三宝とは、仏（ブッダ）と、その教えである法（ダルマ）と、それを実践する仏教教団（サンガ）で、帰依とは身も心も委ねて従うことをいう。一方、チベットでは三宝に加えて自分の師匠であるラマを尊崇する「四宝帰依」とでもいうべき現象がある。

　インド系言語や漢文で伝えられた経典では、冒頭に「我、仏に帰依し奉る」から始まり、法と仏教教団への帰依を表明する「三帰依文」があるが、チベット語やモンゴル語の経典では、「我、ラマに帰依し奉る」が加えられている。こうしたラマへの絶対的な心服を捉えてヨーロッパ人はラマ教（ラマイズム）と命名した。

　モンゴルではチベットのやり方に倣い、僧侶を志す者は親元を離れて必ず入門時に師僧につく。弟子は師僧を「バクシ（先生）」と尊称し、経典の読み方から法要の参加の仕方、生活規範にいたるまで師事する。バクシは漢語の「博士」からモンゴル語に入った言葉だが、師僧のみならず、現代では学校の教師や医師などを指す言葉として広まっている。モンゴル人はブッダにもダライ・ラマにもバクシをつけて敬意を表す。

モンゴル仏教の歴史

　モンゴル高原の諸民族に仏教が伝わったのは、チベット・モンゴル仏教が成立するはるか以前のことである。例えば6世紀に活躍した遊牧的牧畜民の柔然は、仏教の僧侶や仏像を中国北朝の北魏に送ったと記録されているし、10世紀に遊牧的牧畜民のキタイ人（契丹人）が建てた遼は、高層の万部華厳経塔を建てるなど仏教を大いに興隆させた。

　13世紀のチンギス・ハーンが仏教を知っていたかどうかは未詳であるが、孫のホビライ（クビライ）・ハーンの時代にはチベット仏教が宮廷を中心に広まった。ホビライはチベット人の学問僧パクパを登用して仏教を保護し、パクパはチベット語で多くの書物を残した。17世紀にはパクパの思想に基づきチンギス・ハーンがブッダの子孫だとするモンゴル語の史書が編纂されるにいたった。

　モンゴル人の僧侶や学者は、チベット語仏典を読むことと並んで、膨大な仏典をモンゴル語に翻訳したことで知られる。1305年に最初の仏典翻訳がなされると、その後、4世紀半の年月をかけて経典108巻、経典の注釈文献226巻の大蔵経が木版印刷によって公刊された。モンゴル人が仏典翻訳にかけた情熱は計りしれない。

　モンゴル帝国が中国を失い北に退いたあとも、モンゴル仏教はさらなる発展を見た。1578年、南モンゴルの支配者アルタン・ハーンはチベットの高僧ソナムギャムツォを招き、ダライ・ラマの称号を奉呈した。これがダライ・ラマの始まりで、その後、ダライ・ラマは現在の14世まで転生する活仏（生き

仏）として人々に尊崇されている。活仏の思想と制度はモンゴルにも広まり、1650年、高僧のザナバザルがハルハ・モンゴル初の活仏となった。ザナバザルはジェプツンダンバ活仏の初代と認定され、その後、人民革命期の8世、民主化後の9世まで転生した。2012年の9世の遷化後、ダライ・ラマ14世はその転生者が誕生していると発言、2023年、アメリカ生まれの8歳のモンゴル人少年を10世と承認した。清朝末期、南北モンゴルで243名跡の活仏が存在し、700を超える寺院も建立され仏教は空前の繁栄を見た。しかし1930年代、人民革命党政府は仏教を大弾圧し、寺院の破壊・閉鎖や僧侶の粛清が行われてモンゴル仏教は風前の灯となった。現代モンゴルに見える僧侶の復権や寺院の復旧、新設は民主化後の仏教徒の活躍によるものである。

僧侶の教育と研究

モンゴルの仏教寺院は伝統的に学問の場である。ウランバートルのガンダン寺のような大きな僧院（ヒード）は、いくつもの寺院（スム、ダツァン）から成り立っている。いわば、日本の延暦寺が150もの寺院の総称であるのと似ている。

たとえばガンダン寺の境内には、ダシチョインペル、グンガーチョイリン、イドガーチョインジンリンなどの堂宇があり、ダツァンと呼ばれている。これらは1938年に共産党政府により破壊されたが、民主化後に再建された。ダツァンとはチベット語で学堂、学問寺を意味し、英語ではカレッジとも訳される。ダツァンは大学の学部に相当し、ラマたちが研究・教育に励んでいる。19世紀の活仏ダンザンラブジャーが創建したドルノ・ゴビのハマリン・ヒード寺の境内にも共産党の破壊から再生した4つのダツァンがある。

モンゴル仏教における伝統的な学科は、インドやチベットの分類に基づき、大きな5科目と小さな5科目に区分される。大きな5科目は、内明（仏教学）、因明（論理学）、声明（言語学）、医方明（医学、薬学）、工巧明（工芸、数学、仏像仏画製作）で、小さな5科目

は、詞藻学（文章製作）、詩学、声韻学（韻律）、暦算学（天文学、占星術）、戯劇学（演劇論）をいう。これらの学問が各ダツァンで専門の僧侶によって教授される。ダツァンを合わせた大僧院は、文系・理系から芸術系にいたる総合大学ということができる。

これらの学科は仏教界内部の研究に留まらず、庶民生活と密接なものも少なくない。例えば医療である。日本の僧侶やヨーロッパの神父がしばしば医師を兼ねたように、モンゴルでも医療は原則としてラマが行った。モンゴルの医師はチベット仏教界で評価が高く、ダライ・ラマの歴代の侍医はモンゴル人が任命されるほどであった。活仏のダンザンラブジャーは、治療のみならず薬剤の開発にも熱心で、ゴビに眠っていた恐竜の化石を砕いて製薬したことでも知られている。ウランバートルには薬師如来の名を冠した伝統医学の研究所兼寺院のマンバ・ダツァンがある。

また、天文暦法に基づく占いはズルハイといわれ、モンゴル人は冠婚葬祭の日程や旅立ちの日など、多くのことを占い師であるズルハイチに尋ねる。ズルハイチもまた高度な教育を受けたラマで、ウランバートルには民主化後に新設されたズルハイ専門の寺院トゥブデンペルジェエーリンなどがある。

日本仏教各宗派に僧階があるように、チベット・モンゴル仏教の僧侶にも修行や能力に応じていくつもの僧侶のランクがある。頂点に立つ活仏は先代の魂が新生児に転生することによってのみなることができるが、他の僧侶は学問の到達度によって選抜され僧階を上がっていく。正式に得度して戒律を守るべき僧侶となった者はゲロンといい、そこから学問と修行に励んでゲプシといわれる学位を目指す。ゲプシに到達できるのはごく一部の優秀な者だけで、そのうえ20〜30年ほどを要する長い道のりである。こうした学位のほか、寺院内の役職名もある。活仏の次席、あるいは活仏不在の寺院では住職を務める高僧はハンボと称される。ほかにも多くの僧職があり、それぞれの役割を有している。彼らの総称がラマである。

ラマは人民革命前までは基本的に未婚で

あったが、革命期に還俗させられたり結婚したりするラマが増え、民主化後は多くのラマが妻子をもつようになった。

モンゴルのラマは伝統的に学問僧だったとはいえ、革命以前は庶民との接点も多かった。信者の依頼による冠婚葬祭や各種法要の勤修のみならず、子供の名前もしばしば僧侶によってつけられた。モンゴル人に人気のドルジ（金剛）、ロプサン（智慧）、ツルテム（戒）などはみなチベット語の仏教術語で、多くは僧侶が命名したものであった。

モンゴルで人気のほとけさま

モンゴル仏教は大乗仏教であるので、基本思想は日本仏教と共通する。モンゴルでも『般若心経』や『法華経』などは読誦され研究されている。チベット・モンゴル仏教と日本仏教との相違点は、前者では後期密教が盛んであることである。真言宗や天台宗が伝える日本密教はインドの中期密教までで、その後に興った後期密教は伝えられなかった。

密教の特色のひとつは、多くの仏菩薩を尊崇する多仏思想である。インドの初期仏教では尊崇の対象はブッダのみであったが、ブッダ入滅後5〜6世紀を経て大乗仏教が興起すると、ブッダの遺徳が投影された多様な仏や菩薩が生まれた。例えば、死後極楽に導く阿弥陀如来や、病気を治す薬師如来、慈悲の心を表す観音菩薩、未来にこの世に現れる弥勒菩薩などである。これらの尊格は日本でもモンゴルでも同様に広く尊崇されてきた。

その後、5世紀頃のインドではヒンドゥー教が隆盛を極めるようになった。ヒンドゥー教は多くの神々を崇拝する多神教で、それぞれの神々に祈願することにより現世利益をもたらすとされた。仏教は個人の修行や思索により解脱を目指すという厳しさがあったため、神々が願いをかなえてくれるヒンドゥー教は身近に感じられ、急速に教勢を拡大した。これに対し、仏教はヒンドゥー教の神々を受容し、仏教的な意味づけをしたうえで教勢の維持を図ろうとした。

後期大乗仏教から密教の時代にかけて仏教がヒンドゥー教より受容した神々は、アスラやマハーカーラやヴァジュラパニなどで、漢字仏教圏では阿修羅、大黒天、金剛手などと書かれ、日本でもなじみ深い。日本未伝の後期密教ではこうした神々はさらに展開し、チベットやモンゴルで深い尊崇を得た。先にモンゴルの寺院は学問寺の性格が強いと述べたが、多くの大衆にとっては現世利益が重要である。信者たちはほとけたちを拝み、僧侶に祈祷を依頼して安心を願う。

こうした仏菩薩は、柔和な姿の慈悲相と恐しい姿の忿怒相の2種に分類される。

慈悲相の代表は観音菩薩である。観音菩薩は慈悲心で衆生済度をするため、時宜や対象に応じて種々の姿を現すとされる。これを応現とか権化といい、『法華経』では三十三観音が説かれている。それに加えて密教では千手千眼十一面観音など、超人的尊容を有する多様な変化観音が生まれ、広く尊崇されてきた。モンゴルの観音菩薩は密教的な多面多臂すなわち複数の顔と手を有する像容がほとんどである。その代表的な作例がガンダン寺の「ミグジドジャナライサク」である。

1911年、南北モンゴル（内蒙古と外蒙古）を支配していた清朝が倒れると、北モンゴル随一の活仏ジェプツンダンバ8世は自らの眼病平癒を祈願して、一面四臂の観音立像を建立した。像はチベット語でミグチェ・チェンレシと名づけられ、モンゴル語ではミグジドジャナライサクと発音された。その意味は「開眼観音」である。像の高さは活仏の手からひじまでの長さの80倍とされ、26mにも及んだ。全身には400もの宝石がちりばめられ、5cm四方の金箔がおよそ7万6000枚も貼られるほど贅が尽くされた。この観音像はモンゴル人に深く尊崇されたが、共産主義時代の1938年、同志ソ連に送られて機関銃の弾丸となってしまった。現在、ガンダン寺の観音堂のなかにそびえるのは、民主化後の1996年に国民の悲願によって再建されたものである。

モンゴル人が日頃唱える「オンマニバドマフン」は観音菩薩に祈る真言で、漢文仏教圏における念仏の「南無阿弥陀仏」に近い。も

とはサンスクリット語の「オーム・マニ・パドメー・フーン」がモンゴル語になまったもので、ほとんどのモンゴル人が知る真言である。モンゴル人は観音菩薩に対するときにかぎらず、常にこの真言を唱え、心身平穏や旅の安全などあらゆることを祈願する。この真言はしばしばチベット文字で仏教寺院の石碑などに彫られている。この真言をチベット文字で書くと6文字になるため六字真言ともいい、六字真言が具現化した一面四臂の六字観音は広く親しまれている。

観音菩薩と並んで人気を博した慈悲相のほとけはターラー菩薩である。ターラーは女性の菩薩で、観音菩薩が一切衆生を救いきれぬことに悲しみ流した涙から生まれたとされる。ターラーはサンスクリット語で、モンゴルではダリとかダリ・エヘ（母なるターラー）という。ターラーには21の権化があるが、特にツァガーン・ダリ・エヘ（白ターラー）とノゴーン・ダリ・エヘ（緑ターラー）の人気が高い。前者は延命長寿、後者は利殖蓄財に霊験あるとされ、多くの仏像や仏画が作成された。なかでもウランバートルのチョイジンラマ廟には、21尊が揃って拝観できる貴重な作例が伝存している。また、活仏のジェプツンダンバ1世ザナバザルが作ったとされるターラー像（ザナバザル記念美術館蔵）は、モンゴル美人の典型との評価がある。

ターラーは女尊であることから、特に女人済度の菩薩と信じられ、ウランバートルのガンダン寺の西にはターラーを祀った尼寺トゥグス・バヤスガラント・トゥヴがある。そこには女性のための学堂も併設され、女性の僧侶が修行と学問に励んでいる。

こうした慈悲相のほとけのほか、モンゴルでは忿怒相のほとけも多く見られる。日本では不動明王を含む五大明王が忿怒相の代表だが、チベットやモンゴルの忿怒相は土着の神々も習合してさらに多彩になり、人々の心にも深く浸透している。

忿怒相はチベット語やモンゴル語で「ドクシン」といい、現代モンゴル語でも「怒りに満ちた」などの意味で使われる。ドクシン・ボルハン（忿怒相のほとけ）には、オチル

ワーニやダムディンがある。それぞれ漢語では執金剛神、馬頭観音と訳され、前者は東大寺の法華堂の塑像（国宝）が、また後者は京都の浄瑠璃寺の木造立像（重文）が著名であるが、モンゴルの作例は日本の尊像とは大きく異なる。例えば、チョイジンラマ廟蔵の鋳造製のオチルワーニは身体が金メッキされ、一面三眼で、頭頂に5つの髑髏を載せている。またザナバザル記念美術館蔵のアップリケのダムディンは赤い身体に三面六臂、各面に三眼を有し、頭頂には計9個の髑髏と3頭の青い馬の頭部を載せている。いずれも日本や中国の作例と異なる点が多く、思想的にも美術史的にも系統の違いが見出せる。

こうした多様な尊格が個別に尊崇されるなかで、チベットやモンゴルには日本仏教ではほとんど見られぬ男女の抱擁する歓喜仏がある。歓喜仏はチベット語で父母の敬語形であるヤブ・ユムといい、合体仏とも称される。後期密教では男性原理の方便（実践）と女性原理である般若（智慧）の不即不離の関係を男女の性的な結合で表現した。上に観た忿怒相の尊格も配偶者を抱擁する作例が多い。これは決して性的な放逸や好色を意味するものではなく、本来、歓喜仏は秘仏で、戒律堅固な僧侶しか見ることがなかった。現在では各寺院や美術館で拝観できるが、本旨を理解するには思想的背景を学ぶ必要がある。

モンゴル仏教の祭礼

モンゴルの寺院では毎朝の勤行や、信徒の法事や息災祈願など、多くの宗教儀礼が行われてきた。そのほとんどが共産党政府の仏教弾圧による寺院の閉鎖や僧侶の粛清とともに断絶したが、民主化後、復活が始まった。その一例に「弥勒のお練り法要（マイダル・エルゲフ・ヨスロル）」がある。

先に述べた諸菩薩と並んで、弥勒菩薩もチベット仏教圏では重要な地位を占めてきた。弥勒菩薩とは、ブッダが入滅して無仏となった8億年後（漢文仏教圏では56億7000万年後）の世界に兜率天より降りてきて衆生を済度する未来仏である。弥勒はサンスクリット

語でマイトレーヤといい、モンゴル語ではマイダルと発音される。現在、弥勒は兜率天で修行中の菩薩だが、未来にこの世に降りきて如来となる。これを弥勒下生信仰という。弥勒のいる兜率天はチベット語でガンデンといい、モンゴルではガンダンと発音される。ガンダンとは、チベット語で「喜びある」の意味である。チベットのガンデン寺もモンゴルのガンダン寺もここに由来し、阿弥陀仏の極楽と同様、チベット仏教圏では死後そこに往生することが理想とされる。

こうした弥勒菩薩の思想を研究し広めたのは、チベット仏教最大の学僧であるツォンカパであった。ツォンカパはチベット・モンゴル仏教における最大の宗派であるゲルク派の開祖で、モンゴル人はゾンガワと発音する。ツォンカパは顕教と密教の止揚をなしげた大学匠であるとともに、深い弥勒信仰をもったことでも知られる。1409年の正月、ツォンカパは弥勒信仰を広めるため、弥勒像を持って町の中を練り歩いた。これが「弥勒のお練り法要」の始まりである。

ゲルク派のモンゴルへの伝播にともない、「弥勒のお練り法要」も伝わった。この祭礼は1657年、ハルハ・モンゴルの活仏ザナバザルの23歳の誕生日を祝うため、エルデニ・ゾー寺で行われたのが最初である。やがて年中行事となったが、社会主義時代に断絶、1997年5月9日にウランバートルのガンダン寺で復活した。お練りの中心にあるのは、弥勒像を載せた山車である。山車の前面には緑に着色した馬の頭の模型が付けられ、山車の上には金色の弥勒像が祀られる。その周りに幢幡（どうばん）という旗を立て、ほとけを荘厳する。この山車を信者たちが曳き、仏教音楽を奏でる僧侶たちとともに市中を練り歩く。人々は街路に集まり、数珠を持った手で合掌して無病息災などの祈願をする。

弥勒のお練りと同様、ツァムも革命で中断していた儀礼である。ツァムはチベット語のチャムで、仮面舞踊のことをいう。チベットにおけるチャムは、パドマサンバヴァがサムィェ寺建立の際に魔物を調伏するために奉納した歌舞が起源とされる。パドマサンバ

エルデニ・ゾーに展示されているツァムの仮面

ヴァは8世紀にインドからチベットに来て密教を伝えた大学僧である。モンゴルに伝わったチャムは1786年、エルデニ・ゾー寺で初めて勤修された。元来、チャムは忿怒相の面をかぶった僧にヤマーンタカ（チベット語でジクチェー、モンゴル語でジグジッド）などの忿怒尊が一体化し、煩悩や悪鬼を調伏するためのものであり、芸能が目的ではない。そのためその次第は秘法として口伝により伝授される師資相承で、儀礼も堂内で行う非公開が原則であった。その一方、屋外で演ずる場合もあり、信者が見てほとけの功徳を祈願した。なかでも現ウランバートルで恒例行事として行われたフレー・ツァムには多くの人々が参集し、人気を博する祭礼となっていた。

人民革命でツァムが禁じられると、口伝という性格上、師匠らの死後に伝承が断絶した。民主化後、外国人観光客のために劇場で音大生が「ツァムもどき」を演じたりしたが、本来の仏教儀礼としてのツァムは復活が困難であった。しかし南モンゴル（中国内蒙古）などに残る伝承を研究し、徐々にではあるが仏教儀礼としてのツァムも再生しつつある。現在ではガンダン寺、ダシチョイリン・ヒードやエルデニ・ゾーなど、各地で試行錯誤しつつ伝統的ツァムの復活が始まっている。

往時のツァムの隆盛を偲ぶものとして、ウランバートルのチョイジンラマ廟博物館には1937年まで使われていた忿怒尊ベグツェの面がある。ベグツェは仏教以前のモンゴル固有の戦いの神とされ、モンゴル仏教では護法神の一尊に数えられる。その面は7000個の赤い珊瑚や種々の宝石で覆われた豪華なものである。同博物館には地獄の宰主であるエルリグ・ハーンすなわち閻魔王の面もあり、社会主義時代の破壊を免れた文化財の遺存を見ることができる。

（国際教養大学特任教授　金岡秀郎）

モンゴル人の居住地域

ユーラシア世界に広がるモンゴル人

　ユーラシア大陸を縦横に馳せたモンゴル人の壮大な歴史と騎馬民族としての機動性のある移動の特性を示すかのように、モンゴル人の暮らす地域は国境をはるかに越えて内陸アジア全域はおろか、広く中央ユーラシアにまで広がっている（第1図参照）。

　東は興安嶺から西は天山山脈、そして南はヒマラヤ山脈とそれに連なる山々にいたり、北はシベリアに達する広大な世界だ。さらには遠く中央アジア・ボルガ河下流のカスピ海西岸、あるいはアフガニスタン北西部、またミャンマーとの国境に近い中国南西部の雲南省にまでその姿をみることができる。そしてこれらモンゴル国以外に分布するモンゴル人の数は明確ではないが、少なくともモンゴル国の人口約350万人の2倍以上、見方によっては1000万人に達するのではないかと考えられている。

　モンゴル人がこうした広大な地域に分布することになった最大の原因は、騎馬遊牧民特有の機動性の高さとチンギス・ハーンを祖とする13、14世紀のモンゴル帝国の支配地域の膨張とその滅亡の歴史に求めることができそうだ。

　モンゴル帝国の最大版図は、当時知られていた世界の5分の3にも達する広大なものだったが、その崩壊は積み木を崩すように実にあっけないものだった。モンゴル軍の大勢は故地モンゴル高原への帰還を果たしたが、征服した地に定着し、あるいは帰還の過程で居住地を得たということも少なくなかったようだ。

　しかしこうした各地に分散したモンゴル人の実態は、長い歴史過程と多数の異民族のなかに埋もれて不明なことが多い。圧倒的多数民族のなかにあって、すでにモンゴル語を使用せず、文化的特徴を失った例も少なくない。また人種的同化が進み、モンゴル民族としての特定さえ困難な場合もあったりする。あるいは逆にモンゴル語系言語を使用して

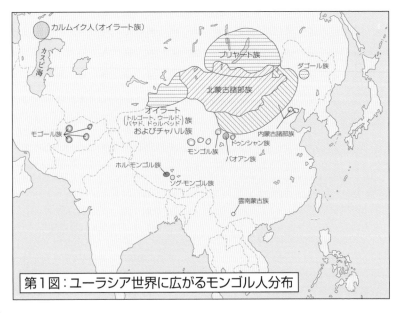

第1図：ユーラシア世界に広がるモンゴル人分布

いながら、その来歴の不確実性や文化的特徴からモンゴル民族ではないとされている人々さえもいる。

少数民族として生きるモンゴル人

　モンゴル国以外で最も多くモンゴル人が暮らすのは中国で、国勢調査（2000年）によれば、その数は実に580万人にのぼる。その半数弱の約275万人が内モンゴル自治区に住んでおり、遼寧省に約88万人、黒龍江省に約15万人、新疆ウイグル自治区に約15万人、青海省に約10万人の居住が報告されている。また吉林省や河北省、河南省などにも相当数が集住しており、ほとんど中国全域に分布していると言っても過言ではない。中国が隣接地であることに加えて、いかに歴史的関わりが深かったかを示している。

　次いで多数を抱えるのはロシアで、ブリヤート族といわれるモンゴル人がバイカル湖周辺から東シベリア一帯にかけて暮らしている。ブリヤート共和国に約29万人、その東のザバイカリエ地方に約8万人、イルクーツク州に約7万5000人が居住している（2010年）。ブリヤート族の比重はブリヤート共和国でこそ30％近くだが、イルクーツク州で2.9％、ザバイカリエ地方では0.5％という少数に過ぎない。このブリヤート族はモンゴル国東北部と中国・内モンゴル北部に暮らす人々とはまったくの同族、親類縁者といえるほどに近い間柄である。

ヘンティ県北部のブリヤート人家族。一般的なモンゴル衣装とは異なるデザインのブリヤート服と帽子が特徴的だ

　またカスピ海西岸のロシア・カルムイク共和国にはカルムイク人と呼ばれるオイラート族が約15万人住んでいる（2002年）。後述するが、カルムイク人はモンゴル国西部、中国・青海省や新疆ウイグル自治区北部を中心に暮らすオイラート族と"血肉をわけた兄弟"とでもいえるほどに身近な人々である。

壮大な歴史を彷彿とさせる人々

　モンゴルの故地を遠く離れて暮らすこうした人々の物語は壮大な歴史ロマンを見るようだが、一方で人々の苦渋に満ちた歴史を想起させてくれる。

　例えば中国雲南省の省都・昆明の南西部にある通海県の杞麓湖西畔に、「雲南蒙古族」と呼ばれる1万人足らずの人々が暮らしている。彼らは南宋支配の拠点としてフビライ・ハーンの大理攻略につき従ったモンゴル軍の末裔たちである。モンゴルの本拠地から遠く離れた辺境の地にあったため、元朝が崩壊して明朝になって後も北帰せずに、しばらく雲南統治を続けたが、この間にモンゴルとの関係が完全に断絶してしまい取り残されることになったのである。周辺のチベット系民族・彝（イ）族の言葉や風俗に同化しつつも、さまざまな伝承や文化的特徴から1951年に中国政府によってモンゴル族であることが認定されたのである。

　アフガニスタン北西部へラート州に暮らすモゴール族もチンギス・ハーン軍の駐屯部隊の末裔である。アフガニスタンにモンゴル人集団がいることは知られていたが、実態は長く謎であった。20世紀初頭、フィンランドの東洋学者がふたりのモゴール族に出会って言語を記録したのをきっかけに、本格的な調査が開始された。1950年代半ば、岩村忍を団長とする日本の京都大学調査隊はじめ各国の学術調査隊の詳しい言語調査、各種資料収集を通じてその存在が具体的に明らかにされたのである。

　またカルムイク共和国のカルムイク人のたどった歴史も壮絶なものであった。彼らはモンゴル国西部、中国・青海省や新疆ウイグル自治区北部に暮らしていたオイラート族の人々で、1630年頃に勃興してきた清の2代目皇帝ホンタイジの圧制を逃れて集団でボルガ川下流・カスピ海周辺に移住した。それから約140年後の1770年、ロシアの抑圧を嫌

い、清朝の誘いに応じて再び故地に帰還を目指すのだが、戻れずに取り残されてしまった人々の子孫である。つまりモンゴル国の西部や新疆ウイグルの北部のオイラート族とは帰還を挟んで別れわかれになった、まさに血肉を分けた人々なのである。

ちょうど帰還を目指した時期が春でボルガ河の氷が解けだし、河の西岸にいた人々が渡河できずにそのまま残ってしまったという伝説を今に残している。記録によれば、約17万人が帰還を目指し、無事にたどり着いたのは7万人ほどであったという。まさに壮大な歴史ドラマを見るようだ。

現代史のなかでもモンゴル人の波乱に満ちた苦難の集団移動は続いた。敬虔な仏教徒だったバイカル湖周辺のブリヤート族の人々は、ロシア革命の戦乱と宗教弾圧を嫌って同族の多く住む中国北部・内モンゴル自治区フルンボイル地方に多数が集団移住したのである。その移動は1918年から数次にわたって続き、移住先にはシネヘン村が設けられた。ブリヤート族の苦難はそれだけでは終わらなかった。1930年代にはモンゴル国内でスターリンによるブリヤート族粛清の嵐が吹き荒れ、さらに共産中国が成立するなかで、ブリヤート族は中国各地でも苦渋を味わうのである。

モンゴル人を構成する部族（ヤスタン）

モンゴル人は出自や歴史的背景、共通の言語、文化、価値観のうえに構成された多くのヤスタンという部族集団に組み込まれており、居住地域は基本的に部族ごとに住み分けている。

モンゴル国人口の82％余を占めるハルハ族や内モンゴル自治区のチャハル族、新疆ウイグル自治区とその周辺のオイラート族、ブリヤート共和国とモンゴル国東北部のブリヤート族などが四大部族といわれ、多数の人口から構成されているが、数千人にも満たない部族もある。またモンゴル系の部族なのか否かの議論が絶えない部族も少なくない。

中国で最大のモンゴル人居住地である内モンゴル自治区でさえ、モンゴル人は自治区全体の10％余に過ぎない。約88万人が住む遼寧省ではわずか2％、黒龍江省は0.4％という少なさだ。

これら多数民族のなかで少数部族の人々は、部族意識を高めなければ明日にでも言語や文化もろとも部族集団が消失してしまうという危機感のなかにあり、必死に言語・文化の継承に努めている。

モンゴル国の部族と居住分布

モンゴル国には20近くの部族（ヤスタン）が分布しており、国民はいずれかの部族に組み込まれている（第2図参照）。

2010年の国勢調査によれば、最大はハルハ族で全人口の82.4％を占め、ほかにドルブッド族2.8％、バヤド族2.2％、ブリヤート族1.7％、ザハチン族1.2％、ダリガンガ族1％、ウリヤンハイ族1％で、そのほかは1％以下のごく少数の部族である。東北部にブリヤート族、東部にダリガンガ族とウジュムチン族、北西部一帯にドルブッド族などの諸部族が分布し、そのほかの国土の広い地域はハルハ族が占めている。

特殊なものとして最西部のバヤンウルギー県にはカザフ人が居住している（3.9％）。日常的にカザフ語が使われており、宗教もイスラム教を信奉している。ここではカザフ語とモンゴル語が公用語になっている。また同じ西部にあるホブド県には多くのモンゴル系諸部族のほかに、昔から定住する漢人、ロシア人、ウズベク人、トゥバ人などの実に多様な人々が住んでおり、まさに「民

ウリヤンハイ弓と呼ばれる独特の弓文化をもつウリヤンハイ人

178

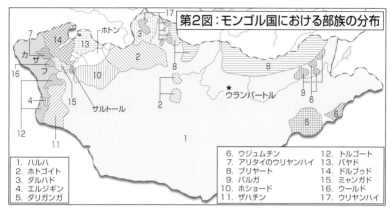

第2図：モンゴル国における部族の分布

1. ハルハ	
2. ホトゴイト	
3. ダルハド	
4. エルジギン	
5. ダリガンガ	

6. ウジュムチン	12. トルゴート
7. アリタイのウリヤンハイ	13. バヤド
8. ブリヤート	14. ドルブッド
9. バルガ	15. ミャンガド
10. ホショード	16. ウールド
11. ザハチン	17. ウリヤンハイ

族のるつぼ」といわれている。

アルタイ山脈のカザフの鷹匠

部族意識の希薄なモンゴル国

　多数民族のなかに住むモンゴル人の多くが、単に「モンゴル人」と表現するだけでは不十分と感じ、自らの部族名を強調するのとは違って、モンゴル国では部族名を名乗ることはまれだ。人々は日常生活のなかでは、ブリヤート族など一、二を除いてほとんど「部族」を意識していないかのようだ。

　モンゴル国の場合、ハルハ族が圧倒的多数を占めていること、そのハルハ方言をもとに全国的な国語教育が進められ、またそのうえにラジオ、テレビなどの公共放送や新聞などが全国的に普及したことなどからハルハ方言への同化が進んで、ハルハ方言がいわば標準語となり、また文化的な統一も進んだ。換言すれば各方言が弱体化し、各部族の文化的特徴が薄れたのである。

　そのため内モンゴルなど他地域に見られるような部族意識が希薄になったのであろ

う。容貌や服装の違いもなく、あえて方言を使って話さないかぎり、部族の区別さえできない。特に人口の約2分の1が集中する首都ウランバートルなど都市部においては、部族を基盤にした暮らしとはほど遠いものになっている。

　ただ少数部族が隣接している西部地域では、それなりに部族意識が見られるようで、「あの部族はずる賢い」とか、「あの部族は怠け者だ」などと互いに悪口を言い合ったりすることもあるようだ。また人々には部族それぞれに対する固定したイメージもあるようで、「あの部族は勤勉だ」とか、「あの部族は身内意識が強いから結婚したら大変だ」とか言ったりするのを聞いたことがある。

　いずれにせよモンゴル国の場合、他地域ほど部族意識もなく、ほとんど「部族」を意識せずに人々は暮らしているといっていい。

タイガに住むトゥバ人。トナカイを飼っていることから、モンゴル人にツァータン（トナカイを持つ人）と呼ばれる

（亜細亜大学名誉教授　鯉渕信一）

モンゴル国に暮らすカザフ人

カザフ草原からの移民

モンゴル国内に暮らす少数民族のうち、カザフ人は最多人口を占めており、その数は10万人を超えている。彼らは19世紀末から20世紀初頭にかけて、カザフ草原からアルタイ山脈の南麓（現：中国・新疆ウイグル自治区）へ、さらにはアルタイ山脈の北麓（現：モンゴル国西部地域）へと移住したカザフ人の子孫である。

言語、宗教、生業

モンゴル国内のカザフ人の約8割は、最西端に位置するバヤンウルギー県に居住している。モンゴル国のモンゴル人でさえ、バヤンウルギー県を訪れると、まるで外国に来たかのように錯覚してしまうという。その理由は、同県に暮らすカザフ人がカザフ独自の文化や習慣を色濃く残していることによる。

同県で使用されるおもな言語はカザフ語である。おもな宗教はイスラームである。そのため、同県ではノウルーズ（イスラーム暦の正月）、断食、犠牲祭など、イスラームの慣習に則った行事も行われる。ウルギー市内のいたるところにモスクが建てられていて、日常的に礼拝に訪れる人々の姿がみられる。

おもな生業は牧畜である。カザフ牧畜民が飼育する家畜は羊、山羊・馬・牛（ヤク）、ラクダで、モンゴル牧畜民と同じである。ただし、家畜の管理方法や畜産物の利用方法には異なる点が多い。

カザフ人の衣食住

●住まい

カザフ文化とモンゴル文化の違いは、彼らの衣食住により顕著に現れている。たとえば、天幕型住居の内部に一歩足を踏み入れると、すぐその違いを目の当たりにするだろう。カザフの天幕型住居の内部は一面鮮やかな色の家財道具と装飾品で美しく飾られていて、初めて見る人は圧倒されてしまう。上を見ても下を見ても模様だらけで、飾られていない所を探すほうが難しい。

カザフの天幕型住居はゲルではなく、「ウイ（またはキーズ・ウイ＝『フェルトの家』の意）」という。ウイはゲルより内部が広く、天井が高い。その違いは天窓と壁をつなぐ屋根棒の構造による。ウイの屋根棒は壁につなぐ部分が曲がっている分、天井が高くなる。

カザフ人は季節に応じて2種類の住居を使い分ける。天幕型住居はおもに夏と秋（5～10月）に使用される。それ以外の時期は、牧畜民であっても「スタック・ウイ（『暖かい家』の意）」という木造の固定住居で暮らす。

●食べ物

「世界で最も肉を食べる生き物はオオカミ、2番目はカザフ」と自らを揶揄するほど、カザフ人はよく肉を食べる。飼育している家畜のいずれも食用であるが、とりわけカザフ人が好んで食す肉は羊、馬、牛である。

肉を用いたカザフ料理には「ベス・バルマック（煮込んだ肉を盛ったご馳走料理）」や、「クジェ（スープ料理）」、「コールダック（炒めた肉と蒸した麺を混ぜた料理）」などがある。さらに、カザフ人は「カズ」というウマのあばら骨肉の腸詰めを保存食として作って食す。カズにはたっぷり塩をもみこむので非常に塩気が強いが、味が濃くおいしい。

冬の間は肉と小麦粉を主食とするが、夏になると家畜から搾乳可能になるため、乳製品を積極的に食すようになる。カザフの乳製品作りは、塩を積極的に使用する、蒸留酒を作らないなど、モンゴルとは手法が異なる。

カザフ人社会では客人が家を訪問したときには必ず乳茶を入れ、肉を使った料理を振る舞わなければならない。カザフ人にとって、客人をもてなさないことは「恥」である。そのため、カザフ人の家を訪問すると、いつもたくさんの茶とお菓子と肉料理で迎えられる。

特に、カザフ人はよく茶を飲む。彼らと同じペースにつきあうと、あっという間にやかん1個分の茶を飲むことになる。注がれるのを止めるためには、手でさっと器をふさいで合図を出そう。

●民族衣装

カザフの民族衣装を代表するもののひとつとして「チャパン」が挙げられる。チャパンとはいわゆるコートである。同じくチャパ

ンと呼ばれる類型のコートは広く中央アジアのテュルク系民族の間で使用されている。チャパンには日常的に着用するものと、祭事や慶事などのハレの場面で着用するものがある。後者の場合、襟元と服の端にはたいてい刺繍が施される。

チャパンの下に着用する衣服として、男性は「チャルバル」というズボンを穿く。冬用のチャルバルは革で作られる。その内側には毛皮が張られている。摩耗する裾の部分には針で刺繍が施される。他方、女性はおもに「クイレク」というワンピースを着用する。

頭部には男性は帽子を着用し、既婚の女性はスカーフを巻く。また、高齢の女性は「キメシェク」と呼ばれる刺繍入りの白い被り物を被る。

民族衣装をまとったカザフの夫婦

豊かな特色をもつカザフ文化
●さまざまな文化的特徴：鷹匠、音楽

カザフの文化的特徴はバヤンウルギー県に生きるカザフ人にとって貴重な観光資源にもなっている。例えば、同県を訪れる観光客の多くはカザフの鷹匠文化に強い興味関心をもっている。鷹匠は厳冬期（12月以降）になると、「ブルクット」といういわゆるイヌワシを用いて狩りを行う。おもな獲物はキツネやウサギ、マヌルネコなどである。

カザフの音楽文化もモンゴルとは異なっている。カザフの最も一般的な楽器は「ドンブラ」という2本の弦をもつ撥弦楽器である。指で弦を押さえたり、弾くことによって音を奏でる。その音色は軽やかでありながら、しっかりと心に響く。カザフ人は歌好きで、家族や恋人、故郷に関する歌が多い。

●美しき女性の手仕事

カザフ人は衣服、家財道具、牧畜用具など

想いを込めてひと針ずつ

に刺繍と織りなどの手芸技法を用いて模様を施す。刺繍と織りは女性の仕事である。

刺繍はかぎ針か針を用いて行われる。かぎ針刺繍のことを「ビズ・ケステ」という。この技法はおもに「トゥス・キーズ」という壁かけに模様を施す際に用いられる。刺繍は装飾のためだけではなく、ものの強度を高めるためにも施される。例えば、「スルマック」というフェルトの敷物を作る際は、その表面に針によって刺し子を施すことによって敷物を丈夫にする。

織りは簡易な三脚と杭を用いて行われる。織りをカザフ語で「テルメ」、織りによって作られた紐を「テルメ・バオ」という。テルメ・バオを作る際は、杭機（地面に杭を打って作る機）にかけた縦糸を棒ですくい取りながら表面に文様を織り表していく。

●想いが込められた文様

ものに施される模様は、おもにカザフ文様である。カザフ文様はたいてい曲線的な形状をしている。その曲線的な形は「羊の角」を表していることが多い。文様には角以外にも「羊のかかと」、「ラクダの瘤」、「イヌワシの嘴」、「腎臓」などの家畜の身体部位を示す名称がつけられている。そのほか、ウズベクやキルギスなどほかの民族の間で流行した花柄模様が使用されることもある。

カザフ文様には家族の幸せを願う意味が込められている。たとえば、人々は家具や道具に羊の角文様をたくさん施すことによって、それだけたくさんの羊がいる状態になることを祈願する。牧畜民にとって、羊は豊かで幸せな生活をもたらす重要な「財」なのだ。そうした文様をものに施すのは母親である。母親が家族へのありったけの想いと愛情を文様に込めるからだろうか、文様で囲まれたカザフの生活空間はいつも温かさと優しさで満ちていて、心地よい。

（千葉大学大学院　廣田千恵子）

民間信仰・風俗習慣

モンゴルの宗教といえば、仏教とシャーマニズムというのが一般的である。確かに遊牧民の多くが信仰の対象として訪れる先は仏教寺院だったり、シャーマンの家だったりするし、何か行事に呼び出されるのは仏教僧、シャーマンである。基本的に葬式もいずれかのしきたりに沿ったものである。

しかし、モンゴル人の信仰の根底には「テンゲル信仰」というものがある。テンゲルに祈りを捧げたり、お願いをする方法が仏教式となったり、シャーマニズム式であったりしていると考えていいだろう。森羅万象すべてに霊的な力を認めるという意味でアニミズムのひとつであるともいえるだろう。

テンゲル信仰

モンゴル最古の書物『モンゴル秘史』の冒頭「高き天より使命を帯びて生まれ来たる蒼き狼」の「天」をモンゴル語でテンゲルという。

テンゲルとは地上を覆い、森羅万象のすべてを支配する存在である。地上のものはすべてテンゲルのものであるとされ、土地を人が所有するという考え方は遊牧民的な発想ではない。雨や雪を降らすも降らさないもテンゲルが気ままに決めることであって、人間の都合など一切お構いなしだし、たとえお願いされたとて応える義理もなく、人間をはるかに超越した存在として、ただそこにあるというものがテンゲルだ。キリスト教など一神教に見られる神と人との契約関係は存在せず、来世での救済などの保証や約束をしない。

テンゲルを信仰するとき、モンゴル人はひたすら恐れおののき、祈り、願い、耐えることしか許されない。災厄が自分たちに降りかかってきたならば、ひたすらに過ぎ去るのを待つ。まさに嵐が去るのを待つかのようにジッと待つのだ。そして、それらが去ったときに感謝し、平安、平穏な時間が長く続くことを祈り願うのである。人に許されるのはそれだけだ。

シャーマンの存在

ところが、無関係に存在しているとはいっても、テンゲルが行うことは人間たちに多大な影響を及ぼすので、人間側はその影響に対して無関心ではいられない。人には身近に起きるさまざまな不具合を解決する方法が必要なのだ。そういう交渉相手になってくれるのが、オンゴン、オンゴド（複数形）と呼ばれる霊的存在である。精霊と訳すことが多い。大概が祖先の霊である。この精霊と特別な技術と素質をもってかかわれると考えられるのが「シャーマン」と呼ばれる人々である。

モンゴルではシャーマンのことを一般的にボーと呼ぶ。男性シャーマンをザイラン、女性シャーマンをオドガンと呼び分ける。

社会主義崩壊後、信仰が自由になるや、モンゴル各地でシャーマンが活動を開始し、現在、かなりの地域で活躍するようになっている。そんななかでもシャーマンが多く活動し、かつ、土地の人々に尊敬されている地域として有名なのはフブスグル県北部のダルハド盆地と北部タイガ地域、およびモンゴル国東北部（ヘンティ県、ドルノド県の北部地域）だろう。なお、ウランバートルでもシャーマン協会や連盟などが活動をしている。また、アルタイ山脈地域にはウリヤンハイやトゥバ人シャーマンもいる。

長い社会主義時代、シャーマンの活動は禁止され、宗教はもちろん精霊の存在なども非科学的、前文明的観念で迷信であるとされてきた。徹底的に否定されたにもかかわらず、社会主義体制終焉後、ダルハド盆地やモンゴル東北部ではいち早くシャーマンは活動を開始した。以前、ダルハド盆地で、「なぜシャーマンがこんなに早く復活したの？」と聞いてみたら、老人は、「ん？　だっていないと困るだろ？　いるのが当たり前なのだ。

今までがおかしかったのだよ」と答えた。1990年代半ば頃に、「病気になったらどうする？」とダルハド盆地で聞くと「まずはシャーマンに見せる。で、ダメなら仏教寺院に行く。で、それでもダメなら病院かなぁ」と答える人は少なくなかった。遊牧生活を送る人々にとって交渉相手となる精霊と直接交渉ができるシャーマンはテンゲルのもとで生きていくためには必要な存在なのである。

タイガのシャーマン。太鼓には牝鹿が描かれている

タイガ地域のシャーマンは太鼓をたたき、歌を歌いながら、トランス状態（極度の精神集中状態）へと入っていく。衣装は全体をして鳥を模しており、背中にはたくさんの布切れと金属片がぶら下がっている。太鼓に描かれた鹿の絵はシャーマンの乗り物だといい、また太鼓をたたくバチはムチなのだという。この地域のシャーマンの道具といえば、衣装のほかは、太鼓と口琴しかない。かつて、盆地低地部に住んでいた老シャーマンはノインノローという精霊の依り代などを使った儀礼を行っていたが、今ではノインノロー自体を知る者も少なくなってしまった。シャーマニズムが復活したとはいえ、かつてを知る者は少なくなっているのも事実で、研究者の言に従って復活させて活動しているシャーマンも少なくない。

さて、タイガのシャーマンは儀礼中、精霊（オンゴド）がやってくるのだという。とある儀礼を終えたあと、「最初にヘビの形をしたオンゴドがやってきたよ。そいつとしばらく行ったら、今度は化け物のオンゴドが来たんだ。ん？　どんな化け物かって？　化け物は化け物だよ……。そして最後に鳥のオンゴドと一緒にボス（地名）まで行って帰ってきたんだよ」とソビヤン オドガンは語った。いわく、自分も身体からオンゴドになって、迎えにきたオンゴドと一緒にどこかまで飛んでいき、道中、出会うオンゴドたちに、さまざまにお伺いを立てるということらしい。

またオンゴドたちに、こちら側の状況を伝えると同時に、精霊たち側の状況もまた尋ねるのも目的のひとつであり、「次回、いつ会おうということをお互いに話し合ってくるのだよ」とゴースタ ザイランが話しているように、有事に備えて情報交換を行うようだ。したがってオンゴドと飛翔していく道中、情報収集も行うらしい。

これに対して、モンゴル東北部のシャーマンの衣装は色とりどりに装飾が施され、使う道具も多種多様な物になる。

この地域のシャーマニズムは特にブリヤートモンゴル人らを担い手とし、ブリヤート人のアイデンティティの核としてシャーマニズムが存在し続けてきた。ダルハド盆地と比べると、はるかに活動は活発で、シャーマンも生まれ続けている。

筆者が見た儀礼は、シャーマンがトランスに入り、オンゴドを身体に降ろしたあと、熱く熱した鉄の棒を舌でなめて見せ、その能力を示し、その後、家の守り神であるオンゴドを呼び出すというものであった。

鉄の棒をなめる様子を鉄の棒の熱さを感じるほどの至近距離で見せつけたシャーマンだったが、後、「熱くない！」と怒り出し、ストーブの中にあった炭を素手でこなごなに砕いてみせるなど、律儀といえば、律儀なシャーマン、いや、オンゴドのようだった。

家の守り神は子供を守る、優しいオンゴドだと言っていた。儀礼が始まるときに大声で泣いていた乳児が、オンゴドが身体に降りたあとのシャーマンの太鼓に乗せられるや、泣き止み、シャーマンにほぼ笑みかけたのはとても奇妙なできごとであった。

ブリヤード人によれば、シャーマンの身体にオンゴドが入って、酒を飲み、歌い、語るのである

ブリヤートシャーマン。帽子の眼は精霊の眼

という。先のダルハド盆地のシャーマンがどこそへ飛んでいくというのとは活動の方向が異なっているのが興味深いが、筆者はブリヤートシャーマニズムに関して詳しくないので、ここまでにしておこう。

モンゴル人は、長い社会主義時代を経たにもかかわらず、非科学的とされるシャーマン儀礼に対してかなりの敬意、また恐れをもって接するようだ。ダルハド地域出身者ともめごとを起こすと呪われるかもしれないと考えたり、また「シャーマンのばあさんに言いつけてやるぞ」などという言葉が当たり前に使われ、脅し文句としても効力をもっているなど興味深い。モンゴルの精神文化として、極めて古い時代からのものであるとして、そこになんらかの権威を認めることで、自文化を誇ることになっているように見える。

モンゴル人はシャーマニズムをチンギス・ハーン時代以前から続くモンゴル文化の核のひとつとして認めているからこそ、ウランバートルでもシャーマンの活動が復活し、多くの人が訪れているのである。

言葉には霊力がある

問題解決方法を知る精霊とかかわるにはシャーマンが必要であるが、テンゲルにお願いするだけなら個人でも日常的に可能だ。それは、おもに言葉の霊力をもって行われる。

モンゴルの自然環境は変わりやすく、その変化に適応、対応することが遊牧文化の肝になるが、良き善き状態が長く続くことを彼らは祈り願って、良き状況を言葉に表そうとする。逆にいえば、悪い言葉を発することを禁ずる。言葉に発せられたことはそのとおりになると考えている。したがって不吉なことを誰かが発すると、「モー ヨル、モー ヨル」（悪い不吉な知らせ）だと言って、言ったことを否定する。また、自分の年齢、家畜の数など数字をはっきり言わないようにするが、これらは数字を言うとその数字にとらわれてしまうと考えられているからだ。つまり、家畜の頭数を50と言ってしまったらそれ以上増えないと考えるのだ。年齢を尋ねるときは干支を尋ねるのが礼儀である（とはいえ、60

歳と48歳は見分けにくい……）。旅をしていても、「今日はどこどこまで、いつまでに到着する」といったことを言うのは避ける。

言葉を使って望ましい状況の再現、再生、もしくは維持を願うのが基本姿勢なのであり、言葉にそういう力があると考えられているのだ。したがって、誓いの言葉や約束というのは大いに守られるべきと彼らは考えるのである。ところが、モンゴル人は約束に一定の拘束力を認めていながら、それが守られなかったときの言い訳はかなり激しく展開されるのがおもしろい。しかし、遊牧世界という極めて人の都合どおりにいかない環境であるがゆえに、積極的に諦めて納得しなければならないのも、また事実である。

いずれにしても、モンゴル人は実に雄弁だ。定型句を多く知り、頭韻を踏んで即座に詩を読み上げられる人にあちらこちらで出会う。モンゴル人が言葉に期待し、言葉を大切にし、言葉の力を信じていることは彼らの生活の随所から感じることができる。

モンゴル人は言葉を使って自然を褒めたたえ、その良き善き、美しき状況を歌いあげ、その状況になってほしい、またその状態が長く続くことを願って祈りを込める。これらはユルール（祝詞）やマグタール（讃歌）、トーリ（叙事詩）の形となって生活のなかで使われる。

たとえば、「アルハイ ハイラハ」という詩がある。これはアルタイ山脈のすばらしさを讃えた詩だが、冬の寒い時期に歌わねばならないという。清らかな水が豊かで、草花が美しく、動物も自分たちもその恵みにあずかりながら生きていることを、雄々しく、美しく歌いあげるのだが、情景としては雪のない時期の様子が描かれている。つまり、冬季の厳しい寒い時期に過ごしやすい夏の様子をたたえあげ、その情景が早くやってくることを願っているのである。「ハイラハ」という言葉は「固いものを緩め、流す」イメージをもち、したがって、夏に歌ってはいけないとされる理由は、万年雪が緩み過ぎると「洪水になる……」ということらしい。この詩はとても長く今では歌える人はかぎられているが、

時期が来ると必ず歌われることが望まれる詩だ。

モンゴルの特殊な命名法もまた言葉の力を信じるがゆえのものだ。草原、遊牧地域では、子供が幼くして亡くなることが少なくない。遊牧民はその原因を「かわいいもの、きれいなものを連れ去っていく悪しきモノがいる」と考えた。そこで子供たちを守るために、悪しきモノを惑わそうと"妙な名前をつける"習慣が生まれた。「悪いモノよ、おまえが探しているのはこれではないよ」と"これではない（エネビシ）"、"それではない（テルビシ）"、また、「名前のない変な子だよ」と"名なし（ネルグイ）"、「汚い子だよ」と"糞つき（バースト）"、「人ではないよ」と"ひとでなし（フンビシ）"などのほか、また逆の性別の名前をつけたりする。

そして、悪しきモノを惑わそうと、子供の産毛をそのまま伸ばし続け、髪の毛を切らず、性別がわからないようにする習慣がある。

断髪式

子供たちは生まれてしばらくの間、髪の毛を切らずに伸ばし続ける。女の子はともかく、男の子でも三つ編みやお下げ髪になっていて、女の子にしか見えない子もいる。男の子が3歳か5歳、女の子が2歳か4歳になったときに親類縁者が集まって断髪式を行う。

この儀式はモンゴル各地で行われているが、地域によって式次第が異なる。ここではゴビ地域で見てきた断髪式の式次第を簡潔にではあるが紹介しよう。

儀式は髪を切られる男児が絹布を両腕にかけ、皿を両手で持って、実兄に髪を切られて始まった。実兄はまず木製のナイフで髪を切るまねをしてナイフを皿に置き、続けて絹布の結びつけられたはさみで髪を切りとる。切った髪の毛は皿に置かれる。次いで参列者の中の最長老者ははさみを入れる。ゲルの上座に年長者、親戚男性たちが座っているが、最年長者を起点に時計回りで参列者たちは皿にお金を載せてから、はさみを入れていく。どこを切るかは特に決まってないようだった。次いで親戚女性たち、若者たちは

断髪式。できるだけ多くの人に切ってもらうとよいという

さみを入れる。そして母親、父親の順にはさみを入れたあと、成人前の子供たち、客人たちがはさみを入れる。参列者全員がはさみを入れたあと、皿は上座に作られた棚に置かれる。その後、男児によってラクダの乳飲料（インゲニーホールモグ）が祝詞をあげる男性に絹布と一緒に手渡される。ここで祝詞によって、男児がお披露目され、またテンゲルにここに新しき男が生まれたことを伝え、その庇護を求める。「長く生き、幸多く、父に恩を返し、母の力となり、国に仕え、人々の先頭を行け」と祝いの言葉をかけるが、これらも、この言葉を発することでそのとおりになると信じるからである。

男児は乳飲料を参列者全員に振る舞う。次いで、男児は嗅ぎたばこ（フールグ）を参列男性たちに手渡してあいさつして回る。

この後は飲めや歌えやの宴会になるが、男として認められた男児はもらったおみやげの

断髪式のあと、バリカンで丸坊主に

お菓子にかぶりついていた。さすがに酒を飲むわけにはいかない。

以上が式次第であったが、つまり、髪を切ってもらって"男"にしてもらい、そのお礼に最も白いものをもってお清めと心づくしを男になった男児が振る舞い（世界で最も白いものとなぞなぞの答えになるのがラクダの乳飲料である）、そして、男としての最初のあいさつ回りをするというのが、この断髪式だ。筆者は女児の断髪式に参列したこと

がないのだが、式次第が違うのか、何がどう変わるのか、とても興味深い。

　断髪式とは、悪しきモノの手にかからず生き抜いた子供が性別をはっきりさせ、それぞれの性別の先輩たちの仲間入りする儀式として非常に重要視されている。現代の都市部でも欠くべからざる儀式として行われている。

　テンゲルに支配され、激しく変化するこの世界で、見えない精霊たちの助けを借りながら、良き善きこと、それが長く続くことの実現を、言葉を使って願う……。それがモンゴル人の信仰姿勢なのである。

正月・結婚式

　どの社会、民族にも新年、新しい家庭の誕生は盛大に祝われる。モンゴルでも正月と結婚式は家族総出で準備して祝う特別な行事だ。

　このふたつの行事では、ともに羊丸1頭を骨付きのまま煮た料理が出される。「オーツ」と呼ぶが、できるだけ尻尾が大きいものが好まれる。この1年、もしくは、これから一生、丸々太った羊たちに囲まれることを願うのである。羊がいることが幸せの第一歩なのだ。

正月

　モンゴルで正月をツァガーン・サル（白い月）と呼ぶ。日付はチベット仏教暦に従い、宗教的に前年に決められる。おおよそ1月半ば～ 2月半ばを元日とするが、毎年一定の日付とならない。

　正月の準備は忙しい。年が明けてから数日間は家を訪問したり、お客が来たり、とても忙しくなるため、特に食事の準備を念入りに

正月のごちそう。真ん中がオーツ、左右がヘビン・ボーブ

行う。正月期間、どこに行っても「ボーズ」が出される。「ボーズ」とは蒸し餃子のようなもので、肉がたくさん詰まった縁起物とされ、冷凍保存ができるので急のお客に提供しやすい。300～500個も作り置く家もある。人はこれを大晦日の夜に腹一杯食べて、幸せ一杯で元日を迎え、そして、年が明けてからも、食べ続ける。そして「まるまる太って新年を迎えたか？」と尋ね合う。

　年が明けると、太陽が上がる前に、家人たちは暦師の発表に従い、決められた方角に家から出て、家に戻るという儀式を行う。出てから戻るまでにするべきこと、歩きながら唱えるべき経文などが決められていて、それらを太陽が昇る前に終わらせて家に戻らねばならない。たとえば、「家から出て東南に向かい、○○経文を7から21回唱えながら歩き、家の北で小さな火を起こし、それを水や雪で消してから家の南から戻ること」などである。

　これが終わると、家人たちは晴れ着に着替え、上座の家長に正月のあいさつをする。家長はあいさつを返す。その後、「オーツ」を仏壇に供え、全員が食事をとる。テーブルにはオーツ、ボーズに加え、小麦粉を揚げて作った「ヘビン・ボーブ」が積まれている。必ず奇数段積み重ねられ、乳製品や角砂糖、あめ、チョコレートなどでデコレートされる。これはお客におみやげで渡す。舟状の形をしており、上を向いたものは満たしておくべきという習慣に従って、ヘビン・ボーブの上に乳製品などを載せて手渡す。善きものを皆で分け合うという習慣だ。

　これから数日にかけてあいさつ回りが続く。ボーズとヘビン・ボーブを皆が分かち合い、新しい年が良き善き年となることを願うのがツァガーン・サルなのだ。

結婚式

　まずは筆者が見た草原での結婚式当日の流れを紹介しよう。トゥブ県アルガラント郡で新婦側友人として参列したときのことだ。

　結婚式当日、新郎と彼の親戚たちが新婦を迎えにきて、しばらく歓談した後、皆が出発

しようとすると、新婦側は出発を可能なかぎり遅らせようとした。そのほうが、娘が幸せになるというのである。手を尽くして出発の妨害をするが、頃合いを見て新郎新婦は車に乗り、トラックには嫁入り道具

ミルクをまきながら、介添人に守られて新居に入る新婦

のベッドやタンス、炊事道具を積み、皆が新居に向かった。新郎の両親のゲルの西側に真っ白な新居ゲルは立っていた。

到着すると、まずは新郎の両親のゲルに入ってあいさつする。ここで新婦は衣装替えをする。新郎側の準備した衣装を身にまとうことで、その家の者となることを象徴している。そして、新郎方の親戚を介添人に、新郎と一緒に新居に入った。

新居の中での席次は厳格に決められている。上座中央に進行役の長老男性が座り、彼の右手側には新婦の両親、左手側には新郎の両親が座り、ゲルの東側、家人たちの側に新郎新婦は座る。そして親類縁者たちはゲル東側に、友人、客人はゲル西側にそれぞれ座る。

新婦はゲルに入るや、まずはストーブに最初の火をつけ、最初のお茶を入れる。柄杓でお茶をすくい、外で天に捧げ、その後、夫、夫の父親、自分の父親に自ら手渡す。この後、新婦は新郎の横に着席し、女性の給仕係が参列者にお茶を振る舞い、次いでホイツァイ（肉団子入りスープ）が配られた。

進行役の長老がしきたりに従って「オー

ともに生きる誓いをして尊きミルクを分けて飲む新郎新婦

ツ」にナイフを入れ、次いで、新郎の父親が切り分け、新郎新婦の親戚に配られ、次いで参列者に振る舞われる。その後、再び長老が音頭を取って、最初の乾杯を宣言し、いよいよ酒宴が始まる。このときから給仕役は男性に代わる。渡される杯を飲まずに返しにくい雰囲気になった。

皆にある程度、食事や酒が振る舞われてから贈り物が順々に新郎新婦に手渡された。贈り物には白や青いモノが喜ばれる。また、上に向かって口の開いた物もよいとされる。

贈り物の贈呈が終わると、長老は絹布と馬乳酒入りの碗を持ち、結婚式の祝詞をあげ、馬乳酒を新郎に飲ませ、新郎はひと口飲んで、新婦にも飲ませた。このあとは、飲んで、食べて、歌ってがひたすら続く。

結婚式翌日からは、新しいゲルの主となった新郎新婦自らが給仕係を務め、来賓たちをもてなしていた。その後、宴会は三日三晩にわたって続いたと聞いた。そして、結婚式から6日目の夜、新婦がひとりで実家に戻り、そこでもまた宴会が催された。結婚式に参列し、すべてを見ようと思ったら、ほぼ1週間は飲み続けられる体力が必要かもしれない。

結婚式は新しい家が草原に生まれる儀式だ。新郎新婦両家が子供たちを送り出し、新しいゲルで両人を祝福し、新しい家のストーブに火が入れられ、よきお茶が入れられたことを祝い、祝詞をもってテンゲルに伝え、その庇護を願うまでが結婚式だ。結婚を皆が認めたことを宣言するのである。そして、翌日からの宴会は新郎新婦が祝いに来てくれる客人たちをもてなし新しい家ができたことを周知する。そして、最後に、新婦は、実家に客人として訪問することで、自分の居場所が変わったことを皆に認めてもらう。こうして、草原に新しい家が生まれるのだ。

モンゴルの結婚式次第は地域によって少々異なる。都市部と草原とでは状況がまったく異なるのも想像に難くないだろう。都市部での結婚式はずいぶんと西洋風になっている。

（NPO法人北方アジア文化交流センター
しゃがぁ理事長　西村幹也）

モンゴルの慣習「ある日のゲル訪問」

草原の暮らしのなかには遠い昔から伝わる風習がたくさん残っている。ゲルを訪れる機会があるなら知っておくとよいものをいくつか紹介しよう。

まず、ゲルに入ったら時計回りに進んでテーブルに着く。帽子は正装の一部と見なされるのでかぶったままで大丈夫。脱ぎたいときは形を整え、かぶり口を下に向けて置く。丸めたり踏んだり尻の下に敷いたりと、帽子をぞんざいに扱うことはモンゴルでは不作法になるので気をつけたい。

さて、テーブルに着くと間もなく塩味のついたミルク茶「スーテイ・ツァイ」が振る舞われるだろう。このときお茶のポットの注ぎ口が向けられている方向に注意してみよう。ゲルの扉のほうには向けられていないことに気づくはずだ。これは、注がれるお茶とともに幸運が外へ出て行ってしまうと信じられているためだ。ちなみに、ゲルの中では何事もあるじが最優先。お茶や食事も客人より先に家長へ出す習慣がある。

お茶の受け渡しのときの手の使い方にも気をつけたい。モンゴル人は右ひじの下を左手の指先で軽く支えるようにしながら茶碗を差し出してくれるだろう。そのときは同じようにして左手を添えた右手で受け取るか、両手でもらう。さまざまなシチュエーションで使える受け渡し方なので覚えておこう。お茶は飲み干さずとも必ず一度は口をつけてから置くこと。もてなしてくれる家の人への礼儀だ。「アーロール」などの自家製チーズやお菓子などが出されたときも同様だ。遠慮せず大皿からひとつ取って味見してみよう。

旅行中、羊をつぶす場面に遭遇できたらラッキーだ。捕えられた羊は脚を縛られ仰向けに寝かされる。胸にナイフで小さな切り口が作られると、そこから腕が突っ込まれ、心臓脇の動脈をちぎられ、間もなく羊は絶命する。大地を血で汚さないよう、血は仰向けになった羊の腹腔に貯められる。その血はていねいに汲み取られ、あとで腸詰にされる。

モンゴル人は家畜を解体して食べる前に必ずその肉をひとかけら火の中へ投げ入れる。火の神と家畜への感謝の印だ。

夏の草原での肉料理の代表格といえば、缶の中に焼いた石と肉を交互に入れ外からさらに直火で熱して蒸し焼きにする豪快料理「ホルホグ」か、新鮮な塩ゆで肉「チャンスン・マハ」だろう。もしも骨付き肉が食卓にあったら、ぜひモンゴル人の食べ方に注目してほしい。骨に食べかすが残らないように薄い膜までナイフできれいにこそげ取って食べる様子を見ることができる。モンゴル人の食べ終わった骨は光り輝くほど美しいので驚くばかりだ。

夏なら馬乳酒やチーズ、クリーム、ヨーグルトなど自家製の新鮮な乳製品も振る舞われるかもしれない。プツプツと泡立つほど発酵が進んだヨーグルトも、マイルドな味に慣れた日本人にとっては野趣あふれる味わいだ。なぜかヨーグルト限定の習慣だが、モンゴル人は食べ終わった器を舌でなめてピカピカにする。舌の運動になってよいと老若男女普通に行っている。

食事のときは進んでおかわりしたい。たくさん食べることは家人への感謝と親しみの

スーテイ・ツァイのほか、ウルムなどの乳製品が並ぶ

羊を屠ったその場でホルホグを作っていく

証しなので遠慮はご無用だ。満腹のときは「bolson.もう結構です」と言ってはっきり断ろう。断っても失礼にはならないが、「bayarlalaa.ありがとう」の感謝の言葉も忘れずに伝えたい。

さあ、いよいよゲルを去るときが来た。最後に何か食べ物をひとつ口にしてから席を立とう。もてなしを受けたことに対する感謝

の意を表す粋なならわしだ。

親しい者同士の長い別れのときは、さようならのあいさつとしてほおの片方にだけキスをする。通常、あいさつのときは両ほおにするものだが、このときばかりはもう片方は「次に会えるときまで」とっておくのだ。

(岡本詩帆)

モンゴルで出合うさまざまなオボー

古来モンゴルでは自然界の万物には神が宿っており、その頂点に君臨するのが天の神だと信じられてきた。この天神へ生贄として家畜などを奉納する際、遊牧民たちが神への目印として石を高く積み上げて塔を作ったのがオボーの起源だといわれる。現在も、モンゴル国内の各地で多種多様なオボーを見ることができる。

道のオボー

道しるべ的なオボーで、小高い丘の上にある。モンゴル旅行中に最もよく目にするオボーである。旅人はここで休憩し、道中の安全を祈願する。通りかかった者は必ず立ち寄り、小石や紙幣を塔にお供えしていく。乗馬中ならたてがみを3本抜いて奉納する。オボーを右回りに3周しながら「オボーの恵みはあなたに。収穫の恵みはわたしに」と唱えるのがならわし。現代では「お金が儲かりますように」などと祈りながら石を積む人も増えたようだ。

草原のオボー

目印になる山もないような、見渡すかぎりの大草原のなかでランドマークとして作られる。

国境のオボー

ロシアや中国との国境沿いに点々と置かれている。

泉のオボー

湧水が出ている場所にある。土地の人々が水の恩恵に感謝して作る。ここの水を汚すと泉の神の怒りを買い、伝染病が広まりやがて

泉の水も枯れてしまうという。

温泉のオボー

温泉の効能によって体調が改善した人々が、感謝の気持ちを込めて石を積んでいく。紙幣やハダグのほか、療養中に使用していた松葉杖なども置かれているのが物珍しい。

記念のオボー

王族の宿営地になった場所や、英雄を埋葬したといわれる場所、戦場の跡地などに作られる。戦に出かける兵士がひとつずつ石を置いていき、無事に生還したらその石を持ち帰ったとも聞く。

金のオボー

その土地の神聖な場所にある。このオボーは土地の権力者のみが作ることができる。ここでの動植物の殺傷は禁忌である。穴を掘って宝飾品や麦などの五穀を入れた壺を埋め、その上に石を積んで塔を形作り、頂点に木の枝を刺したら最後に神聖な布である青いハダグを飾る。

(岡本詩帆)

道のオボーに出合ったら、立ち寄ってみよう

モンゴルの文様文化

モンゴルを旅していると、いたるところで美しい模様を目にする。住居、家具、宝飾品、服飾小物、楽器、まさに文様はモンゴル人にとって生活上の欠かせないエッセンスだ。

モンゴル語で文様のことを「ヘー・オガルズ」という。この言葉はふたつの単語をつなげた連語である。それぞれを直訳すると、「ヘー」は模様、装飾を表す。「オガルズ」は模様、装飾のほかに、野生の羊、山羊の意味をもつ。モンゴル人が野生の羊、山羊の角の形に美しさを感じることから、この単語が用いられるようになったという。

家具には縁起のよい意味をもつ文様が描かれている

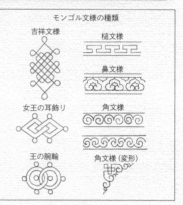
モンゴル文様の種類
吉祥文様
槌文様
鼻文様
女王の耳飾り
角文様
王の腕輪
角文様（変形）

モンゴル文様の種類と意味

モンゴル文様は仏教美術の影響を強く受け、その形状には多くの共通点がある。

モンゴル文様には一つひとつに意味がある。いくつか代表的な文様を紹介しよう。

吉祥文様（ウルズィー・ヘー）

ウルズィーとは「幸運」の意である。この文様は、一筆で描かれることから「永遠」も意味し、縁起のいい文様としてモンゴル人の間で最も親しまれている。

槌文様（アルハン・ヘー）

金槌をつなげたような形をしたこの文様は「強固」と「頑丈」を意味し、それを施した物が守られるようにと願いを込めて用いられる。たいてい物の縁に使用される。

王の腕輪（ハーン・ボゴイブチ）と女王の耳飾り（ハタン・スイフ）

丸い腕輪をふたつ重ねたような形をしている文様は「王の腕輪」と呼ばれ、「男性」「永久的な関係」を表す。他方、ひし形の耳飾りをふたつ重ねたような文様は、「女王の耳飾り」と呼ばれ、「女性」「誠実さ」を象徴する文様として広く親しまれている。これらの文様は、モンゴルの結婚指輪にもよく用いられる。

鼻文様（ハマル・オガルズ）と角文様（エベル・オガルズ）

鼻文様と角文様は曲線的な形状をしていることから、ほかの文様とは異なり、「オガルズ」という単語で示される。鼻文様はウシの鼻の形から発想を得たといわれ、動物への崇拝を示す。角文様は威厳と力を象徴する。

物に文様を施すさまざまな方法

物に文様を施す方法は多様である。例えば、直接描く方法がある。住居と家具に施されている文様はたいてい家具職人の手によって描かれている。

また、文様は刺繍によって施される。モンゴル刺繍のひとつに、「ズー・オローフ」という技法がある。この技法は2本の針と2本の糸を用いて、小さな円をつなげつつ模様を縫い表していくものである。

いずれの方法においても、人々は自分たちのさまざまな願いと想いが実現するようにと心を込めて、ていねいに美しく、物に文様を施していく。

モンゴル刺繍「ズー・オローフ」を施している様子

（千葉大学大学院　廣田千恵子）

モンゴルの経済・政治・社会

モンゴルの経済

モンゴルは1990年代、ソ連崩壊とともに民主主義・市場経済の道を歩み始めた。

当初は、社会・経済に混乱が見られたものの、2000年代の中国の急激な発展やモンゴルに眠る資源に各国が注目したことをきっかけに、経済成長が始まった。

2000年代初頭には、500米ドル（当時のレートで6万円）程度であったモンゴルのひとり当たりのGDP（国内総生産）は、この約20年間で10倍以上に急成長している。

モンゴルの経済成長の原動力は石炭、金、銅、モリブデンといった豊富な地下鉱物資源を背景とした鉱業である。モンゴルのすぐ南には、世界の工場といわれてきた中国がある。その中国が必要とする原料を供給する国として、中国の経済成長に引っ張られる形で経済成長を続けてきた。

モンゴルの経済成長

モンゴルのGDP総額は、2022年に日本円換算で2兆円を突破した。同年の日本のGDP総額が600兆円弱であったことを考えると、300分の1の経済規模であり、市場としては小さく見えるかもしれない。しかし20年で10倍のGDP成長率であり、経済成長期にふさわしく町は活気を帯びている。

モンゴルのひとり当たりのGDPは2022年時点（モンゴル国統計局のデータより）で5126米ドルであり、さらにウランバートルに限定すると、6500米ドル（現在のレートで約97万円）に近い値になっている。現在成長の原動力として期待されている南ゴビの炭鉱や金・銅鉱山が本格的に稼働すると、モンゴル全体のGDPは軽く2倍になるという話もされている。しかしモンゴルの経済は鉱業に依存するため、世界的な鉱物資源価格の動向に左右されやすいともいえる。

一方、モンゴルを象徴する遊牧文化の経済圏はどうなっているのであろうか。

現在、牧畜業で生計を営んでいる世帯はモンゴル全体の約20%である。この数値はここ5年で大きく変わっていない。

モンゴル全体の家畜数はというと、ここ20年ほどで2 〜 3倍程度の増加、家畜の総頭数は7100万頭にのぼる。カシミヤがモンゴルの輸出産業のひとつの大きな柱であることから、山羊の頭数の増え方が顕著である。

だからといって、地方経済が同じように成長しているかというとそうではない。

カシミヤを製品にするまでの製糸・製品工場の多くはウランバートルにあり、GDPを構成する付加価値が地方には少ない。場合によってはウランバートルと地方の県では3倍近くのGDP格差があり、都市と地方の経済格差は今後のモンゴルの大きな社会問題となっていくだろう。

経済成長は物価上昇ももたらした。モンゴルの物価の上昇率は日本とは比べ物にならないほど著しい。インフレ率はコロナ禍では落ち着いていたものの、2022年には15%となっている。例えばガソリン1ℓの価格は20年前の5倍に跳ね上がっている（2023年10月現在、約102円/ℓ）。

物価上昇が続くなか、日本製品が次々にマーケットに進出している。例えば乗用車。20年近く前、モンゴルのモータリゼーションの黎明期においてはロシア製、韓国製の車が道行く車の大部分を占めていたが、現在ではほとんどが日本製の車である。特にTOYOTAの車の人気が高い。一度モンゴル日本人材開発センターで調査をしたところ、市内を走る自家用車のうち、5割近くをプリウスが占めていた。日本円で1000万円を優に超えるTOYOTAの新型ランドクルーザーの納車が数年待ちといわれる状態である。

モンゴル人の多くが「モンゴル人は馬を本当に大事にする。都市部に住む人間にとっては車が馬の代わりになるために金をかけて

も高い車を買うんだよ」と口を揃える。確かにそれもあるだろうが、マイナス40℃近くになる冬のモンゴルで車が止まったらそれこそ命取りになる。モンゴル人たちにとって日本車は"安心を買っている"ということなのだろう。

ほかにもカゴメや、S&B食品、ダイドーなどの食品が店頭に並ぶなど、日本の商品はいまやモンゴルの人々にとって、生活に欠かせないほど浸透している。モンゴルは南に世界の工場、中国があるという地理的条件に加え、内陸国であるがゆえの原材料の入手の困難さや物流コストの高さ、モンゴル国内のマーケットの小ささなどの諸事情から、自国で製造するよりも輸入に頼ったほうが手に入りやすいものが多くある。食料品や衣料品などの生活必需品は輸入に頼っているため、モンゴルでは各国の販売価格より高い場合が多い。

道行く車はどれもプリウス!?　右側通行のモンゴルでも右ハンドルのまま運転する

若者がけん引する経済

モンゴルの町を歩くと「道行く人々が若い」ということに気づくだろう。それもそのはず、モンゴルでは全人口の50%が30歳以下で構成されている。

国連が発表する「世界人口推計（2022年）」によると、モンゴルの年齢中央値は「26.8歳」と、調査対象の全236の国・地域の中で89番目に若い社会だということがわかる。ちなみに対する日本は「48.4歳」。モンゴルと実に21.6歳もの差がある。

世界銀行のデータ（2021年）によるとモンゴルの合計特殊出生率は2.8人。この20年間で人口も140%増となっている。そのことが

「若い人向け」のサービスや商品が追いついていない状態を引き起こしている。

モンゴル国統計局のデータによると、2000年に6万2300人だった初中等教育の卒業者が2022年には9万2700人と、50%近く増加。職業訓練校などの教育機関を合わせると、2022年には43万2000人と激増している。

日本では学校の統廃合が進み閉校となる学校が増えているなか、モンゴルでは新しい学校が次々に開校している。

各学校は優秀な生徒を呼び込むために指導方法にも工夫を凝らしている。日本の教育も注目されており、日本式教育法を取り入れた初中等教育機関「新モンゴル学園」や元横綱日馬富士関が経営する「新モンゴル日馬富士学園」などは、ウランバートルのなかでも人気校となっている。ヨコミネ式教育法を取り入れた幼稚園も進出している。

世界最高レベルの親日

モンゴルを訪れる日本人の多くから「モンゴル人はよく日本のことを知っている」「モンゴルには日本語が話せるモンゴル人がとても多い」と驚かれる。

実際、コロナ禍前は人口1万人当たりの日本への留学生の数はモンゴルが世界で1位だった。現在はネパールに抜かれてはいるものの3位以下を圧倒しての2位である。多くの留学生は日本を留学先に選ぶおもな理由として、「安心・安全」「町が整理・整頓されていて清潔」「世界の最先端の技術を学べる」を挙げている。

またモンゴル人力士の日本での活躍のほか、1977年から続いている日本の政府開発援助（ODA）、民主化以降に放送された日本のTVドラマの影響や、最近の日本のアニメや漫画の人気も大きい。

モンゴル日本人材開発センターで日本語を学ぶ若者も、半数近くがアニメや漫画を「自分の耳で聞いて、自分の目で読みたいから」という理由で日本語を学んでいる。

日本や日本人に好意的なモンゴル人が多いことは、日本企業にとってモンゴルに進出するうえでプラスになる。またモンゴルに

居住する日本人にとっては住み心地のよさや安心感につながる。旅行者にとっても、居心地がよい国だと感じることだろう。

モンゴルの政治・社会

モンゴルは1990年代のソ連の崩壊にともない社会主義国家から民主主義国家へと変わり、日本語の名称もモンゴル人民共和国からモンゴル国へと変わった。

現在、モンゴル国は共和制であり、大統領制と議院内閣制を併用する民主主義国家である。

1992年に初めて行われた直接選挙以来、2016年の選挙までは選挙のたびに政権が変わっていたが、2020年に行われた選挙ではそれまで与党だったモンゴル人民党が全議席76席中62席を獲得し、連続して与党の座を守っている。

モンゴルは外交上手

エコノミスト・インテリジェンス・ユニット発表の2022年の民主主義指数によると、モンゴルの民主主義度は調査対象の世界167ヵ国中66位で、世界でも上位グループに入る民主主義国家として認められている。

そのようななか、モンゴルの軍隊は日本の自衛隊やアメリカ軍と協力して、能力構築支援事業を行っている。中国とロシアという大国に挟まれた地理的条件でありながら、日本やアメリカと協力して事業を実施するという状況を作り出すのは、外交がうまくなくては難しいことであろう。

また中国の北京に本部を置く上海協力機構（SCO）は中国とロシアを中心として中央アジア、南アジアなどの9ヵ国の加盟国とオブザーバーなどで構成される連合体である。モンゴルは地理的にはその中心部に位置するにもかかわらず、あえて加盟国ではなくオブザーバーとしての立ち位置を取り、中国やロシアと関係を構築している。

日用品や食料品の輸入先である中国、石油製品や電力の輸入先であるロシア。このふたつの大国はモンゴルにとって生命線でもある。その大国と適度な距離感を保ち、大きなトラブルを起こすこともなく、バランス外交を行うモンゴルの手腕には感服する。

モンゴルの女性の社会進出

世界経済フォーラムが毎年出している「ジェンダーギャップ（男女格差）指数」によると、モンゴルは2023年の時点で世界146ヵ国中80位と、全体として高くはない（日本は125位）。その大きな原因は、日本同様、政治の世界で女性の進出がなされていないことであろう。実際、2020年の国会議員選挙では全76議席中女性議員はわずか13議席（17％）であった。

一方、経済界では女性の進出が見られる。事実、モンゴルでは女性経営者が多く、官民ともに女性の管理職が多い。モンゴル日本人材開発センターでは開所以来20年間、日本的経営を教えるビジネスコースを開催しているが、毎回6割から7割の参加者は女性である。

モンゴルの女性の社会進出が進んでいる背景には、現代のジェンダー論争における施策によるものだけではなく、女性を家事の負担から解放させ、経済的・政治的に自立させることで、男女間に生ずる不平等問題がなくなるという旧ソ連時代の女性解放政策もあると考えられる。

さらに、主観的な意見ではあるが、モンゴルの女性はもともと遊牧生活全般を監督するCEOともいえるような存在であり、男性はどちらかというと営業部長兼牧場長のような存在である。遊牧生活では女性なくして生活はなりたたない。そうした一面も、モンゴルの女性の社会進出が進んでいるひとつの理由になっているのではないかと考えられる。

日本とモンゴルの交流を促進するため毎年モンゴルで開催されるジャパン・フェスティバル・イン・モンゴリアも、年々日本、モンゴル双方からの参加者や来場者が増えている。韓国や中国の次に日本からの距離が近い隣国モンゴル。両国の関係に今後もますます目が離せない。

（モンゴル日本人材開発センター
　　JICAビジネス交流支援専門家　中村　功）

あなたの**旅の体験談**をお送りください

「地球の歩き方」は、たくさんの旅行者からご協力をいただいて、
改訂版や新刊を制作しています。
あなたの旅の体験や貴重な情報を、これから旅に出る人たちへ分けてあげてください。
なお、お送りいただいたご投稿がガイドブックに掲載された場合は、
初回掲載本を1冊プレゼントします！

ご投稿はインターネットから！

URL www.arukikata.co.jp/guidebook/toukou.html
画像も送れるカンタン「投稿フォーム」
※左記のQRコードをスマートフォンなどで読み取ってアクセス！

または「地球の歩き方　投稿」で検索してもすぐに見つかります

地球の歩き方　投稿　　　　　　　🔍　　検索

▶投稿にあたってのお願い

★ご投稿は、次のような《テーマ》に分けてお書きください。

《新発見》―――ガイドブック未掲載のレストラン、ホテル、ショップなどの情報
《旅の提案》―――未掲載の町や見どころ、新しいルートや楽しみ方などの情報
《アドバイス》―――旅先で工夫したこと、注意したこと、トラブル体験など
《訂正・反論》―――掲載されている記事・データの追加修正や更新、異論、反論など

※記入例「○○編20XX年度版△△ページ掲載の□□ホテルが移転していました……」

★データはできるだけ正確に。

ホテルやレストランなどの情報は、名称、住所、電話番号、アクセスなどを正確にお書きください。
ウェブサイトのURLや地図などは画像でご投稿いただくのもおすすめです。

★ご自身の体験をお寄せください。

雑誌やインターネット上の情報などの丸写しはせず、実際の体験に基づいた具体的な情報をお
待ちしています。

▶ご確認ください

※採用されたご投稿は、必ずしも該当タイトルに掲載されるわけではありません。関連他タイトルへの掲載もありえます。

※例えば「新しい市内交通バスが発売されている」など、すでに編集部で取材・調査を終えているものと同内容のご投稿をい
ただいた場合は、ご投稿を採用したとはみなされず掲載本をプレゼントできないケースがあります。

※当社は個人情報を第三者へ提供いたしません。また、ご記入いただきましたご自身の情報については、ご投稿内容の確認
や掲載本の送付などの用途以外には使用いたしません。

※ご投稿の採用の可否についてのお問い合わせはご遠慮ください。

※原稿は原文を尊重しますが、スペースなどの関係で編集部でリライトする場合があります。

旅の準備と技術

パスポート

パスポート(旅券)とは

パスポートは、国籍証明書であり国際的な身分証明書になる。モンゴルの場合、残存有効期間が6ヵ月以上あり、未使用査証欄が2ページ以上あることが入出国の条件となる。

パスポートの申請と受領方法
申請方法
住民票がある都道府県の旅券申請窓口で申請。申請から取得まで約1週間かかる(土・日曜、祝日を除く)。

パスポートの申請に必要な書類
①一般旅券発給申請書：1通

申請書は、都道府県の旅券課の窓口にある。5年用と10年用では申請書が異なる。外務省のウェブサイト(左記)からダウンロードすることも可能。

②戸籍謄本(原本)：1通(発行から6ヵ月以内)

本籍地の市区町村役場で発行されたもの。

※更新時は、有効期間内のパスポートがあり、氏名と本籍に変更がなければ不要

③住民票：1通(発行から6ヵ月以内)

住民基本台帳ネットワークに登録運用済みの自治体では原則不要。

④顔写真：1枚(申請日前6ヵ月以内に撮影されたもの)

縁なし、縦45mm×横35mm、帽子やサングラス、マスクなどを外して上半身正面(顔の大きさは32～36mm)を撮影。無背景、白黒・カラーのどちらでも可。写真裏面に記名する。

⑤身元確認の書類(コピー不可)：1～2種

マイナンバーカード(個人番号カード。通知カードは不可)、運転免許証、船員手帳を1点。これらがない場合は、A(健康保険証、年金手帳、恩給証書、後期高齢者医療被保険者証など)を2点、またはAを1点と写真付きのB(学生証、社員証、公的機関が発行した資格証明書など)を1点用意する。

⑥現在有効のパスポート

現在有効のパスポートの査証欄を増やす際(欄外参照)に必要。

受領方法
申請時に受領する旅券受理票と発給申請手数料を用意。申請手数料は、5年の場合9000円(収入印紙)と2000円(都道府県証紙)、10年の場合1万4000円(収入印紙)と2000円(都道府県証紙)となる。6ヵ月以内に、必ず本人が受領しなければならない。収入印紙・証紙は通常旅券窓口付近で購入できる。

取得できるパスポート
10年間有効の赤い表紙(申請手数料1万6000円)と、5年間有効の紺色の表紙(申請手数料1万1000円。12歳未満は6000円)の2種類。申請日に18歳未満の場合は、5年間有効のパスポートのみ取得できる。0歳でも個人のパスポートを取得しなければ渡航できない。

査証欄の増補の廃止
2023年3月27日以降、パスポートの査証欄の増補は廃止された。査証欄に余白がなくなった際は、有料で提示したパスポートと残存有効期間が同一の新しいパスポートの発給が受けられる。

パスポート申請に関する問い合わせ先
パスポートセンター
☎東京：(03) 5908-0400
☎大阪：(06) 6944-6626

外務省パスポート情報
🖥www.mofa.go.jp/mofaj/toko/passport/

パスポート紛失時の手続き
モンゴルでパスポートをなくしたり盗難に遭った場合、「パスポートを紛失したら」(→P.239)を参照。

パスポート切り替えの電子申請が可能に
パスポートの発給申請手続きが一部オンライン化された。残存有効期間が1年未満のパスポートを切り替える場合や、査証欄の余白が見開き3ページ以下になった場合、マイナポータルを通じて電子申請が可能(旅券の記載事項に変更がある場合を除く)。申請時に旅券事務所へ行く必要がなくなる。

ビザ

30日以内の滞在はビザ（査証）不要

　2024年1月現在、渡航目的にかかわらず、30日以内の短期滞在の場合、ビザ（査証）を免除される。ただし、パスポートの残存有効期間が6ヵ月以上なければならない。

　30日を超える長期滞在の場合、ビザを申請して取得する必要がある。ビザは東京と大阪にある在日モンゴル国公館に事前に申請し、受領する。申請から受領までは約3営業日で、6ヵ月までのマルチビザは1万5225円。手続きや条件は予告なしに変更される場合があるので、事前に在日モンゴル公館に確認されたい。

日本でビザを取得する手順
①モンゴルの招聘機関がモンゴルの外国人国籍庁（日本の出入国在留管理庁に該当）に「査証許可」を申請する。
②査証許可が出ると外国人国籍庁から招聘機関と駐日モンゴル国大使館に5桁の許可番号が伝えられる。
③招聘機関から申請者に5桁の許可番号が伝えられる。
④申請者は5桁の番号をもとに、在日モンゴル国公館にビザを申請する（基本は直接出向いて申請、郵送も可）。

申請に必要な書類
①残存有効期間6ヵ月以上のパスポート（旅券）
②ビザ発給申請書（「査証発給申請書」をダウンロードして記入し、縦4.5cm×横3.5cmの顔写真1枚を貼る）
③旅券（パスポート）の写し
④ビザ発給手数料納付済みを証明する証書（基本、手数料は銀行振り込み）
※査証発給済みのパスポートを郵送で返送してほしい場合は受取人の宛先を記入し書留料金の切手を貼った返信用封筒が必要（ただし郵送時の途中紛失は責任を持たない）

外国人滞在登録

　モンゴルに30日を超えて滞在する場合は、入国後1週間以内に外国人国籍庁において外国人登録を行うことが義務づけられている。申請にはパスポート、写真1枚（縦4.5cm×横3.5cm）、申請書が必要。登録時に指紋を採取される。さらに入国後14日以内に居住するホロー事務所への届け出、21日以内に外国人国籍庁への在籍証明書（学校、会社が発行）の提出も必要。帰国（出国）する際には、登録抹消手続きを行う必要がある。

在日モンゴル国公館
●**駐日モンゴル国大使館**
⊠〒150-0047東京都渋谷区神山町21-4
⊠京王井の頭線「神泉」駅から徒歩約10分、または「渋谷」駅南口から東急バス「幡谷折返所」行きで「東大裏」下車、徒歩約2分
☎(03) 3469-2179（領事部）
　(03) 3469-2195（日本語）
E tokyo@mfa.gov.mn
⊞ tokyo.embassy.mn
⊞申請 9:00～12:00
　受領14:00～17:00
⊠土・日曜、モンゴル国の祝日
●**在大阪モンゴル国総領事館**
⊠〒541-0059大阪市中央区博労町1-4-10エステート博労町ビル3階301、303号室
☎(06) 4963-2572
E osaka@mfa.gov.mn
⊞申請 9:00～12:00
　受領14:00～17:00
⊠土・日曜、モンゴル国の祝日
※札幌、新潟、富山、名古屋、徳島、福岡にモンゴル国名誉領事館があるが、ビザの申請と受領は不可。モンゴルの旧正月は毎年日付が変わるので、事前に確認しておくとよい

外国人国籍庁
⊞ 折込裏-A3外
⊞ Buyant-Ukhaa, 10th Khoroo, Khan-Uul District
⊠M3番バスなどで、ボヤント・オハースポーツ複合施設
Буянт-Ухаа спорт цогцолбор下車
☎18001882　E visasection@immigration.gov.mn ⊞ immigration.gov.mn
⊞8:00～16:30　⊠土・日曜

国境地帯入域許可証
　外国人が通過できる国境以外の国境周辺の環境保護地域に入る際には、「国境地帯入域許可証」が必要。国境周辺でチェックが行われ、許可証を携帯していないと一時的な勾留など足止めをされてしまうこともある。現地の旅行会社などで事前に手続きをする。申請後3～4日で発行される。

旅の情報収集

　旅に出る前に少しでも現地のことを知っておくと旅の深さが変わってくる。ウェブサイトを検索すれば、日本にいながらにして多くの情報が手に入る。モンゴル好きの集まるモンゴル料理屋で貴重な情報が聞けることも。現地では日本料理店などに旬の情報が集まる。

日本で情報を得る

協会・団体・資料館など

●公益社団法人日本モンゴル協会
🏠 東京都新宿区戸山1-24-1早稲田大学文学学術院　📧 info@mongol-kyokai.or.jp
🌐 www.mongol-kyokai.or.jp

　日本とモンゴルの友好親善と文化交流を目的に1964年に創立。機関誌『日本とモンゴル』を年2回発行。

●日本交通公社　旅の図書館
🏠 東京都港区南青山2-7-29日本交通公社ビル
☎ (03) 5770-8380　🌐 www.jtb.or.jp/library
🕐 10:30〜17:00　休 土・日曜、毎月第4水曜、年末年始、その他

　観光の研究や実務に役立つ専門図書館。地図やパンフレット等の配布はなく、旅行の相談や問い合わせも不可だが、資料の閲覧やコピー（有料）は可能。

●日本アルタイクラブ (→P.208)

モンゴルの旅を扱う日本の旅行会社

●株式会社ユーラシア旅行社
🏠 東京都千代田区平河町2-7-4砂防会館別館4階　☎ (03) 3265-1691　🌐 www.eurasia.co.jp

●株式会社エムジェイツアーズ
🏠 東京都渋谷区東2-26-16渋谷HANAビル2階
☎ (03) 3486-7351　📧 mjt-tyo@mvj.biglobe.ne.jp　🌐 www.mongol.co.jp

●株式会社エリアトラベル（たびびとのたまご）
🏠 東京都中央区日本橋浜町3-35-5オフィス30 3階　☎ (03) 5695-7605　📧 contact@tabitamago.jp　🌐 www.tabitamago.jp（問い合わせフォームあり）

●株式会社風の旅行社【東京本社】
🏠 東京都中野区中野4-7-1 野口ビル6F

☎ (03) 3228-5173　📧 info@kaze-travel.co.jp
🌐 www.kaze-travel.co.jp

●株式会社風の旅行社【大阪支店】
🏠 大阪府大阪市中央区南船場2-10-27 EQUUS心斎橋804　☎ (06) 6195-8043
📧 info@kaze-travel.co.jp

●株式会社フリーバード
🏠 東京都武蔵野市吉祥寺北町3-8-28
☎ 050-5848-4596　📧 info@freebird-mongol.jp
🌐 www.freebird-mongol.jp

モンゴルで情報を得る

●ウランバートルツーリストインフォメーションセンター (MAP P.41-C3)
🏠 ウランバートル中央郵便局内
☎ 70108687　📧 mail@tourism.ub.gov.mn
🌐 www.tourism.ub.gov.mn　🕐 8:00〜16:00

　ウランバートルの紹介のほか、モンゴル全土の旅の情報をカバーする。

●モンゴル日本人材開発センター (MAP P.41-C2)
🏠 Mongolia-Japan Center Bld. モンゴル国立大学第二校舎西側　🌐 www.japan-center.edu.mn

　モンゴルの市場経済化促進に貢献する人材の育成などを目的に、日本のODAにより建設された。図書室もある。

※モンゴルの旅行会社 (→P.230) でも情報が得られる

フリーペーパー・冊子など

●JICA モンゴル観光パンフレット
🌐 www.jica.go.jp/Resource/mongolia/office/activities/visitor_guide/ku57pq00003uyv7a-att/booklet_jp.pdf

　写真付きで観光地や基本情報を紹介。ウェ

ブサイトからもダウンロード可能。

●UB Style
URL www.ub-style.jp

ウランバートルの最新情報を年1回発行。

●コンバイノー
モンゴルのリアルタイムを年1回発行。

●週刊デファクトガゼット新聞
URL jargaldefacto.com

モンゴルの経済学者でエッセイストのジャルガルサイハン氏が発行。現代モンゴルの最新情報を日本語でも発信。

●モンゴル通信週刊紙
URL www.montsame.mn/jp

国営モンツァメ通信社が発行する週刊紙。政治、経済、文化などの最新記事を提供。

※上記の冊子類は成田空港のMIATモンゴル空港カウンターや現地のHISウランバートル支店、日系ホテル、日本料理店などでも入手可能。また、チンギス・ハーン空港内のツーリスト・インフォメーションセンターでも地図やパンフレットが入手可能

●モンゴルウォーカー
URL www.mongoliawalker.com

モンゴルに関する幅広いトピックに焦点を当てた電子版マガジン。旅行情報も充実。

モンゴルを知るための情報サイト

●在モンゴル日本国大使館
URL www.mn.emb-japan.go.jp

モンゴルでの医療・安全情報などが充実。

●外務省「各国・地域情勢」
URL www.mofa.go.jp/mofaj/area/mongolia/

現地の基礎データや最新情勢など。

●外務省「海外安全ホームページ」
URL www.anzen.mofa.go.jp

現地安全情報、渡航情報など。

●モンゴル国統計局
URL en.nso.mn

モンゴルの統計データ、ニュース。

●「地球の歩き方」ホームページ
URL www.arukikata.co.jp

「地球の歩き方」公式サイト。ガイドブックの更新情報や、海外在住特派員の現地最新ネタ、ホテル予約など旅の準備に役立つコン

テンツ満載。

●モンゴル情報局　しゃがぁ
URL www.shagaa.com

モンゴル総合サイト。季刊誌『しゃがぁ』のバックナンバー、イベント情報など。カザフについてはカザフ情報局KECTEに掲載。

●モンゴル情報クローズアップ
URL mongol.blog.jp

通称モンゴルなう。モンゴルの文化、ビジネス、投資、観光、最新話題など幅広い情報。

●モンゴル旅行情報
URL mongol-info.com

旅のお役立ち情報やモンゴルの魅力など。

●モンゴルと日本の架け橋
URL mongoliajapan.net

日本在住のモンゴル人がモンゴルを身近に感じられる魅力を紹介。

●馬頭琴奏者　嵯峨治彦オフィシャルサイト
URL sagaharuhiko.com

馬頭琴・喉歌（ホーミー）奏者、嵯峨治彦のライブやアルバム情報などを掲載。

●東京外国語大学言語モジュール〈モンゴル語〉
URL www.coelang.tufs.ac.jp/mt/mn

実際の会話を音声を確認しながら学べる。

●MINISTRY OF ENVIRONMENT AND TOURISM
URL www.mongolia.travel

モンゴル政府観光局のサイト（英語）。

●モンゴル田舎暮らし。（YouTube）
URL www.youtube.com/channel/UC5mgQo_Qm_RyFIpAm4Y4sHQ

現地での生活や遊牧民の暮らしなどを紹介。モンゴル旅行の気分を味わえる。

●MJチャンネル（YouTube）
URL www.youtube.com/channel/UCoKT0lJQokt6ZnuV6IbN8qg

日本語堪能なモンゴル人がおすすめの観光地やお役立ち情報を発信。

●楽しいモンゴル語講座（YouTube）
URL www.youtube.com/channel/UCoWfxAShXNh7mwFnNVZ008w

基本から丁寧に学べるモンゴル語講座。

●ShoMonz CHANNEL（YouTube）
URL www.youtube.com/c/ShoMonzCHANNEL

日本人とモンゴル人の国際結婚夫婦によるモンゴル語講座。

モンゴルを深く知るための書籍

『蒼き狼』井上靖著 文藝春秋新社 1960年

『モンゴル紀行 街道をゆく5』
司馬遼太郎著 朝日新聞社 1978年

『モンゴルの馬と遊牧民—大草原の生活誌』
野沢延行著 原書房 1991年

『騎馬民族の心 モンゴルの草原から』
鯉渕信一著 NHKブックス 1992年

『モンゴル風物誌 ことわざに文化を読む』
小長谷有紀著 東京書籍 1992年

『獣医さんのモンゴル騎行』
野沢延行著 山と溪谷社 1994年

『モンゴルの民話』
松田忠徳訳・編 恒文社 1994年

『チンギス・ハーンの末裔—現代中国を生きた
王女スチンカンル』
楊海英・新間聡著 草思社 1995年

『モンゴルの神話・伝説』
原山煌著 東方書店 1995年

『草の海 モンゴル奥地への旅』
椎名誠著 集英社 1995年

『草原の記』司馬遼太郎著 新潮社 1995年

『モンゴル草原の生活世界』
小長谷有紀著 朝日選書 1996年

『元朝秘史(上・下)』
小澤重男訳 岩波文庫 1997年

『モンゴルの白いご馳走——大草原の贈りも
の「酸乳」の秘密』
石毛直道編著 チクマ秀版社 1997年

『モンゴル(暮らしがわかるアジア読本)』
小長谷有紀著 河出書房新社 1997年

『図説モンゴル歴史紀行』
松川節著 河出書房新社 1998年

『世界史の誕生——モンゴルの発展と伝統』
岡田英弘著 ちくま文庫 1999年

『星の草原に帰らん』バルダンギン ツェベクマ
著 NHK出版 1999年

『モンゴルを知るための60章』
金岡秀郎著 明石書店 2000年

『モンゴル野球青春記』
関根淳著 太田出版 2000年

『世界史を変貌させたモンゴル』
杉山正明著 角川書店 2000年

『モンゴル——草原の国を好きになる』
トラベルジャーナル 2001年

『草原と馬とモンゴル人』
楊海英著 NHKブックス 2001年

『ノモンハンの夏』半藤一利著 文藝春秋 1998年

『風切る翼』
木村裕一・黒田征太郎著 講談社 2002年

『モンゴルの二十世紀』
小長谷有紀著 中央公論新社 2004年

『ノモンハン戦争 モンゴルと満洲国』
田中克彦著 岩波新書 2009年

『現代モンゴル遊牧民の民族誌—ポスト社会
主義を生きる』
風戸真理著 世界思想社 2009年

『私が牧童だったころ』
フフバートル著 インターブックス 2000年

『世界を創った男 チンギス・ハン 上、中、下』
堺屋太一著 日本経済新聞出版社 2011年

『回想のモンゴル』
梅棹忠夫著 中央公論新社 2011年

『エルヒー・メルゲンと七つの太陽』
Ya.バダムハンド・塩谷茂樹編訳 春風社 2012年

『現代モンゴルを知るための50章』
小長谷有紀・前川愛編著 明石書店 2014年

『草原の国から モンゴルの九九〇日』
森川郁子著 北斗書房 2014年

『「スーホの白い馬」の真実 モンゴル・中国・日
本それぞれの姿』
ミンガド・ボラグ著 風響社 2016年

『大学生が見た素顔のモンゴル』
島村一平著 サンライズ出版 2017年

『中央アジア・遊牧民の手仕事 カザフ刺繍:
伝統の文様と作り方』廣田千恵子・カブディル
アイナグル著 誠文堂新光社 2019年

『現地取材! 世界のくらし(4) モンゴル』
関根淳著 ポプラ社 2020年

『遊牧の人類史 構造とその起源』
松原正毅著 岩波書店 2021年

『まんぷくモンゴル! 公邸料理人、大草原で肉を
食う』鈴木裕子著 産業編集センター 2023年

『命の嘆願書 モンゴル・シベリア抑留日本人
の知られざる物語を追って』
井手裕彦著 集広舎 2023年

モンゴルの気候と旅の持ち物

モンゴルの季節と準備

春 (ハワル／ Хавар) 5～6月

春は目まぐるしく天候が変わり、突然の吹雪や砂嵐、雨交じりの雪が降ることもある。1日のなかで急激に気温が変化することもあり、日本の春のような過ごしやすい季節ではない。この時季のモンゴルはあまり旅行に適さない。

夏 (ゾン／ Зун) 7～8月

モンゴル旅行のベストシーズン。地域によって最高気温が35℃近くになることもあるが、湿気は低く日陰は涼しく感じられ過ごしやすい。一方、朝晩は10℃近くまで冷え込む。日中でも突然の雨で気温が急激に下がることもある。

秋 (ナマル／ Намар) 9～10月

天候は安定しているが、9月に入ると気温が下がり、雪がちらつき始める。道路や歩道に降った雪が解けずに凍ってしまうため、転倒しないように気をつけたい。朝晩は氷点下まで冷え込むこともあるので、日本の真冬のような防寒対策が必要。都市部のホテルではセントラルヒーティングが入るので、常に室内は暖かく、半袖で過ごせる。

冬 (ウブル／ Өвөл) 11～4月

最も寒さが厳しいのは、12月末～ 2月頃。平均最低気温は－30℃近く、日中でも－20℃前後までしか上がらない。気候は比較的安定し、意外にしのぎやすい。川や湖が凍るため、スケート場があちこちに造られるほか、犬ゾリやスキーなどウインタースポーツも楽しめる。

冬の防寒対策

頭からつま先まで完全な防寒対策が必須。しっかり防寒できるロング丈のコート、耳まで隠れる帽子、口元まで覆う長いマフラー、風を通さない手袋などで寒さ対策を。ニット帽だけでなく、ほおを保護できるフード付きの厚手のコートがおすすめ。厚手の靴下やスパッツ、靴底が厚めで滑りにくく、裏ボア付きのスノーブーツがおすすめだ。

注意しなければならないのは、外気温との差だ。セントラルヒーティングで室内は暖かく、外気温との差が50℃になることもある。室内で厚着して汗をかいたあとに外へ出ると、たちまち冷えてしまう。脱ぎ着できるものがいい。

旅の持ち物

●常備薬
気温の差が大きいので、万一のために風邪薬、解熱剤は準備しておこう。地方のゲルに滞在する場合、慣れない乳製品や脂の多い羊肉で消化不良を起こす場合がある。野菜が少なく、肉に偏るので便秘を引き起こすことも。下痢止め、整腸剤、便秘薬、胃腸薬は必需品だ。野菜不足の対策にサプリもよい。

●調味料
料理は香辛料を使わず塩だけのシンプルな味つけが多い。肉の臭みが気になる人は、日本から調味料などを持っていくとよい。

●日焼け・乾燥対策グッズ
草原やゴビ砂漠などは日差しを遮るものがない。帽子やサングラス、日焼け止め、マスク、リップクリーム、保湿クリームを用意するとよい。

●懐中電灯、ヘッドライト
ゲル宿泊時に必須。通電しない時間帯があるエリアもある。トイレはたいがい外にあるので、登山用のヘッドライトが便利。両手が空いて慣れない場所でも行動しやすい。

●日本のインスタント食品
食事は羊肉や牛肉がメインになる。日本茶、梅干し、インスタントの味噌汁など、普段から口にしているものがあると体も心もホッとする。現地購入できるのは韓国製の辛いものが多い。

そのほかの冬の対策
靴下を2枚履くことを考えて、靴のサイズには少し余裕をもつとよい。肌に触れる肌着や靴下は、化繊やウールなど乾きやすい素材がよい。綿素材だと汗をかいた所から冷えてしまう。凍傷にならないよう、耳当てなどで必ず耳を保護するように。日本で準備できない防寒アイテムは、現地の市場などで調達できる。

冬は暖房で乾燥しているうえ、大気汚染も激しいので、マスクなどで対策をすること。熱中症、脱水症状、心筋梗塞、腎臓結石など、気候事情を知らない外国人が発症するケースが多い。

持ち物チェックリスト

	品　名	必要度	現地にある	備　考
貴重品	パスポート	◎	×	紛失に備え、コピーを持っていくとよい
	現金（日本円）	◎	×	少し余裕をもって
	航空券(eチケットの控え)	◎	○	名前がパスポートと同じスペルかどうか確認のこと
	海外旅行保険証	◎	×	いざというときの大きな味方
	クレジットカード	○	×	カードによっては現地通貨のキャッシングも可能
	身分証明書	○	×	パスポート紛失時は戸籍謄本（原本）が必要
	緊急時連絡先メモ	○	×	パスポートやカードの番号を控えておこう
衣類	シャツ	◎	○	Tシャツ（長袖も必要）など2～3枚
	下着、靴下	◎	○	必要最低限を
	防寒着(薄手のフリースやダウン)	◎	○	夏でも夜は相当冷え込む
	水着	○	△	温泉に入るなら
	帽子	◎	○	日焼け予防のため
	手袋	○	○	冬行く人は必須。乗馬をする人は軍手を
医薬品・雑貨・その他	洗面用具	◎	○	石鹸、タオル、ヒゲソリなども忘れずに
	洗濯用具	○	○	洗剤、干しひもなど。ひもはいろいろと役立つ
	化粧品	◎	○	乾燥しているのでスキンケア用は必須
	医薬品類	◎	△	日本の薬は手に入りにくい。サプリメントもよい(→P.236)
	生理用品	○	○	デパートやキオスクなどで売っている
	ティッシュ、トイレットペーパー	○	○	トイレットペーパーのないトイレが多い
	ウェットティッシュ	○	○	水場のないゲル泊のとき手や体が拭ける
	蚊取り線香、虫よけ	○	○	草原、湖、川付近にはブヨや蚊がいっぱい
	日焼け・乾燥対策グッズ	◎	○	ローション、リップクリームは必須
	サングラス	○	○	紫外線対策や春の砂嵐に備えて
	万能ナイフ	○	○	機内には持ち込めないので注意を
	日本食、調味料	○	△	肉中心の食事は胃が疲れる。病気用にも
	コップ、箸	○	○	列車やゲルではあると便利
	ビーチサンダル	○	○	シャワーを浴びるときに便利
	レジ袋（大小）	○	○	一般の店で買い物をするには必要
	懐中電灯、ヘッドライト	◎	○	停電の多いモンゴル、特にゲルでは必需品
	雨具	○	○	傘より、防寒具に代用できるものがよい
	ライター、マッチ	○	○	ゲルの中のストーブをつけるのに必要
	寝袋	○	○	ゲルに泊まる人はあったほうがよい
	使い捨てカイロ	○	×	余ったらプレゼントにしても喜ばれる
	スマートフォン	◎	―	現地での使用については事前に確認を
	カメラ、記録用メディア	○	○	砂ぼこりや振動に注意
	デジタル機器の充電器	◎	×	220V対応のものか確認を。変換プラグも忘れずに
	電卓	○	○	支払いの際、電卓で表示すると速いし、スムーズ
	顔写真	◎	○	パスポート用と同サイズのもの3～5枚
	筆記用具	○	○	なくしやすいので数本
	裁縫道具	○	△	小型携帯用のものを
	手みやげ	○	×	嗜好品など日本製のものが喜ばれる
	鍵	○	○	荷物以外にも部屋、ゲルの鍵として
本類	辞書、会話集など	○	○	一般的にモンゴル語しか通じない
	ガイドブック類	◎	×	『地球の歩き方』など
	日記帳、ノート	○	○	旅の記録、思い出に

〔必要度〕◎：必需品　○：あると便利なもの、特定の人に必要なもの
〔現地にある〕○：現地で買えるもの　△：現地にあまりないもの　×：現地で購入できないもの

通貨と両替

　モンゴルの通貨単位はトゥグリグ（Tg）。2024年2月1日現在、為替レートは100Tgは約4.28円。100円は約2334Tg。

　トゥグリグ（Tg）は紙幣で、1、5、10、20、50、100、500、1000、5000、1万、2万の11種類。

モンゴルでの両替

　チンギス・ハーン国際空港内や町なかの銀行、両替所、ホテルなどで日本円紙幣から現地通貨のトゥグリグへ両替できる。小額紙幣の両替はレートが悪い場合が多く、両替所によって多少レートの違いがある。ホテル、銀行、両替所の順にレートがよくなる。両替時はパスポートの提示を求められることがある。地方にも銀行はあるが、念のためウランバートルで両替しておいたほうが安全。地方の町なかを離れると現金しか使えない所が多い。旅程を考えて両替額を決めよう。

クレジットカード

　都市部では多くの場所で利用できるが、地方では使えない所も多い。通用度はVisa、Mastercard、JCBの順。海外キャッシング、海外旅行保険付帯、空港のラウンジが無料で利用できるなどの特典もある。ICカード（ICチップ付きのクレジットカード）で支払う際は、サインではなくPIN（暗証番号）が必要。日本出発前にカード発行金融機関に確認しておこう。

デビットカード

　使用方法はクレジットカードと同じだが支払いは後払いではなく、発行金融機関の預金口座から即時引き落としが原則となる。口座残高以上に使えないので予算管理をしやすい。加えて、現地ATMから現地通貨を引き出すこともできる。

海外専用プリペイドカード

　外貨両替の手間や不安を解消してくれる便利なカードのひとつで、カード作成時に審査がない。出発前にコンビニATMなどで円をチャージ（入金）し、入金した残高の範囲内で渡航先のATMで現地通貨の引き出しやショッピングが可能。各種手数料がかかるが、使い過ぎや多額の現金を持ち歩く不安もない。

ATMキャッシング

　「VISA」「PLUS」マークのあるATMからクレジットカードを使って現地通貨の現金を引き出せる。所定の利息が加算されるが、レートは現金を両替した場合とほぼ変わらない。

硬貨は流通していない

　硬貨は20、50、100、200、500の5種類がある。長期的なインフレのため、補助通貨単位のムング（Mg、1Tg＝100Mg）や1、5Tg紙幣および硬貨はほとんど流通していない。

銀行や両替所の窓口の営業時間

　営業時間は各店さまざまだが、基本的に月～金曜の9:00～18:00。場所によっては土・日曜も営業している。

両替時の注意

　両替した紙幣を受け取ったら、計算違いがないか必ずその場で確認しよう。著しく汚れている紙幣は使うと受け取りを拒否されることがあるので注意。モンゴルはモンゴル通貨の国外持ち出しを原則禁止している。

両替所はどこにある？

　ブンブグル・ショッピングセンター近く（MAP P.40-A2）に両替所が集まっている。店舗の看板にレートが提示されていて、店舗によってレートが多少異なる。確認してから両替しよう。ノラワーセンターの近く（MAP P.40-B2）にも両替所がある。

海外専用プリペイドカードの種類

●アプラス発行
「MoneyT Global マネーティーグローバル」
MAP www.aplus.co.jp/prepaidcard/moneytg

●トラベレックスジャパン発行
「Travelex Money Card トラベレックスマネーカード」
MAP www.travelex.co.jp/travel-money-card

クレジットカードをなくしたら

　大至急カード発行金融機関に連絡し、無効化すること。万一の場合に備え、カード裏面の発行金融機関、緊急連絡先を控えておこう。現地警察に届け出て紛失・盗難届出証明書を発行してもらっておくと、帰国後の再発行の手続きがスムーズ。

旅のルートと予算

交通手段

主要交通機関は、飛行機、鉄道、長距離バス、車のチャーターなどになる。モンゴルの長距離バスや鉄道の利用は、時間はかかるが、料金はほかの物価に比べて安い。

飛行機、鉄道、長距離バスを利用する場合でも、最終的な観光スポットまで行ける公共交通機関はほとんどないので、車のチャーターがおもな交通手段になる。ウランバートル(UB)の旅行会社やゲストハウスでツアーや車のチャーターを申し込むのが現実的。未舗装の道も多いので、天候によってはスタックすることもある。時間には余裕をもち、食料と飲料水を十分持っていくことをすすめる。少し高くついても、四輪駆動車をチャーターをするほうが安心。

●車のチャーター

1日当たりのチャーター代は車種とドライバーの技量により、決定する。セダンの場合はUS$60/日くらい、ジープや四駆はUS$90/日くらい。ガソリン代は実費を別に支払う場合が多い。モンゴルでは観光名所の距離が長かったり、未舗装の道でスピードが出せなかったりして、宿泊をともなう長い旅程になることが多い。当然ドライバーの食事代や宿泊代もかかる。チャーター代に含まれているのか、実費で支払うのか、事前に確認しておこう。ガソリン価格は日本並み。

ゲストハウスで相談してみよう

ゲストハウスでも独自のツアーのほか、個人の目的に合わせてツアーをアレンジしてくれる。列車・バス・催しなどのチケット、通訳ガイド、ドライバーの手配などもしてくれるので、積極的に活用しよう。

旅のプラン作り

モンゴルの旅は目的によって大きく変わる。遊牧民の暮らし体験、ゴビ砂漠の降るような星夜体験、夏の祭典ナーダム見物など目的に合わせてツアーを探すか、オーダーメイドで組み立てる必要がある。

日本のように交通網が発達しているわけではないので、完全な個人旅行は難しい。ましてやモンゴル語を話せないならば、なおさらだ。限られた時間でポイントを効率よく回るにはパッケージツアーがベスト。モンゴルまでの往復航空券とホテル代だけが含まれるものから、日本から添乗員が付くものまでその内容はさまざまある。また、モンゴルの旅行会社やゲストハウスでもツアーを企画しているし、個人の目的に合わせてアレンジしてくれる。

大地をただひたすら走る長い道中、ランチ場所をセッティング

モデルルート紹介

モデルルート1：思いきり乗馬を楽しむ3日間の旅

●ウランバートル(以下UBと略)～草原(テレルジなどの草原)で乗馬～UB市内観光

乗馬目的のプラン。どこで乗馬をするかで日数は決まる。テレルジであればUBから約70kmなので、日帰り

モデルルート1

も可能。リゾート型のツーリストキャンプもあるので、ゆっくり滞在するのもいい。モンゴルを初めて訪れる人は、旧都カラコルム(現ハラホリン)往復を加えるとよいだろう。UB～ハラホリンは、車のチャーターなら1泊2日が必要。外国人用パッケージツアーはツーリストキャンプ宿泊で3食ともツアー代金に含まれるケースが多い。

モデルルート2：ゴビ砂漠に触れる7日間の旅

●UB～南ゴビ(ボルガン～モルツォグ砂丘～ヨリーン・アム渓谷)～ダランザドガド～UB

南ゴビは最も早く外国人観光客を受け入れた地域。一般的にはツアーに参加し、ツーリストキャンプに宿泊して名所を回る。現地で乗馬や乗ラクダもオプションとして追加が可能。UB ～南ゴビ、UB

〜ダランザダガド
は、航空機利用の
ほか、UBからす
べてを車で回る5
〜6泊のツアーな
どをゲストハウス
が催行している。

モデルルート2

モデルルート3：山岳湖沼を味わう7日間の旅
●（その1）モンゴル帝国の首都跡と温泉の旅
UB〜ハラホリン〜ツェンヘル温泉〜ツェツェルレグ〜UB

　モンゴル中央のハンガイ山脈の美しい湖沼やハラホリンで
モンゴル帝国の都跡を見てから草原の温泉につかる旅。途中、
遊牧民のゲルに寄って子供たちと遊ぶのもよい。舗装道路が
半分を占める。
帰りはツェツェ
ルレグからUB
まで1日で戻れ
る。時間があれ
ば、テルヒー
ン・ツァガーン
湖まで足を延ば
してもよい。

モデルルート3 その1

●（その2）"モンゴルのスイス"フブスグル湖の旅
UB〜ムルン〜ハトガル（フブスグル湖）〜ムルン〜UB

　針葉樹林に囲まれたフブスグル湖と山岳地帯を楽しむ旅。
フブスグル湖は水清く、ツーリストキャンプも多い。また、
ツァガーン・ノール村周辺に住む、ツァータンを訪れるツ
アーもある。初心者が簡単に行ける場所ではないため、専門
の旅行会社に相
談するとよいだ
ろう（→P.198、
230）。冬季は湖
が凍って車で通
れるので、ルー
トが変わる。

モデルルート3 その2

●（その3）世界遺産のオブス・ノール盆地とカザフ族訪問の旅
UB〜ウル
ギー〜オブ
ス・ノール盆
地〜オラーン
ゴム〜UB
　モンゴルで最
初に世界遺産に

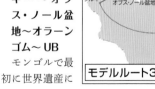

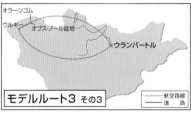

モデルルート3 その3

ツアーの利点
①現地での宿泊の手配、交通
機関のチケットの入手、現地
旅行会社との交渉などが不要。
②ツアーガイドもしくは通訳
が付くため、言語の心配がい
らず、質問をしたり、現地へ
の理解も深くなったりする。
③ひとり参加でもほかの参加
者と行動するため、さびしい
思いをしない。何より安心感
を得られる。
④短い旅行期間でも効率よく
観光できる。

ツアー料金
　ツアーにもよるが、宿泊
代、ガソリン代、食事代込み
で、US$100/日くらい。参
加人数が増えれば、それだけ
ひとり当たりの料金は安くな
る。ゲストハウスなどで同行
者を募ると安くあがる。

宿泊の種類
　UBには高級ホテルからゲ
ストハウスまで種類も数も多
いが、地方には経済的ホテル
もあまりない。有名観光地や
景勝地にはゲルを利用した
ツーリストキャンプがある。
ゲルキャンプともいわれるゲ
ストハウスタイプから、高級
なリゾートタイプまでさまざ
ま。営業期間は夏のハイシー
ズンのみか、季節外れはゲル
の数が大幅に減る所が多い。
たいてい3食付き。ガイドが
同行する旅の場合は、食材を
持参して調理してくれること
もある。辺鄙（へんぴ）な地
方に行く場合は、遊牧民のゲ
ルに泊めてもらうか、テント
泊になる。得がたい経験だ。

旅の食事
　大きな町ならレストランや
ゴアンズ（食堂）があるが、
町から遠く離れた宿泊地の場
合は宿泊先に頼んで食事を
作ってもらうか（有料）、自炊
するしかない。食材はザハ
（市場）やスーパーで購入で
きる。羊をさばいてくれるこ
ともあるだろう。地方の旅で
はどうしても羊肉が多く、野
菜が少なくなる。胃が心配な
人は胃薬やサプリメントなど
を用意するとよい。

宿泊地での食事用に食材を購入

モンゴル西部を旅するなら

地元の若者が企画運営する「ホブド地元学ツアー」(→P.89) に参加するのもおすすめ。モンゴル西部を中心に毎年行き先が変わり、地元の暮らしにどっぷりつかれる。

旅の予算

①豪華快適な旅

UBで一流ホテルに宿泊すると、1部屋US$150〜。地方のリゾート型ツーリストキャンプに宿泊すると、最低でもUS$100 (朝食付き) は見ておいたほうがよい。ツーリストキャンプには3食付きのところもある。食事はホテルのレストランが最も高くつく。町なかの高級レストランは、US$30〜50と日本とあまり変わらない。このタイプの予算は、1日US$300〜400。

②スタンダードな旅

旅は快適にしたいがお金をあまりかけたくない人は、できるかぎり長距離バスやミニバス、鉄道を利用して、現地に着いてから、宿泊先のホテルやツーリストキャンプが企画しているツアーに参加したり、車をチャーターしたりして、観光することもできる。宿泊先によってはバス停や駅まで迎えに来てくれる。ホテル代はUS$80くらい。食事は町なかのゴアンズ (食堂) などを利用して、1食US$5〜10。お金が足りなくなれば節約し、自分で費用を調整できる。

③安さを追求する旅

バックパッカー向き。鉄道や長距離バスを利用し、現地では徒歩やヒッチハイクなど。モンゴル語がかなりできないと旅を続けることは難しい。宿泊は、ゲストハウスや経済的ホテル (朝食付き) でUS$6〜10/日) を探し、遊牧民のゲルに泊まることも (3食付でUS$10〜20/日)。食料はザハ (市場) やスーパーで購入し、自炊を原則とするので、1日の食費はUS$10くらいに抑えられる。昨今の物価高で日本より高くつく場合もある。

※旅の途中で何があるかわからない。予備費として少し多めに予算を見ておこう

現金の持ち合わせ

町なかから離れた観光地への旅はクレジットカードが使えないことも多い。現金を多めに持って行くとベター。

登録されたオブス・ノール盆地とカザフ族を訪ねる旅。モンゴル北西部は山岳地帯でイスラム教徒のカザフ族が多く住む。UB〜ウルギーは飛行機で、ウルギーからジープをチャーターすれば6泊7日でオブス・ノール盆地とカザフ族を訪問することが可能。帰路はオラーンゴムから飛行機利用。

モデルルート4：モンゴルの歴史をたどる7日間の旅

● **(その1) チンギス・ハーン関連の史跡を巡る旅**
　　UB〜ビンデル〜ダダル〜チョイバルサン〜 UB

チンギス・ハーン生誕伝説のあるオノン川流域やフン時代の遺跡を訪れる。UB〜チョイバルサンは飛行機や長距離バスを利用。そこから先のビンデル、ダダルまでは、車をチャーターする。ウンドゥルハーン付近までは道路が舗装され、チョイバルサン〜UBは1日で戻ることができる。

● **(その2) 世界遺産、オルホン渓谷の文化的景観の歴史的文化財を巡る旅**
　　UB〜ハラホリン〜ツェツェルレグ〜オルホン川流域 (ハル・バルガス遺跡など) 〜UB

ハラホリンを中心に、周辺のオルホン川流域を回る。移動手段は車のチャーターしかない。道は悪く、草原のなかにたたずむ遺跡を目指すので、周辺地理に詳しい地元出身、経験豊かなドライバーがいないとなかなか見どころに着けない。

● **(その3) ノモンハン事件の戦場跡を訪ねる旅**
　　UB〜チョイバルサン〜ハルハゴル (ノモンハン事件の戦場跡) 〜チョイバルサン〜 UB

日本とモンゴルの関係で忘れてはならないノモンハン事件 (モンゴルでの呼び名はハルハ河戦争) の戦場を訪れる。チョイバルサンから草原の轍を四輪駆動車で走るが、あまり凸凹もなく距離を稼げる。国境の近くなので事前に国境地帯入域許可証を申請しておくこと。検問所でパスポートと許可証を提示する (→P.197)。

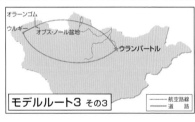

モンゴルの山々と登山

　モンゴルのおもな山域は、アルタイ山脈、ハンガイ山脈のふたつの山脈と、ハルヒラー山地、ヘンティ山地、フブスグル湖周辺の山地などに分けられる。

モンゴルアルタイ山脈

　西端のバヤンウルギー県から、東のホブド県、ゴビアルタイ県の3県にまたがる東西約600kmの長大な山脈。3000〜4000m峰が連なる。モンゴル、ロシア、中国の国境が交わるタバン・ボグド山地には最高峰のフイテン峰をはじめ、氷河を頂く4000m峰があり、氷壁登攀や山岳スキーも行われる。

ツァストツァンバガラブ山地

　モンゴルアルタイ山脈から東に少し外れたバヤンウルギー県とホブド県の境界付近に位置する。標高4000m級の山々が約3kmにわたり広がり、北西部のツァスト山と東南部のツァンバガラブ山からなる。

ソタイ山

　別名ツァストボグド・オーラ(雪をもてる聖山)と呼ばれ、天に一番近い所として神聖視される。独立峰で、4090mの頂上は万年雪に覆われている。

ゴビアルタイ山脈

　モンゴルアルタイ山脈に続く東半分。バヤンホンゴル、ウブルハンガイ、南(ウムヌ)ゴビの3つの県にまたがる。最東端はゴビの砂漠の中に消えている。最高峰はバヤンホンゴル県にあるイフボグド山(3957m)で、東にはバガボグド山(3590m)がある。

ハンガイ山脈

　モンゴルの中央部に位置し、雨量が多いため森林が発達し、植物も豊富。最高峰はザブハン県のオトゴンテンゲル山(4021m)。別名「白い鳥の山」とも呼ばれ、モンゴルの聖山として有名。日本人にとっての富士山のような存在である。

ヘンティ山地

　2000m級の山々が連なる山域で、タイガの針葉樹林帯の上に大石の積み重なったような稜線が続く。主峰のアスラットハイルハン(2800m)はテンゲル信仰の名山として知られ、山頂にはハダグ(絹の布)やオボーがいくつもある。

モンゴル人にとっての山の存在

　山は信仰の対象にもなっており、ボグドオール(聖山)、イフボグド(大聖地)など、尊さを意味する山名も多い。これはモンゴル人の精神世界を表しており、テンゲル、つまり天を敬うことが重要であり、天に連なるものとして山や石積みのオボーがある。

　また、遊牧民共通の宗教形態であるシャーマニズムから、天、山、湖などを尊ぶ。外国人の登山によって山が汚されたから、異常気象や家畜の病気が発生したのではないかと考えることもある。事前に地元の遊牧民からモンゴルのスタッフ経由で登山の了解を取っておくことが大事だ。登山中は自然を汚さないように十分に気を配り、頂上のオボーを崩したり、青いハダグ(絹の布)などを持ち帰ったりしないように。

体力に見合った登山を

　登山やトレッキングは自身の体力に見合った場所を選ぶことが大切。事前に現地の情報を入手すること。

●外務省海外安全情報
「海外における登山、トレッキングに関する注意」
www.anzen.mofa.go.jp/c_info/oshirase_tozan.html

登山に適した季節

　未舗装の道も多く、まとまった雨のあとは車がスタックすることもある。山に近い所では橋もなく、アプローチに苦労をすることが多い。温暖化の影響で雨や雹に見舞われることも多くなった。登山のベストシーズンは、雨が少なくなった8月中旬〜10月初旬。高山植物の一斉開花を楽しみたい人は、6月末〜7月中旬がおすすめ。

持参したい装備

　昼夜の気温差が大きく、山間部などでは急に雨が降ったり気温が下がったりする。ゴアテックス素材の雨具、ヤッケ類、薄手のセーター、帽子、手袋を用意したい。3シーズン用のシュラフを持参すると心強い。使い捨てのカイロも役に立つ。

モンゴル登山の情報収集
　モンゴル山岳会の日本支部（日本アルタイクラブ）があり、登山、トレッキング等の情報提供をしている。モンゴル山岳会作成のおもな山の地図、ルート図、写真があり、日本隊の情報も整理されている。
●日本アルタイクラブ
住〒487-0033愛知県春日井市岩成台3-4-11
事務局長　小川　務方
電FAX(0568) 91-2486
Ealtaiclub@bridge.ocn.ne.jp

ハルヒラー山地

　モンゴルアルタイ山脈の北方にあるオブス県には、ハルヒラー山地と、それに続くトゥルゲン山地がある。ハルヒラー山地の主峰はツァガーンハルヒラー山（I峰、4037m）、トゥルゲン山地の主峰はツァガーンデグリー山（3965m）。

フブスグル湖周辺の山地

　ロシア国境のウランタイガ山地、フブスグル湖の西岸に南北に連なるホリドル・サリダグ山地、北部ロシア国境のサヤン山地の3つの山地から成り立っている。モンゴルでは珍しく岩峰が多く、岩登りを主体とした登山ができる。ベースキャンプ地までは湿地を行くため、8月中旬までの雨の多い時季は避けたほうがいい。

モンゴルでの登山体験

　私は、2017年7月にフイテン峰とマルチン峰に登りました。

　ウランバートルから飛行機でウルギーまで2時間30分のフライト、そこから登山の出発地点である国立公園のゲートまで車で5時間かけて到着します。

　翌日は、高山植物が咲くなか5時間ほどトレッキングしてベースキャンプに着きました。ベースキャンプを拠点にマルチン峰やフイテン峰など周囲の山に登ることができます。フイテン峰に登るためには、アイゼンなど本格的な登攀装備が必要になり、氷河を登り、さらに1泊2日かかります。マルチン峰は登山靴で日帰りも可能です。

　私が登ったときは、途中で悪天のため、数日停滞しましたが、ウランバートルから9日間でふたつの山に登ることができました。

　また、モンゴルでは冬にアイスクライミングもできます。冬のゴビ砂漠や世界遺産に登録されているオルホン渓谷でのアイスクライミングは楽しい体験でした。

　ウランバートル近郊でもたくさんの山や岩場があり、夏にはクライミングや軽登山を楽しむことができます。ウランバートルの山ではボグド・ハーン山（ツェツェグーン山）が有名で1年中多くの市民が登山を楽しんでいるほか、冬から春の川が凍った時季に登るアスラットハイルハン山、テルレジではロッククライミングも楽しむことができます。

モンゴルで登山するにあたって

　外国人だということで特別に届けを出す必要はありませんが、国立公園内の山に登山するには、届け出が必要です。装備、宿泊、食事などは特に日本との違いはありません。ウランバートルで食材は調達できますし、エージェントに頼む場合は、あらかじめ好みを伝えれば、好みに応じて専用のコックが調理してくれます。

　ガイドは必須ではなく、付けたい場合や、登山の届け出を代理で申請したい場合、登山口までの車の手配などをお願いしたい場合は、ウランバートルにあるエージェントを利用できます。　　　　　　　　（穂積玲子）

●**Mongolia Expeditions（英語OK）**
URL mongolia-expeditions.com
　モンゴル初の7大陸最高峰とK2登頂者の女性クライマー、ガンガマーさんがガイドとして所属。

世界遺産オルホン渓谷にあるオルホン滝で、アイスクライミング

※ご自身のレベルに合わせた登山をお楽しみください

モンゴルの風に吹かれて探鳥の旅

2019年6月3〜10日、数多くの野鳥の生息するモンゴルを、探鳥のため訪れました。

6月4日　UB→バガノール (127km)

早朝5:00、ホテルの周辺でベニハシガラス、カササギ、ルリガラ、コクマルガラスの歓迎を受けました。8:00には、郊外のミドリ池へ。アジサシ類、アネハヅル、オオハクチョウが抱卵中でした。イナバヒタキ、ハシグロヒタキなど早くも探鳥モード全開。途中でクロハゲワシ2羽が草原に降りているのを発見。14:00過ぎにアイロンノーズ湖にて探鳥再開。モウコユキスズメ、コウテンシ、マ

ナヅル、キガシラセキレイ、ソリハシセイタカシギなどを見ることができました。初日の観察種数は86種。

モンゴル大草原の王者　クロハゲワシ

6月5日　バガノール→ビンデル (189km)

深夜2:00、たまたま見上げた夜空一面に広がる星に圧倒される。早朝4:00、空が明るくなってきました。ふとゲルの天井を見上げると、ストーブの煙突にイナバヒタキが止まっています。7:00に出発し、途中の草原でアネハヅル、クロハゲワシ、ハシグロヒタキを見ながら、10:00にはホルフ湖に到着。ソリハシセイタカシギ、セイタカシギ、キアシセグロカモメ、ツクシガモなど、日本では珍鳥とされる鳥を目にしました。これはやはり現地に来なければ体験できないことです。さて、ビンデル村まで残り60km。デコボコ道はさらに激しさを増します。上空をソウゲンワシ、オオノスリ、トビが飛んでいます。15:00近く、フルフ川近くのキャンプに到着。風もなく暖かい……。カッコウ、ベニハシガラス、スズメがいました。シャワー棟裏にはベニハシガラスの巣があり、ヒナ3羽が身を寄せ合っていました。本日の観察種数は48種。

6月6日　ビンデル→ウンドゥルハーン (144km)

カッコウの声で目が覚めました。4:30、ストーブに火を入れます。気温は3℃、寒い。

今日は約35km先でバンディングの見学。7:00発、途中でカッコウ、セーカーハヤブサ、コウテンシ、イナバヒタキ、アカツクシガモ、クロヅル、ノガン、ヒメチョウゲンボウなどを観察しながら、9:30にバンディング場へ到着。春 (4/15〜6/15) と秋 (8/15〜10/15) の年2回、2012年以来累計約1万5000羽をバンディングしていて、黒色の大きな網を2ヵ所

ホルファ研究所にてバンディング

に張り、30分に1回、鳥がかかっているのを確認するそうです。黒網の奥から女性の研究員が4つの布袋を手に出てきました。袋から取り出した1羽の小鳥は、オオマシコの雌。こんなに近くで見るのは初めてで、感動しました。鳥たちは①足輪の有無②身長 (頭から尾の先) ③足指の長さ④胸の羽を吹いて肉付き具合⑤体重の確認と記録が済んだあと、足輪を付けて放鳥されます。カラフトムシクイ、オオマシコ、ヤナギムシクイ、ムジセッカの4種を確認できました。11:30、アネハヅル、マナヅル、オオノスリ、クロハゲワシを見ながら、広大な麦畑を走り抜けます。13:00昼食。草原でいただく食事は格別です。食事中、上空でコウテンシがうるさいほど鳴いていました。付近を歩いてみると、コウテンシの巣があり、卵が3つありました。どうやらわれわれを威嚇している様子です。13:30、草原の中の轍を目印にただただ走ります。ときおりガゼ

ルが走っている姿も。西のほうに大きな黒雲が。砂嵐が来そうです。そのとき車がバーストしましたが、タイヤ交換を待つ間も惜しみ、近

昼食場所の近くで発見したコウテンシの巣

くで探鳥。オオチドリ、ハマヒバリが現れました。16:30、ウンドゥルハーンのホテル着。本日の観察種数は60種。

6月7日　ウンドゥル ハーン→ハラザン（216km）

　早朝、探鳥のため町なかを歩きます。アカマシコ、アマツバメ、アカアシチョウゲンボウ、カラフトムシクイなどが見られました。ホテル近くの公園には、地元出身でナーダムの歴代優勝者と思しき銅像がいくつも並んでいます。馬も数頭いて、公園や町なかを勝手に歩いています。7:00に出発し、すぐにヘルレン川を渡ります。目的地までおおよその舗装道路は時速80〜100kmで走ることができます。上空をソウゲンワシが飛んでいます。道路を横切るのは羊と馬のみ。最後のでこぼこ道にさしかかったあたりに、ムナグロとハマヒバリの姿が。道は前夜の雨でぬかるみ、ジェットコースターのような乗り心地。草原にはトビネズミ、タルバガンがいます。オオチドリも多く見られます。大草原の中に人工物を利用したセーカーハヤブサの巣があり、5羽のヒナが身を寄せ合っていました。オオノスリの羽根を拾いました。

　12:00過ぎ、ハラザン村から少し離れた「野鳥研究センター」に到着。6棟のゲルがあるのみで、中に入るとストーブでは乾燥牛フンが燃やされています。14:00過ぎからハッスン村で探鳥開始。岩山の崖がワシミミズクの営巣地で、ペアの親鳥のほか少し離れた崖地には3羽のヒナ。モウコアカモズ、アカマシコ、シベリアセンニュウ、ヤツガシラもいます。16:00に次のポイントへ移り、サケイのほかコキンメフクロウ、セーカーハヤブサの巣と2羽のヒナを確認。

　施設に戻ると、夕食に仔羊1頭分の石焼きが出てビックリ。今回のツアーの最東南部到達を祝って、ワイン、ウオッカ、ビールで盛り上がりました。

　本日の観察種数49種。累計で延べ117種となりました。

途中で出くわした馬追い

6月8〜10日

　前日のワシミミズク営巣地を再び観察したあと、2日がかりでUBへ引き返しました。

（日本野鳥の会埼玉　内田克二）

ウランバートル近郊でお手軽トレッキング

　モンゴルの首都ウランバートルは、交通渋滞も激しく、空気もあまりきれいではない。一方で、ウランバートルは四方を山に囲まれ、標高が高い首都としても知られている。なので、半日もあれば簡単に近くの2000m級の山に登れる。なかでも南側にあるボグド・ハーン山（ツェツェグーン山：標高2268m）は、地元民たちに親しまれ、休日ともなると、多くの老若男女たちでにぎわう。

　ウランバートル側から登れるルートは5つ。Zaisan-Baruun Shireet（ザイサン・バルーン・シレート）ルートは、標高1950mのDugui Tsagaanドグイ・ツァガーンを目指すルートで、市中心部からバスに乗って登山口まで行けること、緩やかな登りなので初級者でも安全に登れること、短い距離なので身軽に登れることなどで、最も人気がある。

　登山口付近の草原にはツーリストキャンプのゲルが建ち並び、羊たちがのどかに草を食んでいる。針葉樹林帯の山道は、木々のさわやかな香りと、川のせせらぎに癒される。目を移せば、高山植物の花々や大きなキノコが目を楽しませてくれ、かわいらしいリスたちが木々の上を自由に歩き回っている。

　開始からわずか2時間ほどで頂上へも到着。ウランバートルからこれほど気軽に2000m級の山歩きを楽しめるとは！ 何より大気汚染もなく空気がいいのが魅力だ。夏でも頂上近くは空気が冷えるので、薄いダウンジャケットなど防寒対策を忘れずに。

下山時は市街を眺めながら

行き方：市中心部からч:72番バスで、ボグド山キャンプБогдхан амралт下車。登山口は徒歩すぐ。

通信事情

電話事情

国内電話

　ウランバートルの一部を除き、全県でIP電話の一種が普及している。1か7で始まる8桁の番号を使用する。市内外問わず、そのまま相手の電話番号をかければよい。携帯電話にかける場合も同様。ホテルからかける場合は、番号の前に外線番号を付ける。

国際電話

　ホテルの客室内の電話などから、ダイヤル直通の国際電話をかけられる。また、携帯電話を使ってかけることもできる。携帯電話からかける場合、国際電話対応のSIMカードが必要となる。

携帯電話

　モンゴルのほぼ全域で携帯電話が利用できる。携帯電話番号は、7、8、9から始まる8桁の番号。現地の大手キャリアのSIMカードを利用するほか、日本で契約している携帯電話を海外でそのまま使用する、現地の携帯電話をレンタルするなどの方法もある。

モンゴルの固定電話

　モンゴルの公的機関や大企業では固定電話の回線を持っているところがほとんどだが、一般家庭では固定電話はあまり普及していない。個人の大多数は携帯電話を持っていて、日常的な連絡は携帯電話が中心。

携帯電話を紛失した際のモンゴルからの連絡先

●au
国際電話識別番号00+日本の国番号81+3+6670-6944
●NTTドコモ
国際電話識別番号00+日本の国番号81+3+6832-6600
●ソフトバンク
国際電話識別番号00+日本の国番号81+92+687-0025
※自社の携帯からは通話無料、一般電話または他社の携帯からは有料。全社24時間対応

チンギス・ハーン国際空港内通信キャリア直営店

国際電話のかけ方

●日本からモンゴルにかける場合

例：日本からモンゴル（ウランバートル）の（011）123456または70001234へかける場合

事業者識別番号 0033（NTTコミュニケーションズ） 0061（ソフトバンク）	+	010※ 国際電話 識別番号	+	976 モンゴル の国番号	+	市外局番 （頭の0は取る） 11 （市外局番不要）	+	相手先の 電話番号 123456 70001234

携帯電話と1か7で始まる8桁番号（IP電話）の場合は、市内外問わず直接相手先の電話番号を入れる

※携帯電話の場合は010のかわりに「0」を長押しして「+」を表示させると、国番号からかけられる
※NTTドコモ（携帯電話）は事前にWORLD CALLの登録が必要

携帯電話の場合は不要

【日本での国際電話会社各社サービスの問い合わせ先】
NTTコミュニケーションズ ☎0120-003300（無料）
ソフトバンク ☎0088-24-0018（無料）
au携帯 ☎0057（auの携帯から157で無料）
NTTドコモ携帯 ☎0120-800-000（NTTドコモの携帯から151で無料）
ソフトバンク携帯 ☎0800-919-0157（ソフトバンクの携帯から157で無料）

●モンゴルから日本にかける場合

例：モンゴルから日本（東京）の（03）1234-5678へかける場合

00※1 国際電話識別番号	+	81 日本の国番号	+	3※2 市外局番 最初の0は取る	+	1234-5678 相手先の 電話番号

※1 ホテルの部屋からは、外線につながる番号を頭に付ける　　　　　　　　　　※2 携帯電話の場合も国番号のあと、最初の0を取る

**旅行者向けプリペイド
SIMカードの料金例**

15日間（600MB）：2万Tg
30日間（1.1GB）：3万5000Tg
30日間（5GB）：6万Tg
有効期限は90日間だが、チャージをすることによって延長が可能。

**現地SIMカードやeSIM
利用でSNSも**

現地キャリアのSIMカードやeSIMの利用によって、日本国内と変わりなく、SNSを利用することができる。LINEやMessengerなどを使って通話をすることも可能。

モバイルWi-Fiルーター

1台で複数の端末につなげられるのでシェアも可能。持ち歩きや充電の手間はあるが、どこでも使えて便利。インターネットでレンタル予約をし、指定の空港専用カウンターで受け取る。自宅まで宅配してくれる会社もある。詳細は各社に問い合わせてみよう。

携帯電話等の充電器

モンゴルは都市部以外、通電していない時間帯があるエリアも多い。乾電池式や手動式の充電器、モバイルバッテリーがあれば、電源のない場所でも充電可能。

インターネットを使うには

モンゴルでのスマートフォンなどの利用方法を公開中。
🔲www.arukikata.co.jp/net

**日本から小包やEMSを
送る場合**

中央郵便局（Central Post Office, Ulaanbaatar, Mongolia）宛てがわかりやすい。受取人の電話番号を書くことを忘れずに。電話で連絡を受け、直接出向いて受け取る。

モンゴル国内の郵便事情

日本とは異なり、各家庭への郵便配達サービスはない。会社や特別な人だけが郵便局に私書箱を設置して、自分で取りに行く。地方への発送は長距離バスの運転手に頼むのが一般的。送り主が運転手に送付物と料金を渡し、バスの到着地点で受取人が受け取る。

中央郵便局の営業時間
郵便・小包
🕐月～金曜　8:00～20:00
　土・日曜、祝日　9:00～19:00

現地キャリアのSIMカードの購入

SIMフリーのスマホなら、現地キャリアのSIMカードを購入し利用する方法がある。日本と同様に「データ通信専用」と「データ通信＋音声通話タイプ」があり、データ量や使用可能期間などにより料金が異なる。自分の使いたい機能に合わせて選ぼう。プリペイド式なら使い過ぎる心配もなく安心。SIMロックは出発前に早めに解除しておこう。

モンゴルのおもな通信キャリア

おもな通信キャリアは「MobiCom」「Unitel」「Skytel」「G-Mobile」の4社。最大手のMobiComが最も広範囲でつながりやすい。空港や町なかの通信キャリア直営店や提携店などで購入できる。ウランバートルのTEDY mobile phone shopping centerは販売店が揃う（🅜🅐🅟P.40-B2）。SIMカード購入にはパスポートの提示が必要。プリペイド式の追加チャージ用カードは、提携店などで購入できる。チャージ用カードの台紙にはPINコードが記載されているので紛失しないように。

eSIMを利用する方法も

eSIM対応のスマホなら、オンライン申し込みで最短で当日に利用開始することができる。回線の切り替え方法は端末により異なるためあらかじめ確認しておこう。現地でも購入できるが、日本で事前に購入することもできる。日本で購入する場合は、現地到着後すぐに使えるというメリットがあるが、現在のところ「データ通信専用」となる。現地で購入すれば、「音声通話付き」も購入できるため、電話番号も付き、通信料金を安価に抑えられる。

インターネット事情

モンゴルはインターネットが広く普及している。ホテル、カフェ、レストラン、ショップ、大学などの公共施設など、無料でWi-Fi接続できる場所が多い。海外用Wi-Fiルーターをレンタルする方法もある。ただし郊外（草原地域など）では携帯電波が通じないこともある。

郵便事情

日本宛ての航空便のはがきは3300Tg、封書は3630Tg。日本には1週間～ 10日で届く。基本的に路上にポストはない。ウランバートル市内から送る場合は、中央郵便局内にあるポストに投函できる。荷物は国際小包（国際郵便のベーシックサービス）、EMS（国際スピード郵便）、DHLなどの国際貨物輸送会社を使って送る。国際小包の目安は1kgまで3万5000Tg、2kgまで8万640Tg。普通便の場合、日本まで1ヵ月前後、EMSの場合、5日前後で届く。

おすすめアプリで、モンゴル旅を便利に快適に！

慣れない海外だからこそ、活躍するのがスマホアプリ。編集部おすすめの「モンゴル旅お役立ちアプリ」をご紹介！

Google Maps
ショップやレストラン情報も充実。バス停マークをクリックするとバスの路線番号、ルート、運行状況も確認できる。タクシーで行き先を示すときにも便利。

Google翻訳
翻訳アプリ。カメラ入力や音声入力、会話も可能で便利。カメラでメニューや商品名などを撮影すれば日本語に変換してくれる。

Maps.me
インターネット環境が不安定なモンゴルの地方でも、オフラインのまま地図を利用できるので便利。

UB Smart Bus
ウランバートル市内のバス路線番号やバス停名からルートを調べられるほか、乗りたいバスの運行状況を知ることができる。ある程度路線がわかっている上級者向き。

UBTZ Ticket※
モンゴルの南北を結ぶ国内列車や隣国を結ぶ国際列車の路線、時刻表などを調べることができる。チケットも購入できる。

UBTraffic
ウランバートル市内の主要道路の渋滞状況を確認できる。濃い赤色で示したところは渋滞が激しいので、歩いたほうが早いことも。

shoppy.mn※
オンラインショップサイト。映画やコンサートのチケットも購入できる。モンゴル語のみだが画像があるのでチャレンジしてみては？

「地球の歩き方」
公式LINEスタンプ
旅先で出合うあれこれがスタンプに。旅好き同士のコミュニケーションにおすすめ。LINE STOREで「地球の歩き方」と検索！

※今のところ決済方法等の事情により、現地銀行口座がないとオンラインでのチケット購入はできない。ホテルやゲストハウスなどで依頼する方法もある

INFORMATION

モンゴルでスマホ、ネットを使うには

スマホ利用やインターネットアクセスをするための方法はいろいろあるが、一番手軽なのはホテルなどのネットサービス（有料または無料）、Wi-Fiスポット（インターネットアクセスポイント。無料）を活用することだろう。主要ホテルや町なかにWi-Fiスポットがあるので、宿泊ホテルでの利用可否やどこにWi-Fiスポットがあるかなどの情報を事前にネットなどで調べておくとよい。ただしWi-Fiスポットでは、通信速度が不安定だったり、繋がらない場合があったり、利用できる場所が限定されたりするというデメリットもある。そのほか契約している携帯電話会社の「パケット定額」を利用したり、現地キャリアに対応したSIMカードを使用したりと選択肢は豊富だが、ストレスなく安心してスマホやネットを使うなら、以下の方法も検討したい。

☆ 海外用モバイルWi-Fiルーターをレンタル

モンゴルで利用できる「Wi-Fiルーター」をレンタルする方法がある。定額料金で利用できるもので、「グローバルWiFi（【URL】https://townwifi.com/）」など各社が提供している。Wi-Fiルーターとは、現地でもスマホやタブレット、PCなどでネットを利用するための機器のことをいい、事前に予約しておいて、空港などで受け取る。利用料金が安く、ルーター1台で複数の機器と接続できる（同行者とシェアできる）ほか、いつでもどこでも、移動しながらでも快適にネットを利用できるとして、利用者が増えている。

▼グローバルWiFi

海外旅行先のスマホ接続、ネット利用の詳しい情報は「地球の歩き方」ホームページで確認してほしい。
【URL】http://www.arukikata.co.jp/net/

モンゴルへのアクセス

**MIATモンゴル航空の
ターミナルが変更**
　2020年10月より成田空港のMIATモンゴル航空のチェックインカウンターは第1ターミナルから第2ターミナルへ移転した。利用の際は間違えないよう注意！

感染症流行時の入出国措置
　→P.220欄外

空路でモンゴルへ

　日本とモンゴルを結ぶ飛行機は、成田〜ウランバートル間をMIATモンゴル航空（以下、モンゴル航空）の直行便（所要約5時間35分）が運航している（夏季は毎日）。夏の観光シーズンは関西空港からも週2便、モンゴル航空の直行便（約4時間40分）が運航する。従来、関西空港からの直行便は7〜8月の2ヵ月間のみだったが、2024年より6〜9月の4ヵ月間に拡大する予定。国際的なイベントなどにともなう増便で、地方空港からチャーター便が運航されることもある。

　直行便はほかにも、アエロモンゴリアが週3便、成田〜ウランバートル間を運航している。

モンゴルへの便をもつ主要航空会社オフィス

MIATモンゴル航空
●ウランバートル・ナランモールオフィス
（MAP P.40-A3）
🏠 1F, Naran Mall　☎ (011) 322144
📧 reservation@miat.com　URL www.miat.com

●ウランバートル・エンカントオフィス
（MAP 折込裏-D3）
🏠 1F Encanto Tower　☎ (011) 322118

●日本支社
🏠 東京都荒川区西日暮里2-19-4たちばなビル5階　☎ (03) 5615-4653　URL miat.com

●北京支社
🏠 中国北京市朝陽区建国門外大街日壇路6号新族大厦7階　☎ +86-132-4014-5993
📧 beijing@miat.com

フンヌ・エア
●ウランバートルオフィス（MAP 折込裏-C3）
🏠 9F, Munkh Tower, Chingis Ave., Khan-Uul District　☎ 70001111
📧 info@hunnuair.com
URL www.hunnuair.com

アエロモンゴリア
●ウランバートルチケットオフィス
（MAP 折込裏-D3）
🏠 4F, Monnis Building, 18th Khoroo, Khan Uul District　☎ 70103030
📧 reservation@aeromongolia.mn
URL www.aeromongolia.mn

中国国際航空
●ウランバートルオフィス（MAP P.41-D4）
🏠 Narnii Zam 87, 1st Khoroo, Sukhbaatar District　☎ 70049770　URL www.airchina.jp

●東京支社
🏠 東京都港区虎ノ門2-5-2エアチャイナビル1階　☎ (03) 5251-0842

大韓航空
●ウランバートルオフィス（MAP P.41-D2）
🏠 チンギス・ハーンホテル内3階
☎ (011) 311100　URL www.koreanair.com

●日本支社
🏠 東京都港区芝3-4-15東京KALビル
☎ 0570-05-2001（ナビダイヤル）

また中国の北京や韓国のソウルなどで乗り継いでいく方法もある。直行便より時間はかかるが、フライトの選択肢が断然増えるし、コストも抑えられる。特にここ数年、ソウルとウランバートル間を運航する航空会社が増え、劇的に便数が多くなった。ソウル経由であれば、チェジュエアやテーウェイ航空などのLCCも日本から運航している。

乗り継ぎの場合は、同じ航空会社のほうが荷物をスルーで預けられるので安心。またLCC利用は悪天候などでフライトが遅れたり、キャンセルになったりした際も、基本的に他社への振り替えはないので、利用の際は気をつけよう。

日本とモンゴル間を直行便で結ぶMIATモンゴル航空機

JALとのコードシェア便
　JALとMIATモンゴル航空が成田および関西とウランバートルを結ぶ路線でコードシェアを実施。夏季は毎日運航する。

eチケット（電子航空券）
　各航空券とも「eチケット」システムを導入。予約データを航空会社のシステム内で管理する。航空券を持たずに旅行することが可能なため、紛失する心配がなくなる。予約完了時にeメールや郵送で送られてくる旅程表（eチケット控え）を、搭乗時にチェックインカウンターで見せる。

ウランバートルと近隣諸国との主要国際線時刻表

MIATモンゴル航空の日本便は2024年夏季予定スケジュール。そのほかは2023年夏季スケジュール

便名	出発曜日	出発時刻	到着時刻	便名	出発曜日	出発時刻	到着時刻	運航期間
日本								
東京／成田 (NRT)→ウランバートル (ULN)				**ウランバートル→成田**				
OM502	月水金土日	14:40	19:15	OM501	月水金土日	7:45	13:40	3/31～10/26
OM502	火	13:55	18:30	OM501	火	7:00	12:55	4/2～10/22
OM502	木	13:55	18:30	OM501	木	7:00	12:55	5/2～10/24
OM504	水土	13:55	18:30	OM503	水土	7:00	12:55	7/3～8/31
MO902	火金	13:30	19:00	MO901	火金	8:00	12:30	3/28～10/27
MO902	日	13:30	19:00	MO901	日	8:00	12:30	4/30～10/22
大阪／関西 (KIX)→ウランバートル (ULN)				**ウランバートル→関西**				
OM506	水土	19:00	22:40	OM505	水土	13:00	18:00	6/19～9/14
中国								
北京 (BJS)→ウランバートル (ULN)				**ウランバートル→北京**				
OM224	月水土	9:30	12:00	OM223	月水土	6:10	8:25	3/26～10/28
OM224	火木金日	21:10	23:40	OM223	火木金日	18:00	20:10	3/26～10/28
OM226	火金	9:30	12:00	OM225	火金	6:10	8:25	4/3～10/28
CA902	毎日	11:50	13:55	CA901	毎日	8:35	10:50	3/26～10/28
MR802	水金	3:30	5:55	MR801	水金	0:10	2:30	3/28～10/28
呼和浩特市 (HET)→ウランバートル (ULN)				**ウランバートル→呼和浩特**				
MO802	水	16:30	18:00	MO801	水	14:00	15:30	3/29～10/25
MO802	土	17:30	19:00	MO801	土	15:00	16:30	6/3～10/28
満洲里 (NZH)→ウランバートル (ULN)				**ウランバートル→満洲里**				
MR882	水土	18:20	20:40	MR881	水土	15:00	17:20	3/29～10/28
韓国								
ソウル (ICN)→ウランバートル (ULN)				**ウランバートル (ULN)→ソウル**				
OM302	毎日	13:20	17:00	OM301	毎日	8:40	11:50	3/26～10/28
OM308	毎日	0:35	4:15	OM307	毎日	20:15	23:25	3/27～10/28
OM310	火土日	0:40	4:20	OM309	月金土	20:30	23:40	3/27～10/28
MO602	月	13:30	16:30	MO601	月	9:30	12:30	3/27～10/28
MO602	土	14:30	17:30	MO601	土	10:30	13:30	3/27～10/28
MO602	火金	13:30	16:30	MO601	火金	9:30	12:30	6/1～9/29
MO602	木日	19:00	22:00	MO601	木日	15:00	18:00	6/1～9/29
KE198	毎日	13:05	15:50	KE197	毎日	7:10	10:55	6/1～9/30
KE198	火曜以外毎日	13:05	15:50	KE197	火曜以外毎日	7:10	10:55	3/26～5/31
OZ568	月水金	13:20	16:30	OZ567	月水金	8:20	11:55	3/27～10/27
OZ568	日	13:20	16:30	OZ567	日	8:20	11:55	3/27～9/33

OM＝MIATモンゴル航空　MO＝アエロモンゴリア　MR＝フンヌ・エア
CA＝中国国際空港　KE＝大韓航空　OZ＝アシアナ航空
※発着時間はすべて現地時間。MIATモンゴル航空、フンヌ・エア、アエロモンゴリアはウランバートル発、中国国際航空は北京発、大韓航空はソウル発で、目的地に到着後、同日のうちに各国へ向けて折り返し運航
※最新のスケジュールは、各航空会社に問い合わせのこと

陸路でモンゴルへ

中国から陸路で入る

中国の国境の町、二連浩特（内モンゴル自治区）から国際列車「モンゴル縦貫鉄道」を使う方法がある。この列車は北京からモスクワまで走っていたが、2023年12月現在、二連〜ウランバートル〜イルクーツクのみの運行となっている。また呼和浩特（内モンゴル自治区）〜ウランバートルを結ぶ路線も運休中。

今後、従来の路線が再開される可能性もあるので、最新情報を入手されたい。

二連から先は、長距離バスか国際列車に乗り換えて、モンゴル側のザミーンウードで入国することができる。二連（中国側）〜ザミーンウード（モンゴル側）の陸路での入出国については、2023年12月現在、従来の乗合ジープの利用は認められていない。

北京〜二連までの移動は、国内長距離バスや国内列車を利用する、もしくは北京〜呼和浩特方面へ高速鉄道で移動し、途中駅で在来線に乗り換えて二連に行く方法がある。

2023年12月現在、日本からの旅行者が中国から陸路で国境越えをするのは、情勢的にハードルの高いものになっている。

ウランバートル駅
国際列車チケットオフィス

購入の際は、パスポートと行き先のビザが必要。現地旅行会社に有料で頼むこともできる。

MAP 折込裏-B2
住 ウランバートル駅チケットオフィス2階
電 21242741
URL eticket.ubtz.mn
営 8:00〜20:00
休 無休　**カード** MV

中国での国際列車チケットオフィス

北京発の鉄道の切符は、日本の旅行会社でも購入できるが、北京で購入する場合は、北京駅近くの北京国際飯店内の中国国際旅行社（CITS）で前日まで購入可能。

住 中国北京市東城区建国門内大街9号北京国際飯店一層ロビー西側
交 地下鉄2号線「北京站」駅下車、北へ徒歩約5分
電 + 86-10-6512-0507
営 9:00〜12:00、13:30〜17:00（土・日曜9:00〜12:00）
休 祝日　**カード** 不可

モンゴルへの国際列車時刻表 （2023年12月現在）

ウランバートル⇔二連

列車番号	到着時刻	発車時刻	主要停車駅	到着時刻	発車時刻	列車番号
No.22 686次 ※1	↓	20:35	ウランバートル	10:25	—	No.21 685次 ※2
	—		アムガラン	10:06	10:13	
	0:55	1:13	チョイル	5:19	5:50	
	4:26	4:56	サインシャンド	1:10	1:50	
	8:30	10:00	ザミーンウード	17:35	21:35	
	10:25	—	二連	↑	17:10	

※1：①列車番号は区間別にNo.22（モンゴル）／686次（中国）になる。②ウランバートルから木、日曜発→二連に金・月曜着

※2：①列車番号は区間別に、No.21（モンゴル）／685次（中国）となる。②二連から月・金曜発→ウランバートルに火・土曜着

憧れの国際列車の実態は!?

国際列車は島国日本に住む日本人にとって憧れの存在でもある。ぜひ一度は列車で国境を越えてみたいと思っている人も多いだろう。しかし国をまたぐということはいろいろな不都合もあるようだ。2019年夏、北京からウランバートルへ行く国際列車に乗ったときのこと。中国の線路の幅は1435mm、ロシアとモンゴルの線路の幅は1520mm。そのため、国境近くの二連駅（中国側）で出入国検査を終えたあと、車両の台車交換が3時間以上かけて行われる。乗客は二連駅で降りて待つか、乗車したまま待つ。ジャッキで車両をどんどん上げていくのだが、乗車している本人はあまり感じない。ただ窓の外を見ると先ほどより確実に自分が高い位置にいることがわかる。その状態で台車を付け替える作業を見届けるのはなかなか貴重なものだった。この間、列車内の電源はすべて落とされ、トイレも使えない。終了すると列車はモンゴルへと走りはじめた。

2023年12月現在、北京からウランバートルを直行する国際列車は運休中。

陸路での移動が快適に！　北京と呼和浩特を結ぶ高速鉄道

北京～張家口間を結ぶ京張城際鉄路が2019年12月30日に開通し、北京～呼和浩特（～包頭）間で高速鉄道が走り始めた。

2020年1月、ウランバートル～呼和浩特間の国際列車（※）と高速鉄道を利用して、ウランバートルから北京まで旅をした。

34列車呼和浩特行

20:45、定刻に列車は大気汚染と石炭暖房の煙で靄のかかったウランバートル駅を発車した。町を抜けると、ひたすら真っ暗だ。列車は思いのほか速いスピードで走る。

翌朝目が覚めると、列車は大草原の中を走っていた。ときおり馬や羊の群れがいる以外ほとんど何もない。草原から朝日が昇る。8:30、モンゴル側の国境、ザミーンウード駅に到着。呼和浩特行き客車の客は降りることはできない。車内でパスポートの回収と簡単な荷物検査がある。停車中の1時間30分の間、列車のトイレは使用禁止になる。

パスポートが返却されると、列車はゆっくりと国境を越え、10:25に中国側の二連駅へ到着。何もかも立派で、中蒙の経済格差を見せつけられる。ここで全員荷物を持って降車し、駅舎内の国境管理所で入国審査を受ける。手続きは空港と大差ない。

二連駅は、国際列車の駅舎と国内列車の駅舎が分かれていて、呼和浩特行きの客は自分で国内列車の駅舎まで移動しなければならない。駅前に食堂やスーパーがある。トゥグリグからの両替所は見当たらなかったが、銀行で人民元のキャッシングはできる。

13:45二連駅発、私たちの乗車する客車の前後に中国国鉄の車両が5両連結されている。列車は相変わらず草原の中を走る。車窓が起伏の多い地形に変わっていくと、やがて日が暮れて、烏蘭察布市の集寧南駅に到着。ここで進行方向を変え、定刻21:23に呼和浩特駅に到着。気温−

4℃、ウランバートルから来ると暖かく感じた。呼和浩特市内で1泊。

北京行き高速鉄路

翌日、北京行きの高速鉄道に乗るため、呼和浩特東駅に向かう。呼和浩特では高速鉄道開通の前日に地下鉄も開通した。呼和浩特東駅へはその地下鉄で行くことができる。呼和浩特東駅は、空港のように広く清潔で、構内にはみやげ物屋や売店もたくさんある。荷物検査が何回もあるので、発車の30分以上前には駅に到着しておきたい。

北京行はCR400型「復興号」の8両編成。普通車の車内は3＋2列の配置で、日本の新幹線と大きな違いはないが、先頭車両には飛行機のファーストクラスのような座席もある。女性車掌はモンゴルの民族衣装をイメージした制服を着ていて華やかだ。

揺れはほとんどない。途中最高時速340kmに達し、在来線で7～8時間かかった区間を3時間弱で駆け抜け、北京清河駅に到着。

ウランバートル～北京間の列車移動は、これまで週2往復（夏季は3往復）の直通国際列車が一般的であったが、毎日運行する高速鉄道開通によって、北京への移動も簡単になった。高速鉄道への乗り換えを選択肢に入れてみてもよいだろう。

（松島露水）

華やかなモンゴルの民族衣装をイメージした制服に身を包んだ女性車掌

※最新情報について

2023年12月現在、ウランバートル～呼和浩特間の国際列車は運休中。ウランバートル～二連駅のみ運行している。二連駅からは呼和浩特方面行きの列車に乗り換える。そこから北京方面へは、集寧南駅から高速鉄道の烏蘭察布駅までバスなどで移動し、高速鉄道に乗り換える（10kmちょっとの距離）か、呼和浩特東駅で高速鉄道に乗り換える方法がある

ロシア

ウランバートル
ウランバートル駅

モンゴル　　中国

呼和浩特東駅
ザミーンウード駅　集寧南駅
烏蘭察布駅
二連駅　　　　北京
包頭駅　呼和浩特駅　北京駅

モンゴルと中国間の主要駅の位置

国際観光旅客税

日本からの出国には、1回につき1000円の国際観光旅客税がかかる。原則として支払いは航空券代に上乗せされる。

Visit Japan Web

日本入国時の税関申告をウェブで行うことができるサービス。必要な情報を登録することでスピーディに入国することができる。

vjw-lp.digital.go.jp

デジタル機器の電池に注意

リチウム電池/リチウムイオン電池は機内預け荷物にできない。機内持ち込み手荷物にするにあたっては、ワット時定格量 (Wh) の上限がある。

機内預け荷物と機内持ち込み手荷物の重量・サイズ制限

航空会社によって異なる。MIATモンゴル航空の場合、ビジネスクラスは2個 (32kg/個) まで、エコノミークラス1個23kgの機内預けが可能。ただし荷物1個につき3辺 (縦・横・高さ) の和が158cm以内。機内持ち込み手荷物は、ビジネスクラスは2個 (10kg/個) 計20kg、エコノミークラスは1個8kgまで。3辺のそれぞれの長さが55cm×40cm×20cm (3辺の和が115cm以内)。

※機内預け荷物の1個当たりの重量またはサイズを超過した場合、エコノミークラスなら、日本発12000円、ウランバートル発約US$100を事前に航空会社に支払えば、機内預けが可能になる。

日本から出国

空港へ

航空会社によって異なるが、国際線は出発時刻の40分〜1時間前に搭乗手続きを締め切ることになっている。コロナ禍の最中に空港の人員を削減している影響がまだ残っている。セキュリティチェックが長蛇の列になることもあるので、空港へはこれまでより余裕をもって到着したい。

チェックイン (搭乗手続き)

利用航空会社のカウンターでチェックインを行う。エコノミークラスとビジネスクラスで並ぶ列が分かれていることが多い。事前にオンラインチェックインをした場合は、専用カウンターで機内預け荷物を預ける。

①カウンターでパスポートとeチケットの控えを提示する (スマホの画面を見せてもよい)。

②機内預け荷物を預ける。規定の重量を超えている場合はオーバーチャージを取られることもある。

③搭乗券 (ボーディングパス) と荷物引換証 (搭乗券の裏に貼り付けてくれる)、パスポートを受け取る。搭乗ゲートと搭乗時刻を確認する。

出国手続き

①セキュリティチェック

手荷物検査とボディチェックを受ける。人員が減った影響で長蛇の列になることもあるので早めに向かおう。

②税関申告

高価な外国製品 (貴金属やバッグなど) を持っている人は、「外国製品の持出し届」とその現物を提示し、承認印をもらっておくと帰国時にそのぶんが課税されない。申告のない人はそのまま通過する。

③イミグレーション (出国審査)

顔認証で出国できる顔認証ゲートが主要国際空港で導入され、手続きがスムーズになった。ICパスポートの顔写真ページを開いて機械に読み込ませ、顔認証ゲートに内蔵されたカメラで顔写真を撮影して、照合する。出国印は省略される。スタンプが欲しい場合は、最寄りの職員へ問い合わせを。

④搭乗

搭乗券に書いてある搭乗ゲートへ。シャトルバスで飛行機まで行く場合もある。

日本への帰国

帰国手続き

①検疫（ヘルスチェック）

帰国時に下痢、腹痛、発熱の症状がある場合は、空港の健康相談室に行く。潜伏期間のあるものも多く、数ヵ月してから発症することもある。受診時は、滞在期間、家畜との接触、蚊などに刺されたか、飲食状況について説明する。

②イミグレーション（入国審査）

「日本人」と表示されているカウンターに並ぶ。自動化ゲート利用の場合、帰国印は省略される。

③荷物の受け取り

搭乗した飛行機の便名を表示するターンテーブルから、機内預け荷物をピックアップする。

④動植物検疫

ワシントン条約で禁止されている動植物は持ち込み不可。モンゴルからの帰国では、動物検疫対象となるおみやげ品に要注意。羊、山羊、牛、馬、ラクダに由来する品々のうち、精製されていない羊や馬の脂、フェルトに加工されていない羊の原毛、なめし革製品になっていない原皮は動物検疫の対象品となる。チーズなど乳製品に関しては、商用貨物として輸入する際には、動物検疫の対象となる。モンゴル政府の証明書を取得したうえで、日本帰国時に動物検疫カウンターで検査を受けること。

⑤税関申告

機内で配られる「携帯品・別送品申告書」に記入し、免税範囲内ならば緑のカウンター（税関検査台）で、パスポートとともに提出する。免税範囲を超えている場合は、赤のカウンターへ。課税の場合は税関のすぐそばの納付所で支払い、証明書を係員に渡してゲートを出る。

携帯品・別送品申告書記入例

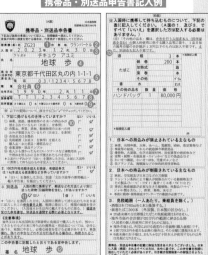

モンゴルの大自然を満喫したら

モンゴルの5家畜（羊、山羊、牛、馬、ラクダ）はいずれも動物検疫の対象動物。これらの骨、肉、皮、毛、糞尿も動物検疫の対象となる。モンゴルでこれらの動物に接触したら、動物検疫カウンターに寄って、動物たちに触れた靴や衣服を消毒してもらおう。家畜の病気を日本に持ち込まないためのエチケットだ。

また、ラクダに接触した人は申し出るように動物検疫カウンター近くに表示されているが、これはMERS（中東呼吸器症候群）が持ち込まれないようにするための水際対策。モンゴルのラクダはフタコブラクダで対象外となる。

乳製品の検疫について

乳製品は動物検疫の対象となっている。以下のウェブサイトで詳細を確認できる。
🌐 www.maff.go.jp/aqs/topix/dairy_products.html

携帯品・別送品申告書記入例

（表面）
①航空会社（アルファベット2字の略号）と便名
②出発地
③入国日
④氏名とフリガナ
⑤住所と電話番号
⑥職業
⑦生年月日
⑧パスポート番号
⑨同伴の家族がある場合の内訳
⑩質問の回答欄にチェック
⑪別送品がある場合は「はい」にチェック、個数を記入
⑫署名
（裏面）
⑬入国時に持ち込むもの
※日本入国時に携帯して持ち込むものについての質問欄がある。不明な点などは係員に確認を

モンゴルの入出国

チンギス・ハーン国際空港

税関で申告が必要なもの
　入出国時に1500万Tg以上の現金または同額相当の外貨を所持する場合は申告が必要。たばこ200本、蒸留酒（ウオッカなど）1ℓ、ワイン2ℓ、ビール3ℓも同様。

モンゴルへの持ち込み禁止品
　爆発物・銃器・麻薬・覚せい剤、わいせつ行為や暴力を扇動するものや監督機関の持ち込み許可のない家畜・動植物などは持ち込み禁止。また、大量の医薬品の持ち込みは、恐竜の化石は持ち込まれることがあるので、モンゴルの関係機関に事前に依頼し、税関より持ち込み許可書を入手する。個人で服用するための少量の医薬品であれば、申請は不要。

持ち出し禁止品
　ワシントン条約で禁止された動植物、モンゴルレッドデータブックに記された動植物のほか、恐竜の化石は持ち出し禁止。狼の毛皮、古美術品など文化遺産を持ち出す場合は、事前に許可が必要。

感染症流行時の入出国措置
　空路、陸路ともに入出国制限措置をとられることがある。たびレジへの登録や在外公館ウェブサイト（いずれも→P.238欄外）で情報収集するなど適切な対応を。

国境について
　情勢や季節によっては国境検問所が閉鎖されていたり、住民以外は越境できない場合もある。

空路や陸路での入出国

　外国人の入出国が許可されている空路での玄関口は、2021年7月にウランバートルの南西約30km（道のり約50km）、トゥブ県フシギーン・フンディに開港したチンギス・ハーン国際空港。また内陸国のモンゴルには、陸路で通過できる国境もある。中国とは、モンゴル側はザミーンウード、中国側は二連浩特（モンゴル語でエレンホト）で入出国できる。国際列車、国際バスで往来可能。2023年12月現在、これまで二連浩特〜ザミーンウードを結んでいた乗合ジープやタクシーなどでの国境越えはまだ再開していない。

モンゴルに空路で入国する
入国手続き
　案内表示に従って"外国人"と表示されたカウンターへ。
①イミグレーション（入国審査）
　入国審査官にパスポートを提出し、入国審査を受ける。その際、両手の人差し指をカウンターすぐ手前の指紋読取機器の上に置き、指紋を採取され、機器上部のカメラで顔写真の撮影をされる。入国審査が終わったらパスポートを受け取る。
　2024年1月現在、渡航目的にかかわらず、30日以内の短期滞在の場合、ビザ（査証）を免除される。
②税関申告
　入国審査後、機内預け荷物をピックアップ。税関申告が不要な場合は、そのまま外へ。申告が必要な場合は、申告書に必要事項を記入し、検査官のチェックを受ける。必要に応じて税金を支払う。
③両替
　到着ロビーに両替カウンターがある。

モンゴルを空路で出国する
　フライトの2時間前には空港に到着しておこう。
出国手続き
①チェックイン（搭乗手続き）
　航空会社のチェックインカウンターへ。荷物を預け、パスポート（必要に応じてeチケットも）を提示して、ボーディングパス（搭乗券）を受け取る。
②税関申告
　入国時に申告するものがなかった人は素通りでよい。申告した人は入国時に受領した押印済みの申告書と、新たに記入

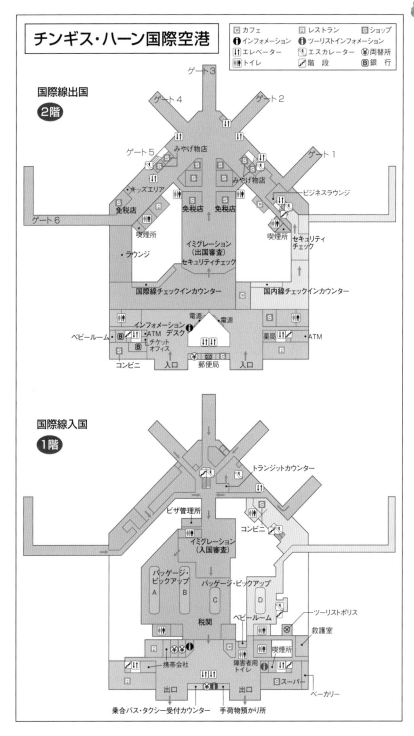

チンギス・ハーン国際空港

C カフェ	R レストラン	S ショップ
❶ インフォメーション	❶ ツーリストインフォメーション	
エレベーター	エスカレーター	両替所
トイレ	階 段	B 銀 行

国際線出国
2階

ゲート 3
ゲート 4　　　ゲート 2
ゲート 5　　ゲート 1
みやげ物店
みやげ物店
ゲート 6
キッズエリア　　　　　　　　ビジネスラウンジ
免税店
喫煙所　免税店　免税店　喫煙所
ラウンジ　　　　　　　セキュリティチェック
イミグレーション（出国審査）
セキュリティチェック
国際線チェックインカウンター　　国内線チェックインカウンター
電源　　電源
ベビールーム　インフォメーション　　　　薬局　ATM
ATM　デスク
チケットオフィス
コンビニ　入口　郵便局　入口

国際線入国
1階

トランジットカウンター
ビザ管理所
コンビニ
イミグレーション（入国審査）
パッケージ・ピックアップ A　B　パッケージ・ピックアップ C　D
ツーリストポリス
税関　ベビールーム
救護室
喫煙所
障害者用トイレ
携帯会社
スーパー
出口　出口　ベーカリー
乗合バス・タクシー受付カウンター　手荷物預かり所

陸路で入出国できる町
●中国との国境
ザミーンウード（→P.119）
〜二連浩特（モンゴル語でエレンホト）
※国際列車、国際長距離バスで往来可

帰国の際の免税範囲、持ち込み制限
・酒類：3本（1本760mℓまで）
・たばこ：日本製、外国製の区別がなくなった。紙巻きたばこだけなら200本、加熱式たばこ個装等だけなら10個、葉巻だけなら50本、その他のたばこだけなら250g
※「加熱式たばこ」の免税数量は、紙巻たばこ200本に相当する数量となる
・香水：2オンス（約56mℓ）
・そのほかの品目：1品目ごとの購入金額が1万円以下のもの。合計額が20万円を超える場合には、20万円以内に収まる品物が免税になり、残りの品物は課税される。
※日本に持ち込める免税品は、下記URLおよび税関のカウンターで問い合わせを
🌐 www.customs.go.jp

国土交通省（液体持ち込み制限について）
🌐 www.mlit.go.jp/koku/15_bf_000006.html

コピー商品の購入は厳禁！
偽ブランド品やゲームや音楽ソフトなどを違法に複製した「コピー商品」は絶対に購入しないように。税関で没収されるだけではなく、損害賠償請求を受けることもある。

国際列車の食堂車内部（モンゴル車両）

した申告書の2枚を提出する。
③イミグレーション（出国審査）
滞在日数超過などの問題がなければ、パスポートに出国スタンプが押される。出国カードは基本的に提出しない。
④セキュリティチェック
機内持ち込み手荷物とボディチェックを受ける。
⑤搭乗
搭乗券に書いてある搭乗ゲートへ。

陸路での入出国
　時間に余裕のある人は、空路で中国に入ってから、国際列車や国際バスで、陸路でモンゴルへ入国するルートもある。
　中国の国境の町、二連浩特（内モンゴル自治区）から国際列車「モンゴル縦貫鉄道」を使う方法がある。この列車は北京からモスクワまで走っていたが、2023年12月現在、二連〜ウランバートル〜イルクーツクのみの運行となっている。呼和浩特（内モンゴル自治区）〜ウランバートルを結ぶ路線も運休中。また中国への渡航については、2023年12月現在、日本人に対するビザ免除措置（15日間）が停止されている。
鉄道での入国
　入国審査は国境の駅で停車中の列車内で行われる。車内で車掌から入国カードと税関申告書が配布されたら、必要事項を記入する。審査官が回ってきたら、入国カードとパスポートを渡す。入国スタンプを押印されたパスポートが返されれば審査は終了。税関申告が必要な場合は、別途手続きをする。渡してから戻ってくるまでにしばらく時間がかかる。
鉄道での出国
　モンゴルからの出国審査は、国境の駅（中国経由の場合はザミーンウード駅）で停車中の列車内で行われる。車内で車掌から出国カードが配布されたら、必要事項を記入する。審査官が回ってきたら、出国カードとパスポートを渡す。荷物検査が行われた後、出国スタンプを押されたパスポートが返されれば審査は終了。税関申告が必要な場合は、別途手続きをする。
車両での入出国
　徒歩による国境通過は禁止されていて、車両を使ってのみ国境を越えることができる。イミグレーションオフィス前で荷物を持って下車し、建物内で出国審査を受け、税関申告をする。手続きを終えてから待機している同じ車両に乗車する。国境緩衝地帯を走り、隣国側のイミグレーションに到着したら下車し、建物内で入国審査を受け、税関申告をする。
　2023年12月現在、通過可能な車両は国際バスのみで、乗合ジープやタクシーなどでの国境越えはまだ再開していない。情勢によって頻繁に変わるので、最新情報を入手されたい。

国内交通事情

飛行機の旅

　時間の限られた旅で活用したい交通手段が飛行機。モンゴル国内には空港が26ヵ所あり、2023年12月現在、ホブド、オラーンゴム、ウルギー、ムルン、ダランザドガド、チョイバルサンなど8路線が定期運航されている。ウランバートルのチンギス・ハーン国際空港を中心に放射状に延びている。

　2023年12月現在、国内路線を運航している航空会社はアエロモンゴリア、フンヌ・エアの2社のほか、MIATモンゴルが2023年夏から国内便の運航を開始している。

航空券の購入方法

　航空券は、ウランバートル市内の航空会社のオフィスや旅行会社で購入することができる。7〜8月のハイシーズンは帰省客や旅行客で混むので、予定が決まったら早めに購入しよう。航空券購入の際にはパスポートの提示が必要（コピーで

国内線のおもな航空会社
- アエロモンゴリア
- www.aeromongolia.mn
- フンヌ・エア
- www.hunnuair.com
- MIATモンゴル
- www.miat.com

航空券購入の際、滞在ホテルを登録したとき

　次の文章をホテルのスタッフに見せ、常に最新情報を確認できるようにしておこう。
「Тасалбар худалдаж авахдаа зочид буудлын утасны дугаарыг бүртгэж авсан. Хэрэв та агаарын тээврийн компанитай холбоо барьж байгаа бол надад мэдэгдээрэй.
（航空券購入に際して、貴ホテルの電話番号を登録しました。航空会社から連絡があったら、教えてください）」

モンゴル国内線の主要航空路線時刻表

MIATモンゴルは2024年夏季のスケジュールを、フンヌ・エアとアエロモンゴリアは2023年夏季のスケジュールを、参考のために掲載した。最新スケジュールは、各航空会社に問い合わせを

便名	出発曜日	出発時刻	到着時刻	便名	出発曜日	出発時刻	到着時刻	運行期間
		ウランバートル	ダランザドガド			ダランザドガド	ウランバートル	
MR111	毎日	14:30	16:00	MR112	毎日	16:30	18:00	7/3〜8/6
MR111	火木土	14:30	16:00	MR112	火木土	16:30	18:00	8/7〜9/2
MO75	月水金日	6:00	7:00	MO76	月水金日	7:30	8:30	6/26〜9/10
OM091	月木	16:00	16:55	OM092	月木	17:35	18:30	3/30〜10/29
		ウランバートル	ムルン			ムルン	ウランバートル	
MR131	毎日	10:40	11:40	MR132	毎日	12:20	13:25	7/3〜8/6
MR131	月水金日	10:40	11:40	MR132	月水金日	12:20	13:25	8/7〜8/30
MO87	月金	9:00	10:00	MO88	月金	10:30	11:25	6/26〜9/8
MO87	火木	13:30	14:30	MO88	火木	15:00	16:00	6/26〜9/8
OM081	水土日	7:40	8:45	OM082	水土日	9:30	10:30	3/30〜10/29
		ウランバートル	チョイバルサン			チョイバルサン	ウランバートル	
OM021	火金	7:15	8:25	OM022	火金	9:05	10:20	3/30〜10/29
		ウランバートル	ホブド			ホブド	ウランバートル	
MR121	金	13:25	16:20	MR122※1	金	16:50	20:25	3/31〜10/27
MO83	月木土	14:30	16:20	MO84	月木土	16:50	18:30	3/27〜10/28
MO83	金日	14:30	16:20	MO84	金日	16:50	18:30	6/2〜9/29
OM031	火金日	11:05	12:05	OM032	火金日	12:45	15:30	3/30〜10/29
		ウランバートル	オラーンゴム			オラーンゴム	ウランバートル	
MR121※2	金	13:25	17:20	MR122	金	17:50	20:25	3/31〜10/27
MO89	火日	16:30	18:20	MO90	火日	18:50	20:30	6/4〜10/24
MO89	木	16:30	18:20	MO90	水	18:50	20:30	1〜8/31
OM051	火金	16:25	17:20	OM052	火金	18:00	20:40	3/30〜10/29
		ウランバートル	ウルギー			ウルギー	ウランバートル	
MO97	火	8:10	10:10	MO98	火	10:40	12:45	3/28〜10/27
MO97	金	14:45	16:45	MO98	金	17:15	19:18	3/27〜10/28
MO97	月木土	14:45	16:45	MO98	月木土	17:15	19:18	6/1〜9/28
MO97	日	14:45	16:45	MO98	日	17:15	19:18	10/1〜10/22
OM071	水土	11:25	12:40	OM072	水土	13:20	16:10	3/30〜10/29

MR＝フンヌ・エア　MO＝アエロモンゴリア　OM＝MIATモンゴル
※1オラーンゴム経由　※2ホブド経由

ウルギー空港にて。飛行機まで
徒歩で移動する

国内航空のプロペラ機

もよい)。航空会社によっては、オンラインでも購入可能。

eチケットは、印刷しなくても、スマホ端末などで見せれば
チェックインできる。表示した画面をキャプチャして保存す
るなどしておくと便利。

　航空券について何らかの変更がある場合は、航空券購入時
に登録したメールアドレス、または電話番号に連絡が入る。

国内線の搭乗手続き

　搭乗手続きの開始時間は航空会社によって異なるが、遅く
とも出発時刻の1時間30分前には空港のチェックインカウン
ターに到着していたい。チェックインカウンターではパス
ポートとeチケット（携帯端末に保存した画像でもよい）を提
示し、搭乗券と機内預け荷物のバゲージクレームタグを受け
取る。チェックインの締め切りは、規定ではフライトの45分
前。余裕をもって行動したい。

　国内線の機内預け荷物の重量制限は国際線より厳しいので
注意（ひとり当たり15kgまで。利用航空会社に確認のこと）。
上限はあるが、超えた場合は追加料金を支払えば預けられる。

　チェックインを済ませたあと、搭乗ゲートへ向かう途中で
機内持ち込み手荷物のX線検査を受ける。パソコンやカメラ
などの予備用のリチウム電池やリチウムイオン電池などは、
機内預け荷物には入れられないので機内持ち込み荷物に入れ
ること。

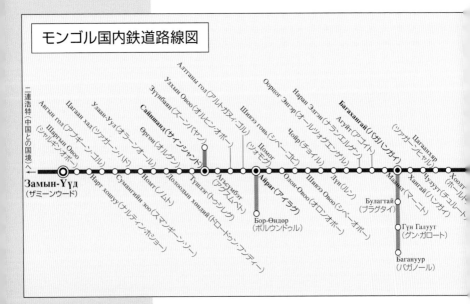

モンゴル国内鉄道路線図

鉄道の旅

　モンゴルは鉄道網があまり発達していない。国内で運行している鉄道幹線には、北はロシア、南は中国との国境を結ぶ南北縦貫路線がある。軌道の幅はロシアと同じ1520mm、単線非電化である。エルデネト、シャリーンゴル、ナライハ、バガノールなどを結ぶ6線の支線がある。高低差のある大地の中を、緩やかなカーブを描きながらただひたすら走る。草を食む羊たち、地平線から昇る朝日……。モンゴル大自然の醍醐味を心ゆくまで味わうことができるだろう。ローカル色も濃く、家族連れや仲間たちのにぎやかな車内風景も満喫できる。モンゴルの列車は、ただ目的地へと急ぐ旅ではなく、列車そのものの魅力を十分感じさせてくれる。時間に余裕があれば、ぜひ体験してほしい。

車両のクラス

　鉄道の車両クラスには、普通座席、開放寝台、個室寝台の3種類ある。普通座席は自由席で、ローカルな味わいがある。開放寝台は仕切りのない2段ベッドが車両内に並んだもの。個室寝台は個室内に向かい合わせの2段ベッド寝台があり、ひとつの個室につき4人まで利用できる。寝台車両は、長距離間を移動するのに便利。夜行なら、寝ながら移動すれば1泊分のホテル代を浮かせられて一石二鳥だ。各車両には専属のスタッフが1名つく。

列車内での飲酒は禁止！
　モンゴルの列車では飲酒は禁止されている。違反者は罰金が科される。駅構内のコンビニでも酒は販売していない。

夜行列車の消灯時間
　モンゴルの夜行列車は、ローカルの家族連れや友人同士でとてもにぎやか。まるで修学旅行のような雰囲気だ。しかし22時の消灯時間になると何の前触れもなく突然電気が消え、車内も急に静かになる。荷物の整理や寝床を整えるなどは消灯前に済ませておこう。

夜の列車内は修学旅行のよう

カーブにご注意！
　モンゴルの国内列車はカーブが多くかなり揺れる。特に寝台が上段の人は、揺れ幅が大きくなり、就寝中に落ちやしないかとヒヤヒヤする。寝台にベルトが着いている場合、体を固定して寝ると安心。

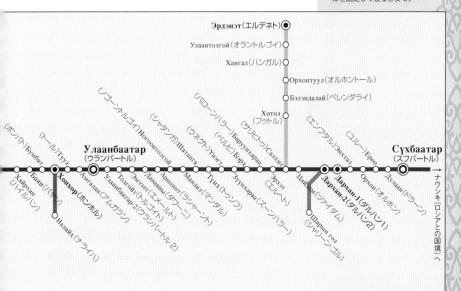

左コラム

ウランバートル駅国内列車チケットオフィス

1階に国内列車、2階に国際列車のチケット販売窓口がある。事前のチケット購入は、乗車日の1.5ヵ月前(国際列車は30日前)から当日まで。

MAP 折込裏-B2
住 ウランバートル駅チケットオフィス
TEL 21242473
営 6:00〜21:00

ウランバートル駅国際・国内チケットオフィス

列車のチケットサイト

URL eticket.ubtz.mn

列車の路線図、時刻表などの確認ができる。今のところ、購入の際の決済方法はモンゴルの銀行口座を持っている人に限る。ホテルやゲストハウスなどで依頼する方法もある。

列車内のサービス

寝台車両では、ひとりにつき座席に毛布1枚と枕がひとつ付く。さらにシーツ、枕カバー、タオルなどがセットされた袋が車両の専属スタッフから配られる。カップ麺やスナック菓子は車内販売員が売りに来る。すべての車両にお湯のサーバーが設置されているので、お茶を飲んだりカップ麺などを食べたりするときに便利。紅茶とインスタントコーヒーも有料で頼める。

列車内のトイレ事情

列車の停車中(前後も)トイレは使用できない。使用後は足元にあるレバーで流す仕組みになっている。

長距離バスのチケット記載事項

チケットにはバス会社名、ドライバー名、バスのナンバー、出発地、行き先、出発時刻、出発日、合計金額、運賃、保険料、座席番号が記されている。合計額に保険料として、200〜2000Tgが含まれている。

右コラム

チケットの購入方法

各駅の窓口やオンラインで、乗車日の1.5ヵ月前から購入することができる。営業時間は各駅によって異なり、当日のチケットは出発時刻の数時間前にのみ販売されることがある。購入の際には、パスポートなど身分証明書の提示を求められる。

乗車の手順

列車が始発駅のホームに入る時間は、出発時刻の約30分前。小さな駅や草原に設置されている駅では、乗車してからチケットを購入することもある。車両には、古い車両もあれば、テレビや暖房付きの最新技術が搭載されたものもある。ホームの高さはほとんど地面と同じなので、乗降時は車両からホームに降ろされる階段を利用する。

ウランバートルからの国内鉄道料金			(2024年1月現在)
行き先	運賃 (Tg)		
	普通車両	開放寝台	個室寝台
スフバートル	1万9900	4万3800	6万3600
エルデネト	2万1100	4万5700	6万8300
ダルハン	1万4900	3万7500	5万2800
バガハンガイ	8600	1万7200	2万4200
アイラグ	1万9000	4万2900	6万3200
サインシャンド	2万9900	4万8100	7万1400
ザミーンウード	3万200	5万7900	8万8600

※寝台の上段の料金は上記金額より1800〜3600Tg安くなる

長距離バスの旅

個人旅行を安く済ませるための移動手段は、長距離バスがおすすめ。時間はかかるが、モンゴルの人々の暮らしを身近に感じながら旅することができる。長距離バスはウランバートル市内の3つのターミナルから各方面へ走っている。

新ドラゴン長距離バスターミナル (MAP 折込裏-A2外)

2023年にオープン。市中心部から西へ約12km、ドラゴン長距離バスターミナルから西へ約1kmの所にある。3

つのバスターミナルのなかで最も多く発着する。少し遠回りだがЧ:6番バスなどで第10停車場10 буудал下車か、ドラゴン長距離バスターミナルから徒歩約15分。

ドラゴン長距離バスターミナル (MAP 折込裏-A2外)

おもに北方面と南方面を含む7路線のみが発着する。M1番バスなどでタバン・シャル5 Ⅲ АР下車。

※この地図はデフォルメしています

テンゲル長距離バスターミナル (MAP 折込裏-F2)

おもに東方面のバスが発着する。市中心部から東へ約6.5kmの所にある。M1番バスなどで将校宮殿 Офицеруудын ордон 下車、徒歩約15分か、Y30番・Ч：6番バスでチョローン・オボー Чулуун овоо 下車、徒歩約10分。

テンゲル長距離バスターミナル

テンゲル長距離バスターミナル
バス停（ウランバートル中心部へ）
サンサル・スーパー
ウランバートル中心部へ
バス停（ウランバートル中心部から）
獅子のモニュメント
カトリック教会
S ナラントール・ザハへ
S バス停 ※この地図はデフォルメしています

チケットの購入方法

座席は全席指定。各ターミナルの建物内にある窓口で購入できる。観光シーズンは路線によっては満席になることもあるので、遅くとも出発の前日までには予約・購入したほうがよい。窓口のそばに、行き先、料金、距離、出発曜日、出発時刻などの書かれた表があり、路線の確認が可能。購入時にはパスポートが必要。たいていモンゴル語しか通じないので、内容を紙に書いて渡したほうが確実。オンラインで座席を予約することも可能だが、決済方法が限られていて、購入できないことも。ホテルやゲストハウスに頼む方法もある。

バスの乗車

バスターミナルには出発予定の30分前には到着しておこう。乗車時にチケットを運転手に渡し、着席後に運転手が切符と照合しながら着席を確認し、チケットが返される。盗難などのトラブルを避けるため、荷物や貴重品は自分の目の届く範囲でしっかり管理するようにしたほうがよい。

長距離の場合は、途中の食堂などで30分〜1時間の食事休憩を取る。その際の下車時にはバスの出発時刻を確認しておくことを忘れずに。バスはトイレ付きではないため、途中でトイレ休憩も数回取る。日本のようにサービスエリア(S.A.)などの施設が各地にあるわけではなく、草原の真ん中で用を足すこともあるので、女性は腰に巻く上着やストールなどがあると便利。

モンゴルの道路事情

交通事情により、到着予定時刻に着かないことがよくある。旅程を組んでも予定日数より1日多くかかることはざらだ。余裕をもった計画を立てるようにしよう。特に舗装されていない道路では、雨が降ると道路が川のようになることもある。スタックして動けなくなったら、乗客はいったん降りてバスを押さなければならないことも。車が故障したときはドライバーがその場で修理をすることも多い。かつては、車の整備と修理が運転免許取得の必須技術だったほどだ。夜間は町明かりがなく暗闇を運転することになる。不測の事態に備えて、常にシートベルトをしておくように。

開放的な新ドラゴン長距離バスターミナル

ドラゴン長距離バスターミナル。新たにビルを建設中

テンゲル長距離バスターミナルのチケット売り場

長距離バスのチケットサイト
URL eticket.transdep.mn
出発地と行き先を入れると座席の空き状況などが出てくる。オンラインでの購入は決済方法が限られている。

載せられる荷物
長距離バスに載せられる荷物の重量はひとり20kgまで。超える場合は1kgごとに1000Tgかかる。荷物のサイズは60cm×40cm×20cmまで。小さい荷物は座席上の棚に置く。

サービスエリア(S.A.)
ウランバートルからハラホリン方面へ行く道沿いに24時間利用できるサービスエリア（モンゴルではロードサイドステーション）がある。トイレ、スーパーマーケット、カフェテリアなど近代的な施設に必要な設備が整う。そのほか観光地やガソリンスタンドにもきれいなトイレができ始め、観光客に優しい環境が整えられつつある。

ロードサイドステーション

ウランバートルからの長距離バス時刻・料金表（Tg）

（2024年1月現在）

※基本的にウランバートル（UB）へ戻るバスはUB発と
　同時刻に出発する
※所要時間はあくまでも目安。道路のコンディションに
　よって大幅に変わることがある
※モンゴルでは同じ地名を別名で表す場合がある。別名
　をカッコ書きで併記した

新ドラゴン長距離バスターミナル

県	行き先	経由地		距離(km)	出発日	出発時刻	所要時間	料金 大人
アルハンガイ Архангай	ジャルガラント	ウルジート	Өлзийт	348	金	18:00	5時間35分	38,900
		ハイルハン	Хайрхан	445			8時間15分	47,600
		エルデネマンダル	Эрдэнэмандал	492			9時間	52,900
		ジャルガラント	Жаргалант	554			11時間	58,900
	タリアト	イフ・タミル	их тамир	511	金	11:00	9時間40分	46,600
		ウンドル・ウラーン	өндөр-улаан	592			11時30分	52,800
		チョローティン グール	Чулуутын гүүр	607			12時間	53,800
		タリアト	Тариат	671			12時間30分	59,800
	ツェツェルレグ	ウルジート	Өлзийт	348	木	8:01	5時間35分	38,900
		ハイルハン	Хайрхан	445			8時間15分	47,600
		エルデネマンダル	Эрдэнэмандал	492			9時間30分	52,900
		ツェツェルレグ	Цэцэрлэг сум	519			9時間45分	57,800
	チョロート	チョロート	Чулуут	610		18:00	12時間	58,900
	エルデネボルガン	ホトント	Хотонт	400			6時間	
		ツェンヘル	Цэнхэр	461	毎日	8:00,14:00,19:00	7時間15分	44,600
		エルデネボルガン	Эрдэнэбулган	486			7時間40分	46,600
	エルデネマンダル	ウルジート	Өлзийт	348	月木金	8:00	5時間35分	38,900
		ハイルハン	Хайрхан	445			8時間15分	47,600
		エルデネマンダル	Эрдэнэмандал	492			9時間30分	52,900
ウブルハンガイ Өвөрхангай	ハラホリン	ハラホリン	Хархорин	365	毎日	11:00	6時間	37,400
	ホジルト	ホジルト	Хужирт	384		14:00	5時間30分	39,800
ボルガン Булган	ボルガン	ボルガン	Булган	438	木以外	12:00	6時間40分	34,000
オルホン Орхон	エルデネト	エルデネト	Эрдэнэт	378	毎日	9:00～17:30に6便	5時間50分	29,300
バヤンホンゴル Баянхонгор	バヤンホンゴル	ウルジート	Өлзийт	631	毎日	8:00,14:00,20:00	9時間	48,200
		バヤンホンゴル	Баянхонгор	640			9時間10分	49,600
フブスグル Хөвсгөл	ムルン	ムルン	Мөрөн	788	毎日	8:00～21:00に5～6便	17時間	60,800
ザブハン Завхан	トソンツェンゲル	トソンツェンゲル	Тосонцэнгэл	838	毎日	16:00	13時間23分	64,600
	オリアスタイ	オリアスタイ	Улиастай	1023	毎日	16:00,18:00	14時間40分	78,700
オブス Увс	オラーンゴム	オラーンゴム	Улаангом	1382	毎日	11:00,15:00,17:00	30時間	105,000
ホブド Ховд	ホブド	ダルビ	Дарви	1275	毎日	11:00,13:00,16:00	16時間20分	98,000
		ホブド	Ховд	1488			18時間50分	112,000
バヤンウルギー Баян-Өлгий	ウルギー	ウルギー	Өлгий	1709	火以外	13:00 (月水土は10:00も)	30時間	130,000

ドラゴン長距離バスターミナル

県	行き先	経由地		距離(km)	出発日	出発時刻	所要時間	料金 大人
トゥブ Төв	ゾーンモド	ゾーンモド	Зуунмод	43	毎日	7:30～18:30に1時間毎	1時間	4,200
セレンゲ Сэлэнгэ	スフバートル	スフバートル(セレンゲ)	Сүхбаатар(Сэлэнгэ)	318	毎日	16:30	7時間	24,600
	サイハン	サイハン(フトゥル)	Сайхан(Хөтөл)	264	毎日	9:00～17:30に5～6便	4時間	20,400
ダルハンオール Дархан-Уул	ダルハン	ダルハン	Дархан	219	毎日	11:00～20:00に8便	4時間	20,600
ドンドゴビ Дундговь	サインツァガーン (マンダルゴビ)	サインツァガーン (マンダルゴビ)	Сайнцагаан (Мандалговь)	232	毎日	8:00,9:00,12:00, 16:00,20:00	5時間	21,400
南(ウムヌ)ゴビ Өмнөговь	ダランザドガド	ダランザドガド	Даланзадгад	585	火水土日	9:00	6時間	44,700
	ツォグト・ツェツィー (タワントルゴイ)	ツォグト・オボー	Цогт-Овоо	455	月火木木日	18:00	6時間	35,300
	ツォグト・ツェツィー (タワントルゴイ)	ツォグト・ツェツィー (タワントルゴイ)	цогт-цэций (таван толгой)	585	火水土日	9:00	9時間	44,700

テンゲル長距離バスターミナル

行き先 県	行き先	経由地		距離(km)	ウランバートルから 出発日	出発時刻	所要時間	料金 大人
ドルノゴビ Дорноговь	ザミーンウード	ザミーンウード	Замын-Үүд	662	毎日	20:00	12時間	59,800
	サインシャンド	サインシャンド	Сайншанд	450	毎日	13:00	7時間10分	34,800
ゴビスンベル Говьсумбэр	ゴビスンベル	チョイル	Чойр	223	毎日	13:00 (水金は20：00も)	3時間50分	17,200
		ゴビスンベル	Говьсумбэр	244			4時間	17,200
ドルノド Дорнод	ヘルレン (ドルノド/チョイバルサン)	ヘルレン	Хэрлэн Дорнод/Чойбалсан	658	毎日	8:00,13:00,18:00	12時間	61,800
ヘンティ Хэнтий	チンギス	チンギス	Чингис	338	毎日	8:00,10:00, 16:00,17:00	6時間	25,800
中国	二連浩特	二連浩特	Эрээн хот	611	毎日	7:00,21:00	12時間	97,000

ウランバートル市内の移動

　市内の移動で最も安いのはバスとトロリーバスで、重要な市民の足になっている。バスレーンがある道路もあるが、交通渋滞が激しく、時間の見通しがつかない。混まなければ15分くらいで着く距離が1時間以上かかる場合もある。足に自信があれば徒歩のほうが早いことが多い。

　モンゴルのタクシーはほとんどが個人タクシー（白タク）。専門のタクシー会社が正規タクシーを走らせているが、ウランバートルの人口に対して台数が少なく、見つけるのはむずかしい。現地の人は日常的に白タクを利用している。

バス・トロリーバス

　バスとトロリーバスを合わせて100以上もの路線がある。車体の側面や停留所に路線図が表示されている。また、ウランバートル市ツーリストインフォメーションセンターではバスの路線図が手に入る。すべての路線を覚えるのは難しいので、主要なものだけでも覚えておくと便利。

　市内中心部の運賃は、バスが500Tg、トロリーバスが300Tgの定額制。乗車は前の扉から、降車は後ろの扉から。運賃支払いにはチャージ式スマートカード「U money」の利用が便利。乗り換えの際には30分以内で。混み合った車内ではスリの被害が非常に多い。持ち物は体の前に抱えて、しっかりと管理すること。

タクシー

　モンゴルでは白タクが日常的に利用されているが、旅行者は正規のタクシーを利用するほうが安心だ。ただし台数が多くないので、路上で見つけるのはむずかしい。専門のタクシー会社に電話などで予約するか、ホテルやゲストハウスに頼んで呼んでもらうのがよいだろう。日本語や英語のできないドライバーが多いので、行き先を告げる際はGoogleマップを使うと便利。白タクは、外国人だと分か

正規のタクシーもちらほら見かける

便利なチャージ式スマートカード

　市内のバスおよびトロリーバス路線の乗車の際は、交通カード「U money」が便利。日本のSuicaやICOCAと同じチャージ式スマートカードだ。バスの乗車時に運転席脇の読み取り機にかざし、下車時に降車口脇の読み取り機に再びかざす。下車後30分以内にほかの路線に乗り換えると無料になる。カードは「U money」のロゴのあるキオスクやコンビニで3600Tgから購入可能。チャージは300Tgから。

🌐u-money.mn

U moneyカード

2階建てバスも登場した

市内バスもGoogle Mapsが便利

　モンゴルのGoogle Mapsにはバス停マークが登録されていて便利。バス停マークをクリックするとそのバス停を通るバスのルートとステータスが出てくる。

市内バスの最新情報

　市内のバスルートが2024年1月に全面的に改訂になった。それにともない市内に4路線あったトロリーバスは運行を停止している。今後完全に廃止になるかどうかは未定。料金も安く安定的な運行にいたるまではまだ時間がかかりそうだ。

ると法外な運賃を請求する悪質なドライバーもいるので、旅行者は利用を避けたほうがよいだろう。

タクシー料金の目安は1500 ～ 2000Tg/km。料金はガソリン価格により変動するので事前に確認しておこう。

車のチャーター

ドライバーの技術
運転技術はもちろんのこと、修理などトラブル対応もできるドライバーが好ましい。郊外は舗装されていない道路が多いので、料金は少し高いが、四駆をチャーターするのがおすすめ。

公共交通機関の発達していないモンゴルでは、郊外に行くには車のチャーターが便利。所要時間も少なく、効率よく回れる。ドライバー付きで、旅行会社、ホテルやゲストハウスなどで手配できる。1日US$80くらいのチャーター料のほか、ガソリン代実費分、ドライバーの食事代は別途支払うケースが多い。提示された料金に何の費用が含まれているか、あらかじめ確認することを忘れずに。

四輪はモンゴルでは大事な足となる

モンゴルの旅行会社

● フォー・シーズン・ツアー＆ゲストハウス
(Four Season Tour & Guesthouse)
MAP P.40-A3　E tours@fourseason.mn
URL fourseason.mn

● ジェンコ・ツアー・ビューロー
(Genco Tour Bureau)
MAP P.40-B4　E info@genco-tour.mn
URL www.genco-tour.mn

● ジョールチン・ツーリズム
(Juulchin Tourism Corporation of Mongolia)
MAP P.41-C3　E info@juulchin.com
URL www.juulchin.com

● HISウランバートル支店 (HIS Mongolia LLC)
MAP P.41-C2　E all-mongolia@his-world.com
URL his-j.com/ovsbranch/31.html

● ダーク・スカイ・モンゴリア
(Dark Sky Mongolia)
MAP P.41-C3　E Enkhtuvshin.oneday@gmail.
com　URL www.darksky.mn

● モンゴリアン・ガイド・ツアー
(Mongolian Guide Tour LLC)
MAP P.40-B2　E info@mongolianguideschool.
com　URL www.mongolianguidetour.mn

● EBH・ツアー・オペレーター・カンパニー
(EBH Tour Operator Company)
E togtokhbayar0807@gmail.com
URL www.ebhtravel.com

● レッツ・トラベル (Let's Travel)
MAP P.41-C1　E info@letstravel.mn
URL letstravelmongolia.com

● ハシ・シャガイ (Khash Shagai LLC)
MAP P.40-B3　E info@itravel.mn
URL itravel.mn

● ブルー・ウルフ (Blue Wolf Travel)
MAP P.93-A2　E info@bluewolftravel.com
URL www.bluewolftravel.com
※ブルー・ウルフのみウルギー、そのほかはウランバートルにある

ホテルの種類と探し方

モンゴルのホテル事情

　ホテルはモンゴル語で「ゾチド・ボォダル」と呼ばれる。高級ホテルからゲストハウスまでホテルの種類や数は多く、選択の幅は広い。保養所である「アムラルト」に宿泊することも可能だ。ウランバートルには外資系高級ホテルも開業し、英語や日本語の通じるホテルも増えている。経済的なホテルは、ほとんど日本語や英語が通じないと思ってよい。

都市のホテル、ゲストハウス

　ウランバートルの中心部にはゲストハウスが点在している。たいていはアパートの1階か2階をゲスト用の部屋に改造し、客を迎え入れる。トイレとシャワーは共同で、Wi-Fiは無料で利用できる所が多い。キッチンや洗濯機も使えるので、長期滞在者にも強い味方だ。宿泊施設によってはツアーなどのアレンジができる所もあり、旅の相談にも気軽に乗ってくれる。空港送迎サービスがあることもあるので、予約時に確認してみよう。

地方の宿泊事情

　地方の観光地では、モンゴル遊牧民の移動式住居であるゲルを観光客向けに利用した宿泊施設が一般的。夏季のみ営業か、通年営業でも夏季以外はゲルの数を大幅に減らす所が多い。水洗トイレ、温水シャワー、レストランなどを備えたリゾート型の大規模なツーリストキャンプもあれば、家族経営の小規模なゲル式のゲストハウスもある。電気も水道も引かれておらず、トイレは外という簡素な所も多い。ヘッドランプやトイレットペーパー、ウエットティッシュなどを忘れず持参したい。不便さを楽しむ心構えで。

宿泊料金

　料金はハイシーズンとオフシーズンで幅がある。夏の祭典「ナーダム」の時季が最も高い。連泊や長期滞在の場合は割引サービスしてくれるホテルもある。表示料金には10％のVATと1％の都市税、ホテルによってはさらに5％のサービス料が加算される。都市部のホテルではほとんどの所でクレジットカード払いが可能。地方の町なかから離れた小規模のゲストハウスなどでは現金払いのみの所が多いので、現金を多めに持ち合わせておいたほうがよいだろう。

チェックインとチェックアウト

　チェックイン時にはパスポートの提示が必要。高級ホテルでは、デポジットとして、クレジットカードまたは現金が必要な場合も。チェックイン時間は、14:00または15:00がほとんど。チェックアウト時間は11:00または12:00。場合によってはアーリーチェックインやレイトチェックアウトもできる。

チップ

　高級ホテルの宿泊代には通常あらかじめサービス料が付加されている。一般的にチップの習慣はないが、特別なサービスを受けたときや、特別なことをしてもらったときには気持ちで渡そう。目安は2万～4万Tg程度。

ホテルの予約

　ホテル予約サイト、ホテルクーポン会社や旅行会社経由、また直接ホテルにオンライン予約する方法などがある。ホテル予約サイトのほうがホテルに直接交渉するより安く泊まれたり、オンライン予約客のみを対象にしたお得なサービスを用意していたりとメリットがある場合もある。

●ホテル予約サイト
アゴダ　Agoda
www.agoda.com
エクスペディア　Expedia
www.expedia.co.jp
トリバゴ　trivago
www.trivago.jp
ブッキングドットコム
Booking.com
www.booking.com
ホテルズドットコム
Hotels.com
jp.hotels.com

停電

　地方都市では特に電力事情が悪く、突然停電することもあり、電気が停まるとポンプも動かず水が出なくなることもある。チェックインしたら電気があるうちに湯を沸かしたり、洗濯したりとできることを早めに済ませておこう。懐中電灯（ヘッドランプ）も忘れずに。

231

食事

カフェ

ウランバートルのいたるところにカフェがある。個人店、チェーン店、ベーカリー併設など。チェーン店で多いのがいずれも韓国資本の「Caffe Bene」と「Tom N Toms Coffee」。最初にオーダーして、用意ができたら取りに行くおなじみのシステム。コーヒー、カフェオレのほか、スムージーなどの種類も多く充実している。Wi-Fiも無料で使える所が多い。

コンビニエンスストア

モンゴル都市部には韓国資本の「CU」や「GU25」などのコンビニエンスストアが急増している。イートインスペースもあり、購入した商品を食べられる。目の前で作ってくれるホットドッグやコーヒーなどファストフードのほか、おにぎりやのり巻きなども店頭に並ぶ。モンゴル料理の「ホーショール」、肉まんのような「マントーンボーズ」も人気。チャツァルガンジュース（→P.235欄外）のサーバーがあったりと、モンゴルらしさが発見できるかも。モンゴル料理に飽きたり、簡単に済ませたいときなどに便利。

紫と黄緑の外観が目印のCU

ストリートフード

夏はアイスの路上販売をよく見かける。オススメは「スーン・ザイルマグ（Cүүн зайрмаг）」。モンゴル産のミルクで作られた無添加ミルクジェラートを2000Tgほどで購入できる。夏の祭典ナーダムの時季の揚げたてホーショールの屋台は、モンゴルの夏の風物詩。ほかにもハンバーガー、ピザ、ホットドッグ、たこ焼きなどのストリートフードを提供するキッチンカーや屋台が増えている。

伝統的な食文化と現代の食事

厳しい自然環境のなかで馬や家畜とともに生きてきたモンゴルでは、畑を耕す文化がなく、野菜を食べる習慣はほとんどなかった。伝統的な食生活では、羊肉や牛肉などの「赤い食べ物」と乳製品などの「白い食べ物」が基本で、おもに赤い食べ物を冬に、白い食べ物を夏に食べる。寒冷な気候により肉を加工保存する必要がなかったため、香辛料や調味料をほとんど使わず、塩が味つけの基本である。

現在、都市部を中心に食生活が急速に変化している。肉は通年食卓に上り、野菜を食べる人も増えている。また、生活習慣病患者の多いことや肥満化といった問題から、健康的な食事を意識する流れが出てきたり、若者たちがモンゴル産のおいしい肉ではなくファストフードを好んで食べたりと、「肉離れ」も出てきている。

モンゴル料理

羊肉を使った肉料理が中心。羊は一滴の血も大地にこぼさない方法で解体され、内臓から骨まで残さず食べる。豚肉や鶏肉は放牧家畜ではないため、あまり食べられない。現在、野菜も一般的になり、ジャガイモ、ニンジン、タマネギ、カブ、キャベツなど寒冷地に適した野菜のほか、キュウリ、トマトなどの夏野菜がある。

主食は小麦粉を使った料理。ほとんどの家庭には麺棒と麺打ち台があり、手作りの皮や麺を作る。小麦粉料理の代表格は「ボーズ（бууз）」。小麦粉で作った皮で羊肉やタマネギを包んで蒸したもので、旧正月の祝いごとには欠かせない。ほかにも種類豊富な小麦粉料理がある。

レストランなどの種類と利用法

食堂

食堂は「ゴアンズ（гуанз）」「ゾーギーンガザル（зоогийн газар）」「ツァイニーガザル（цайны газар）」と呼ばれる。モンゴル料理やロシア料理を手頃な価格で楽しめる。先にカウンターで注文と支払いを済ませ、できあがった料理を自分で取りに行くスタイルが多い。

入口の看板があやしかったり、メニューがモンゴル語表記のみ、写真が付いていない、売り切れがあるなど、最初はとまどうこともあるかもしれないが、地元の人に交じって食堂を

利用するのは貴重な体験になるだろう。

　地方の幹線道路沿いにはゲル式の食堂があり、注文に応じてその場で調理してくれる。近代的なサービスエリア（ロードサイドステーション）や、トイレやコーヒーを提供するガソリンスタンドもできている。旅の途中に立ち寄ってみるのもいい。

レストラン

　ウランバートル市内には、モンゴル料理をはじめ、日本料理、中国料理、ロシア料理、韓国料理など各国料理のレストランが数多く並ぶ。英語表記のメニューも多く、旅行者でも利用しやすい。ベジタリアン向けやオーガニックレストランも人気だ。ウランバートルほどの選択肢はないが、地方都市でもおいしい食事を楽しめる場所が増えてきている。

ツーリストキャンプの食事

　外国人向けに調理されているので、比較的利用しやすい。羊をその場で屠って焼いた石で蒸すごちそう「ホルホグ（Xoxxor）」の味は忘れられない思い出になるだろう。地方旅行中は、どうしても羊肉中心のローカルフードが続くので、人によっては胃腸にこたえるかもしれない。

ひとり分の量が多く、ゆっくりペース

　基本的にひと皿の量が多いので、注文し過ぎないように気をつけよう。ただし、食べ切れなかった場合でも、持ち帰りが可能。またオーダーしてから出てくるまでに時間がかかる所が多い。食事の際は時間に余裕をもって臨もう。

二次元コードでメニューを確認

　読み取るとメニューが見られる二次元コードをテーブルなどに置いている店も増えている。写真付きだと注文しやすい。

飲み物

　水分をこまめに取るなら、ミネラルウォーター（ツェベル・オス/цэвэр ус）を購入し持ち歩くといい。牛乳や飲むヨーグルト、ビールやウオッカなどのアルコール類も豊富に売られている。

レストランのおもなメニュー

	モンゴル語	読み方	内容
サラダ、スープ	Нийслэл салат	ニースレル・サラトゥ	ポテトサラダ。マヨネーズ味
	Байцааны салат	バイツァーニ・サラトゥ	キャベツサラダ
	Банштай шөл	バンシタイ・シュル	水餃子入りスープ
	Хуйцаа	フィツァー	羊と牛の合いびき肉で作った肉団子、春雨、野菜などの入った野菜スープ
	Ногоотой шөл	ノゴートイ・シュル	肉と野菜のだしが利いた野菜スープ
各種定食	Шницель	シニツェリ	羊と牛の合いびき肉を薄く伸ばし、衣を付けて焼いたもの
	Өндөгтэй бифштекс	ウンドゥグテ・ビーフシテクス	目玉焼き載せハンバーグ
	Тефтель	テフテリ	羊と牛の合いびき肉で作った肉団子
	Азу	アズ	ジャガイモと羊肉の炒め物
軽食、ご飯、パン類	Пирошки	ピロシキ	ロシアで定番の揚げパン
	Шарсан тахиа	シャルサン・タヒア	とりのから揚げ
	Төмсний хучмал	トゥムスニー・ホチマル	マッシュポテトと合いびき肉の重ね焼き
	Боорцог	ボールツォグ	小麦粉の生地を揚げたもの。朝食や軽食に食べる
	Мантуу	マントウ	中国のマントウ。蒸しパン
	Цагаан будаа	ツァガーン・ボダー	ご飯
	Будаатай хуурга	ボダータイ・ホールガ	炒飯
飲み物	Цэвэр ус	ツェベル・オス	ミネラルウォーター
	Ундаа	オンダー	ソフトドリンク
	Байхуу цай	バイホー・ツァイ	紅茶
	Сүүтэй цай	スーテイ・ツァイ	乳茶（モンゴルミルクティー）。塩味
	Кофе	コーフェ	コーヒー
	Пиво	ピーヴォ	ビール

※P.30〜31「モンゴル料理にトライ！」もご活用ください

現地在住者に聞いてみた！　モンゴル旅を楽しむためのコスパ術（食事編）

ここ数年のモンゴルの物価高騰の勢いは増すばかり。レストランによっては日本より高いこともあり、外食続きは旅行費用が膨らみます。少しでも賢く、お得に楽しむための方法を、JICA海外協力隊（※）や地元の学生に教えていただきました！

TIPS1 モンゴルでもコンビニは強い味方！

「10m歩けばコンビニに当たる」というほど、いまやウランバートルはコンビニだらけ。お弁当、のり巻き、おにぎりのほか、熱々のマントウやホーショールなども。電子レンジやお湯も使えて、イートインスペースですぐに食べられます。使い方は日本とほぼ同じ。

熱々のマントウ、ホーショール、ホットドッグもある

TIPS2 お総菜屋さんで指さしチョイス！

ロシア料理のお総菜屋さん「МИЛАЯ КАФЕ（ミラヤ・カフェ）」が、路面店のほか、ノミン系列のスーパー内にあります。パックのサイズを指定してから、総菜を指せばよいので、言葉の問題もクリア。最後に重量に応じて料金を支払うシステムです。

このマークが目印。イメージカラーはピンク

TIPS3 ローカル気分でフードコートへ！

モンゴルでもフードコートは庶民の味方。eマートやノミンデパート、モールなどに併設されています。いろいろなメニューを少しずつ試せるのもうれしいところ。特にeマートのフードコートのピザはおいしいと地元民にも好評。いつも長蛇の列ができています。

フードコートはいろいろ試すこともできる

TIPS4 小腹が空いたらストリートフード

夏の間、広場や空き地にキッチンカーや屋台村が登場し、気軽にストリートフードを食べる地元民の姿が増えてきました。モンゴル風、韓国風のほか、日本のたこ焼きまで。ノミンデパートから南に延びる広場やソウルストリート沿いの空き地などで楽しめます！

屋台では家族の姿も

TIPS5 海外系ファストフードも健在

地元民の若者にも人気のファストフード。おなじみのKFC、ピザハット、バーガーキング、ロッテリアのほか、吉野家もあります。高くても2万Tgくらいなのでレストランより安く抑えられます。何と、吉野家ではモンゴル限定の「羊丼」や「ちゃんこ鍋セット」も！

TIPS6 ベーカリーカフェは時短にも！

「ЖҮР ҮР（ジュル・ウル）」や韓国系の「TOUS les JOURS（トゥレジュール）」などがあります。陳列されたパンをトレーに入れて、会計時にドリンクを注文すれば、イートインスペースですぐに食べられます。もちろんテイクアウトもOK。時短にもなります。

ベーカリーはスイーツも充実！

TIPS7 食材調達＆自炊にトライ！

ゲストハウスにはたいていキッチンスペースがついているはず。スーパーやザハ（市場）で現地の食材を調達して自炊してみては？　野菜や果物、海鮮などの瓶詰めの品揃えがよく、ロシア産キャビアは日本より安く手に入ります。買い物の際はエコバッグを忘れずに！

地方の商店で。キャンプ地で自炊する方法も

TIPS8 必殺！お持ち帰り大作戦

モンゴルのレストランではサーブされる量が日本より多く、「これでひとり分？」と、驚くことも多々あります。たいていのレストランはお持ち帰りができるので、料理が余ったら、お店の人にリクエストしてみてください。翌日の食事はこれに決まり!?

※モンゴル派遣JICA海外協力隊について
1992年に最初の隊員が派遣されて以降、2023年12月までで累計746名が派遣されている。2023年12月現在、派遣されている協力隊員は全33名。マーケティング、障害者支援、医療、教育などの各分野で、現地にどっぷりつかりながら日々活動している。

ショッピング

モンゴルの買い物事情

　都市部を中心に現代的な商業施設が増え、買い物しやすい環境が整えられている。ウランバートルにはデパート、ショッピングモール、スーパー、ドラッグストア、ザハ（市場）、商店など、各商業施設に数多くの品物が並ぶ。日本の"100円均一ショップ"もある。特に、2018年頃から韓国資本のCUやGU25などのコンビニエンスストアが急激に増えた。イートインスペースやトイレもあり、24時間営業なので、旅行者にはありがたい存在だ。

　食料品などのおもな物価は、水500mlが1500Tg（約60円）、コーヒー1杯7000〜8000Tg（約280〜320円）と、コロナ後の著しい物価上昇の影響により、ものによっては日本と同じか、高いものもある。かつて日本と比べて物価の安かったモンゴルのイメージはあまり感じられないだろう。

　モンゴル都市部のデパート、スーパー、コンビニなどでは、クレジットカードがほとんど使える。

ウランバートルのデパート

　エンフタイワン（平和）大通りにあるノミンデパート（→P.61）（Номин их дэлгүүр：モンゴル語でオルスィンイノデルグール：Улсын их дэлгүүр）はモンゴル最大のデパート。各種みやげ物も揃い、1階と地下1階にはスーパーもあって便利。この通りにはデパートが多い。また、スフバートル広場のすぐ横にあるギャレリア・ウランバートル（→P.61）では、モンゴル特産のカシミヤ製品をファクトリー・ストアに行かずして手に入れることができる。

スーパーマーケット

　日本と比べて、パン、輸入加工品、乳製品の品数が多く、圧倒されるほど。パンはずっしりとした黒いハード系、ライ麦や雑穀の入ったものが多い。オーガニック素材のパンも出回っており、美味。ピクルス、キャビア、ジャム、ソーセージなど輸入加工品も充実している。ロシア産のイクラやキャビアなども日本より安く手に入る。菓子コーナーにはおもにロシアのキャンディやキャラメルなどがカラフルな包み紙に入れられて、量り売りもされている。地方へのみやげ用に喜ばれる。旅のばらまきみやげにもスーパーマーケットはおすすめ。ただし賞味期限が切れたものや鮮度の悪いものを販売していることもあるので、購入時には自分でよく確かめること。

トゥツ（ТҮЦ）

　モンゴル中にあるプレハブ小屋の個人商店。バス停の近くに多い。飲み物やお菓子、簡単な生活用品、バスカード（チャージ式スマートカード→P.229欄外）が手に入る。携帯電話やバスカードのチャージなどもできる。個人経営のため英語が通じる可能性は低い。

ショッピングの注意あれこれ

・コンビニやスーパーなどではレジ袋が有料なので、買い物にはレジ袋を持参しよう。レジ袋を買いますか？「Тор авах уу？／トル アワフー？」、はい「тиймээ.／ティーメー」、いいえ「Үгүй.／ウギーい」。
・人であふれかえるザハ（市場）や、ノミンデパートがあるエンフタイワン（平和）大通りなどは、スリの被害が相次いでいる。
・コンビニエンスストアなど夜遅くの利用は、酔っ払いに絡まれる可能性があるので控えたほうがよい。

スーパーフード「チャツァルガン」

　シーベリー、シーバックソーン、サジー（沙棘）とも呼ばれ、200種以上の栄養素が含まれる抗酸化食品。脂肪酸が豊富に含まれ、美肌や老化防止に効果的とされる。ジュース、アイスのほか、スキンオイル、スキンケア商品が多数販売されている。

動物検疫対象となるおみやげ品

　動物検疫対象動物である羊、山羊、牛、馬、ラクダに由来する品々のうち、精製されていない羊や馬の脂、フェルトに加工されていない羊の原毛、なめし革製品になっていない原皮は動物検疫の対象品となる。モンゴル政府の証明書を取得したうえで、日本帰国時に動物検疫カウンターで検査を受けること。

　乳製品も動物検疫の対象となっている。
📖 www.maff.go.jp/aqs/topix/dairy_products.html

旅の健康管理

モンゴルの気候は、雨量が少なく空気が非常に乾燥し、一日の気温差が激しい。近年、大気汚染の問題（特に冬季）も深刻化している。そのため、のどの痛みや風邪のほか、鼻炎や気管支炎など呼吸器系の病気にかかりやすい環境にある。また不衛生な環境や慣れない食事から、腹痛や下痢に見舞われることもある。旅程はゆっくり休息を取って体調管理に努めよう。

出発前の準備

医療水準の違い、医療器等の供給不足、医療施設の老朽化などにより、日本に比べて医療環境は遅れている。英語が通じる医療機関も限られる。医療事情は首都と地方都市で大きく異なり、地方都市では安心して受診できる医療機関はない。

入国のために必要な予防接種はないが、モンゴル国内で日本と同等の予防接種を受けることは困難。長期滞在の場合は、下記の予防接種を渡航前に済ませておきたい。十分な効果を得るためには、出発の4〜6週間前には接種することをすすめる。

予防接種が必要と思われる病気とワクチン接種の回数
- ●破傷風　1回　10年ごとに追加接種
- ●B型肝炎　3回　追加接種必要なし
- ●A型肝炎　3回　追加接種必要なし
- ●腸チフス　1回　3年ごとに追加接種
- ●狂犬病　3回　3年ごとに追加接種
- ●季節性インフルエンザ　1回　毎年

日常的にかかりやすい病気やけが

食中毒
レストランでの氷や生サラダ、路上販売の食品は食中毒の原因になりやすい。下痢、腹痛、発熱の際には、病原性大腸菌、細菌性赤痢、A型肝炎等による食中毒が疑われる。

呼吸器疾患
環境によってはぜんそくなどの呼吸器疾患が悪化することもある。モンゴルでの治療は難しいため、日本から治療薬を持参する。

脱水症、熱中症
夏季はやはり暑くなるので、水分補給を心掛け、熱中症に注意する。尿が少ないときは脱水気味と考えて水分をこまめに摂取しよう。特に高齢者や子供は気づきづらいので要注意。

海外旅行保険
　高度な治療を受ける場合は、国外への緊急移送（3000万円以上かかる場合も）が必要となる。緊急移送を含む海外旅行保険に加入しておこう。「地球の歩き方」ホームページでは海外旅行保険情報を紹介している。保険のタイプや加入方法の参考に。
URL www.arukikata.co.jp/web/article/item/3000681

予防接種についての詳細
　一般社団法人日本ワクチン産業協会のウェブサイトで。
URL www.wakutin.or.jp/medical

常備薬を持参
　薬局は市内に多くあり、医薬品を処方箋なしで購入可能だが、日本と同じ品質の医療薬は入手困難。整腸剤や下痢止め、風邪薬、各種軟膏、酔い止めなど、使いなれた薬を持参するようにしよう。長期滞在で持病や慢性疾患のある人は、病名や検査データ、処方薬等が英語で書かれた診断書や処方箋を携行し、念のため日本の主治医の連絡先などを控えておこう。

そのほか注意したい病気
●結核
　モンゴルはアジアのなかでも結核患者が多い。咳や微熱が3週間以上長引く場合は、医療機関を受診する。
●エイズ（AIDS）
　性行為、輸血などにより感染する恐れがある。不特定多数との性行為を避ける。
●炭疽、ブルセラ症
　家畜との接触や、肉と乳製品から感染。野生の動物（死骸や毛皮も含む）、未加熱殺菌処理食品（乳製品、肉製品）を避ける。
●ペスト
　げっ歯類のタルバガン（マーモットの一種）が病原菌を保有し、直接またはノミを媒介して人に感染する。ノミに刺されないよう身体を覆うようにすること。
　国立感染症研究所：「ペストとは」
URL www.niid.go.jp/niid/ja/kansennohanashi/514-plague.html

帽子や日焼け止めなどで紫外線対策も忘れずに。

狂犬病

　犬、ネコ、コウモリなどの動物にかまれたり、なめられたりすることで感染する。発症後の致死率は100%。野犬が徘徊しているので、近寄らないように。もしかまれたら石鹸と流水でよく洗い、一刻も早く医療機関で処置を受ける。

B型肝炎、C型肝炎

　不衛生な医療行為（輸血、注射、手術、歯科治療）、性行為、入れ墨、不衛生なピアスの穴あけなどで感染する恐れがあるB型肝炎、C型肝炎に注意する。

けが

　路面凍結時の転倒や落馬による骨折が多い。乗馬時はヘルメットを着用するように。

やけど

　ゲルの中ではストーブがたかれ、熱湯が置かれていることもある。やけどに注意しよう。

そのほか心掛けること

飲料水

　飲料水は市販のミネラルウオーターが安心。水を購入する際は、必ず未開封か確認しよう。水・酒・ジュース・スムージーなどに入っている氷は、汚染された水道水で作られていることがあるため、氷入りの飲み物は避ける。水道水は飲用できないが、うがいや歯磨きには使用できる。

食べ物

　レストランでの氷や生サラダ、路上販売の食品は食中毒の原因になりやすい。食品が傷みやすい夏は特に注意が必要。肉は中まで火が通ったものを食べる。カットフルーツや生野菜は、水道水での処理が多いので要注意。未殺菌乳から作られた乳製品（生乳、チーズ、ヨーグルトなど）の摂取によりブルセラ症になることがある。

乾燥

　モンゴルは1年中乾燥が激しい。屋外でのマスク着用や室内でのぬれタオルでの加湿など、鼻やのどの保湿に努めよう。極度の乾燥で皮膚のバリア機能が低下しないよう、保湿クリームを積極的に使用するとよい。

大気汚染

　ウランバートルでは厳冬期の11〜2月頃に特に大気汚染が深刻になる。長時間の屋外活動を避け、外出時にはPM2.5対応マスクを正しく着用するなどの対策が必要。子供や高齢者、ぜんそくなど慢性肺疾患のある人は、特に注意。

アルコール

　ウォッカやアルヒ（牛乳などを発酵させた蒸留酒）を一気飲みする習慣があるが、モンゴル人のように大量に飲むと悪酔いする。

快適に過ごすために

　マスク、うがい薬、のどあめ、点鼻薬があると便利。夏は虫除けスプレーがマスト。夏でも朝晩は冷えるので、薄手のダウンジャケットやカイロがあると安心。日差しが強いので帽子、日焼け止め、サングラスも忘れずに。冬は乾燥対策に保湿クリームも役立つ。

日本語の通じる病院

　日本語対応可能な医師はほとんどいない。重症時は、在モンゴル日本国大使館の医務官に連絡すると、ホテルへの往診を依頼できることも。初期治療をモンゴルで受けた場合でも、帰国後に日本の医療機関での受診をすすめる。

●SOSクリニック
SOS Medica Mongolia UB International Clinic
MAP 折込裏-E1
4a, Building 1kh Toiruu, 15th Microdistrict, 7th Khoroo, Bayanzurkh District
(011) 464325/6/7 (時間外91913122)
admin@sosmedica.mn
www.sosmedica.mn
AJMV
　英語での診療、検査が可能。欧米製医薬品を処方。軽症〜中等症対応可。

●インターメッドホスピタル Intermed Hospital
MAP 折込裏-C3 Chinggis Ave., Khaan-uul District
77100203、70000103
www.intermed.mn
　世界標準の医療を提供する。軽症〜中等症対応可。国際間の緊急移送に対応可。

●国立医科大学付属日本モンゴル病院
MAP 折込裏-F2外 12th Khoroo, Bayanzurf District
77002528、86537777
mjhospital.mn
　2019年にJICAの支援で設立された初の医科大学付属病院。CT・MRI検査あり。

●ミライデンタルクリニック Mirai Dental Clinic
MAP P41-C1 8F, N Tower, 8th Khoroo, Sukhbaatar District 77090606
jp.mirai-dentalclinic.com
　日本人歯科医が年間約6ヵ月勤務している。日本語を話せる歯科医師が数名いる。

旅のトラブルと安全対策

外務省からの安全情報配信サービス「たびレジ」に登録しよう

　専用サイトに旅程や滞在先、連絡先を登録するだけで、渡航先の最新安全情報を無料で受け取ることのできる海外旅行登録システム。メール配信先には本人以外も登録できるので、同じ情報を家族などとも共有できる。この登録内容は、万一大規模な事件や事故、災害が発生した場合に滞在先の在外公館が行う安否確認や必要な支援に生かされる。安全対策として、出発前にぜひ登録しよう。

🌐 www.ezairyu.mofa.go.jp/index.html

緊急時連絡先
●在モンゴル日本国大使館
Embassy of Japan in Mongolia
MAP P.41-C3
📍 Elchingiin gudamj 10, Ulaanbaatar 14210 (Central P.O.BOX 1011)
☎ (011) 320777
FAX (011) 313332
緊急連絡用
☎ 70045004
🌐 www.mn.emb-japan.go.jp
🕐 領事部窓口：9:00～13:00、14:00～17:45（月～金曜）
●現地の緊急連絡先（モンゴル語のみ）
警察 ☎ 102
救急車 ☎ 103
消防車 ☎ 101

パスポートは常時携帯
　原則として、外国人にはパスポート（身分証明書）の常時携帯が法律で義務付けられている。違反した場合には罰金が科される。

青信号でも油断しないように

モンゴルの治安状況

　1990年の市場経済への移行後、モンゴル経済は急速に発展。その一方で、貧富の差は拡大している。2022年中の犯罪認知件数は3万5340件。前年比で38.9％増加している。犯罪の発生は都市部に集中しており、モンゴルの全人口（約345万人）の約半分が居住する首都ウランバートルで全犯罪の約70％が発生している。日本人が最も遭いやすい被害は、窃盗（スリ、ひったくり、置き引き等）。

　最新の犯罪状況などは、在モンゴル日本国大使館のウェブサイトに掲載されている「安全の手引き」でチェックできる。

犯罪被害防止のポイント

　自分の身を自分で守るためには、最新の情報収集だけでなく、防犯対策を実行することが大切である。

スリ

　市場（ザハ）、デパート、バスの車内、駅、空港など、人が多く集まる場所では特に用心する。ウランバートルでは、ナラントールザハ、ノミンデパート周辺、ガンダン寺、ザイサン・トルゴイなどの観光地などでスリが多く発生している。上着の外ポケットや胸ポケット、ズボンの後ろポケットなど、外部から容易に触れられる場所には財布やパスポートなどの貴重品を入れないこと。背中や肩にかけたリュックやバッグは、気づかないうちに開けられたり、ナイフで切られたりすることもある。常に体の前に持ち、目を離さないよう気をつける。高価に見えるカメラやスマートフォンなどは、人前でむやみに使用せず、必要なときだけ取り出そう。

　現金を使う際も注意が必要。長時間かけて財布から現金を取り出している姿は、いかにも「カモにしてください」と言っているようなもの。支払いはスマートに、短い時間で終わらせること。

ザハ（市場）では周囲に目を光らせよう

置き引き

　レストランでの食事中や走行中の列車内など、たとえ短時間であっても、手荷物から目を離さない。

強盗

　夜間のひとり歩きは避け、信頼できるタクシーなどの交通機関を利用する。昼夜を問わず、できるだけ人通りの多い通りを利用し、可能なかぎり複数人で行動する。人が集団でい

るところには、むやみに近づかない。持ち歩く現金や貴重品は必要最低限にとどめる。凶器や複数人による強盗に遭遇した場合は無理な抵抗はせず、所持品を潔く差し出して自分の身を守ることを優先する。

暴行・傷害

　飲酒に起因した殺人・傷害致死事件および暴行や傷害事件が多く発生している。酔っ払いには決して近づかない。自分も加害者にならないように、節度をもった飲酒を心がける。モンゴルでは、飲酒法により深夜0時以降に酩酊（めいてい）状態と判断された場合、酩酊者用留置所に拘留される（外国人にも適用）。

性犯罪

　女性の夜間のひとり歩きは避ける。複数人でも夜間に公衆トイレ、公園、人通りの少ない場所、街灯がない暗い道路などには近づかない。見知らぬ人からの誘い（食事、観光案内等）には安易に乗らない。見知らぬ人からすすめられる飲み物には、注意する。身体の露出の多い服装での外出は避ける。

薬物犯罪

　覚せい剤、コカイン、大麻、合成麻薬といった違法薬物が出回り、繁華街や路上で販売するケースも続発している。薬物は所持も使用も厳重に処罰される。薬物には絶対に手を出さないこと。

タクシーの利用

　ウランバートル市内には専門会社が走らせている正規のタクシーが極めて少ない。地元民の多くは個人タクシー（白タク）を利用し、白タクが重要な交通手段になっているが、トラブルに巻き込まれることも少なくないので利用を控えること。

交通事故

　無謀運転、車両台数の急増、不十分な道路整備などによって、交通事故死者数は日本の約7.1倍。歩行者優先がおろそかなので、緑信号の横断歩道上でも車には十分注意するように。特に最近、電動キックボードの利用が急速に増え、かなりのスピードで飛び出してくる。

　また建設途中のビルからの落下物、開いたままのマンホールなどもあるので、町歩きの際は細心の注意を払おう。

　乗用車やバス乗車時は後部座席でもシートベルト着用を。

パスポートを紛失したら

　パスポートをなくしたら、まず現地の警察署へ行き、紛失・盗難証明書を発行してもらう。次に、在モンゴル日本国大使館で旅券の失効手続きを行い、新規旅券の発給または帰国のための渡航書の発行を申請する。旅券の顔写真があるページと航空券や日程表のコピーがあると手続きが早い。コピーは原本とは別の場所に保管しておこう。

紛失・盗難などによる旅券の新規発給

　紛失届の後、新規発給手続きをする。緊急に日本へ帰国する必要がある場合には、旅券の新規発給に替えて「帰国のための渡航書」を発給することが可能。紛失一般旅券等届出書を提出した時点で紛失した旅券は失効するので、後日、見つかっても使用することはできない。紛失届、新規申請は同時申請可能。紛失届、新規旅券申請、帰国のための渡航書は、オンラインによる申請およびクレジットカード決済ができる。

〈必要書類〉
①一般旅券発給申請書：1通
②紛失一般旅券等届出書：1通
③写真：2枚（縦45mm×横35mm）
④戸籍謄本（原本）：1通
⑤モンゴル国警察署発行の紛失、盗難証明：1通
⑥顔写真付き身分証明書（日本の国運転免許証など）
※新規旅券発給申請・受領は、本人のみが行える
⑦航空券または航空会社等からの搭乗予約確認書
※旅券の交付は、申請を受付した日を含め6日後（土・日曜、閉館日を除く）
※旅券発給手数料（10年用旅券37万2000Tg、5年用旅券25万6000Tg）は、交付時に支払う

●帰国のための渡航書発給
〈必要書類〉
①渡航書発給申請書：1通
②紛失一般旅券等届出書：1通
③写真：2枚（縦45mm×横35mm）
④モンゴル国警察署発行の紛失、盗難証明
⑤航空券または航空会社等からの搭乗予約確認書
⑥日本国籍を有することを証明する書類（申請日前6ヵ月以内に作成された戸籍謄本か、本籍の記載がある住民票）
※渡航書の申請は本人のみ可能
※帰国便出発の2〜3日前に申請すること
※原則、申請日と同日に渡航書を交付（土・日曜、閉館日を除く）
※渡航書発給手数料（5万8000Tg）は、交付時に支払う
※提出した航空券または搭乗予約確認書をもとに渡航書の有効期限を定めるため、日程の変更をせずに帰国すること

●在モンゴル日本国大使館「旅券申請手続き」
📱 www.mn.emb-japan.go.jp/itpr_ja/passport.html

旅のモンゴル語会話

日本語にない発音に注意

モンゴル語の母音は7つある。日本語と異なり、「オ」と「ウ」が2種類ある。
・О……口を大きく開け、のどを開いて「オ」
・Y……唇を突き出し、丸めて「オ」
・Θ……唇を軽く丸め、舌を引く感じで「ウ」
・Y……日本語の「ウ」のように発音

子音では、ラ行の「エル」が2種類ある。
・Л……舌先を上の歯ぐきの裏に当て、口の両端から息を押し出す「エル」
・Р……巻き舌のように、舌を振るわせる「エル」

キリル文字とモンゴル文字

「モンゴル」を2種類の文字で表すと……

キリル文字：Монгол

モンゴル文字：

標準語は、ハルハ・モンゴル語

モンゴル国の公用語は、ハルハ・モンゴル語だ。日本語と同じ「主語＋目的語＋述語」という語順なので、日本人には学びやすい言語といえる。

文字には、縦書きのモンゴル文字と、横書きのキリル文字がある。モンゴル文字は、チンギス・ハーンの時代から800年の歴史をもつ民族伝統の文字だが、1940年代以降、ロシア語のキリル文字が公用文字になった。ロシア語のアルファベットにΘとYの2文字を加えた35文字で表記される。

1990年代初頭の民主化以降、モンゴル文字を復活させる機運が高まり、小学校でも義務教育として教えられるようになった。とはいえ、現在も主流はキリル文字だ。

モンゴル語のアルファベット

А а	[a]	И и	[i]	С с	[s]	Ъ ъ		※2
Б б	[b]	Й й	※1	Т т	[t]	Ы ы	[i:]	
В в	[w]	К к	[k]	У у	[o]	Ь ь	[ı]	
Г г	[g]	Л л	[l]	Y ү	[u]	Э э	[e]	
Д д	[d]	М м	[m]	Ф ф	[f]	Ю ю	[ju]	
Е е	[je]	Н н	[n]	Х х	[x]		または [jo]	
または	[j]	О о	[ɔ]	Ц ц	[ts]	Я я	[ja]	
Ё ё	[jɔ]	Θ θ	[θ]	Ч ч	[tʃ]	※1 二重母音のふたつ目の短い「i」「j」		
Ж ж	[dz]	П п	[p]	Ш ш	[ʃ]			
З з	[dz]	Р р	[r]	Щ щ	[ʃtʃ]	※2 音を区切る記号		

基本会話

こんにちは	Сайн байна уу.	サェン バェノー
さようなら	Баяртай.	バヤルタェ
おはようございます（よく休めましたか？）	Сайхан амарсан уу?	サェハン アマルスノー
おやすみなさい	Сайхан амраарай.	サェハン アムラーラェ
ありがとう	Баярлалаа.	バヤルララー
どういたしまして／大丈夫です	Зүгээр,зүгээр.	ズゲール、ズゲール
すみません／ごめんなさい	Уучлаарай.	オーチラーラェ
ここに書いてくれますか？	Энд бичээд өгнө үү?	エンド ビチェード ウグヌー
～をください	～ авъя.	～アヴィー
これをあなたに差し上げます	Эниг танд барья.	エニーグ タンド バリヤー
そうです／いいえ／違います	Тиим./Үгүй./Биш.	ティーム／ウグィ／ビシ
とてもよい／よくない	Их сайн./Муу.	イフ サェン／モー
～はありますか？	～ байна уу?	～バェノー
あります／ありません	Байна./Байхгүй.	バェン／バェフグィ
好きです／嫌いです	Дуртай./Дургүй.	ドルタェ／ドルグィ

ちょっと待ってください・・・・・・・・・・・・ Түр хүлээгээрэй.　トゥル フレーゲーレェ
おなかがすいています・・・・・・・・・・・・・ Гэдэс өлсөж байна.　ゲデス ウルスジ バェン
トイレに行きたいです・・・・・・・・・・・・・ Бие засмаар байна.　ビィ ザスマール バェン
※「トイレに行きたい」の直訳は "Ноль явмаар байна. (ノリ ヤウマール バェン)"。Бие засмаар байна. は「体を整えたい」という意味で、モンゴル的な表現
寒いです／暑いです・・・・・・・・・・・・・・・ Хүйтэн байна./Халуун байна.
　　　　　　　　　　　　　　　　　 フイトゥン バェン／ハローン バェン
あなたの (あなた方の) 写真を撮ってもいいですか？
・・・・・・・・・・・・・・・・・・・・・・・・・・・ Таны (Та нарын) зургийг авч болох уу?
　　　　　　　　　　　　　 タニー (ターナリーン) ズルギーグ アウチ ボロホー

紹介

私は○○といいます・・・・・・・・・・・・・・・ Намайг ○○ гэдэг.　ナマェーグ ○○ ゲテグ
私は日本人です・・・・・・・・・・・・・・・・・ Би Япон хүн.　ビー ヤポン フン
あなたのお名前は？・・・・・・・・・・・・・・・ Таны нэр хэн бэ?　タニー ネル ヘン ベー
お会いできてうれしいです・・・・・・・・・・ Тантай танилцсандаа баяртай байна.
　　　　　　　　　　　　　 タンタェ タニルツサンダー バヤルタェ バェン

通信・両替

ここにWi-Fiはありますか？・・・・・・・・・ Энд Wi-Fi байгаа юу?　エンド ワイファイ バェガー ユー
Wi-Fiのパスワードは何ですか？・・・・・・・ Wi-Fiгийн нууц үг нь юу вэ?
　　　　　　　　　　　　 ワイファイギーン ノーツ ウグン ユーウェー
コンセントはありますか？・・・・・・・・・・ Тогны залгуур байгаа юу?
　　　　　　　　　　　　 トーグニー ザルゴール バェガー ユー
SIMカードを買いたいです・・・・・・・・・・ Сим карт авмаар байна.
　　　　　　　　　　　　 シムカルト アヴマール バェン
(1万) 円を両替したいです・・・・・・・・・ (Арван мянган) иен солимоор байна.
　　　　　　　　　　　 (アルワンミャンガン) イェン ソリモール バェン
お金を崩してください・・・・・・・・・・・・・ Та мөнгө задалж өгнө үү.
　　　　　　　　　　　　 ターム ムング ザダラジ ウグヌー

ホテル・レストラン

お湯が出ません・・・・・・・・・・・・・・・・・ Халуун ус гарахгүй байна.
　　　　　　　　　　　　 ハローン オス ガラフグィ バェン
鍵が壊れて扉が開きません・・・・・・・・・・ Цоож эвдэрсэн учраас хаалга онгойлгож чадахгүй
　　　　　　　　　　　　 байна.
　　　　　　　　　　　　 ツォージ エブデルスン オチラース ハールガ オン
　　　　　　　　　　　　 ゴェルゴジ チャダフグィ バェン
タクシーを呼んでください・・・・・・・・・・ Такси дуудаж өгнө үү.
　　　　　　　　　　　　 タクスィ ドーダジ ウグヌー
トイレットペーパーをください・・・・・・・ Нолийн цаас өгнө үү.
　　　　　　　　　　　　 ノーリーン ツァース ウグヌー
この荷物を預かってください・・・・・・・・・ Би энийг хадгалуулах гэсэн юм.
　　　　　　　　　　　　 ビー エニーグ ハドガローラハ ゲスン ユム
荷物を返してください・・・・・・・・・・・・・ Ачаагаа авъя.　アチャーガー アウィー
近くのコンビニはどこですか？・・・・・・・ Ойрхон дэлгүүр хаана вэ?
　　　　　　　　　　　　 オィルホン デルグール ハーナ ウェー
すみません！(お店の人を呼ぶ) ・・・・・・ Зөөгч өө!　ズーグチョー
メニューをください・・・・・・・・・・・・・・・ Хоолны цэс өгнө үү.　ホールニー ツェス ウグヌー

どんな料理がおすすめですか？・・・・・・・・ Ямар хоол нь зүгээр вэ?
ヤマル ホールン ズゲール ウェー

残った料理を持ち帰りたいです・・・・・・・・・ Үлдсэн хоолоо аваад харья.
ウルドゥスン ホーロー アワード ハリヤー

勘定をお願いします・・・・・・・・・・・・・・・・・ Одоо тооцоогоо хийе.
オドー トーツォーゴー ヒーイー

ホテル・レストランに関する単語		
ホテル・・・・зочид буудал	水・・・・・・・ус オス	
ゾチド ボゥダル	予約・・・・・захиалга ザヒャルガ	
シャワー шүршүүр シュルシュール	アレルギーがある	
湯・・・・・・・халуун ус ハローン オス	・・・・・・・・・харшилтай ハルシルタェ	

買い物

いくらですか？・・・・・・・・・・・・・・・・・・・・ Ямар үнэтэй вэ? ヤマル ウンテイ ウェー
カシミヤのマフラーはありますか？・・・・・・ Ноолууран ороолт байгаа юу?
ノーローラン オロールト バェガー ユー

日本円で買えますか？・・・・・・・・・・・・・・・ Япон иенээр авч болох уу?
ヤポン イェネール アウチ ボロホー

クレジットカードは使えますか？・・・・・・・・ Кредит карт ашиглаж болох уу?
クレディット カルト アシグラジ ボロホー

交通

切符をください・・・・・・・・・・・・・・・・・・・・・ Тасалбар авъя. タサルバル アウィー
このバスはナラントール市場に行きますか？・・ Энэ автобус Наран туул зах очих уу?
エン アウトゥース ナラントール ザハ オチホー

ガンダン寺へ行きたいです・・・・・・・・・・・・ Гандан очмоор байна. ガンダン オチモール バェン
ここで停まってください・・・・・・・・・・・・・・ Энд зогсоорой. エンド ゾグソーロェ
いくら支払えばいいですか？・・・・・・・・・・ Хэдийг төлөх вэ? ヘディーグ トゥルフ ウェー

交通に関する単語		
タクシー такси タクスィ	駅・・・・・・・буудал ボゥダル	
バス・・・・・автобус アウトーブス	空港・・・・・・онгоцны буудал	
バス停	オンゴツニー ボゥダル	
・・・・зогсоол/автобусны буудал	乗る・・・・・суух ソーフ	
ゾグソール／アウトボスニー ボゥダル	降りる・・・буух ボーフ	

遊牧民ゲル訪問

お元気でいらっしゃいますか？(ゲルに入ったときのあいさつ)・・ Сайн сууж байна уу? サェン ソージ バェノー
中に入っていいですか？・・・・・・・・・・・・・・・・・Дотогшоо орж болох уу? ドトグショー オルジ ボロホー
お酒は飲めません・・・・・・・・・・・・・・・ Архи ууж чадахгүй. アリヒ オージ チャダフグィ
おいしいです・・・・・・・・・・・・・・・・・・・・ Амттай байна. アムトタェ バェン
もうおなかがいっぱいです・・・・・・・・・・ Сайн цадлаа. サェン ツァドラー

遊牧民ゲル訪問に関する単語		
家・・・・・・・гэр ゲル	羊・・・・・・・хонь ホニ	
肉・・・・・・・мах マハ	山羊・・・・・ямаа ヤマー	
馬・・・・・・・морь モリ	牛・・・・・・・үхэр ウフル	
	ラクダ・・тэмээ テメー	

乗馬

馬に乗るのは初めてです	Анх удаагаа морь унаж байна.
	アンフ オダーガー モリ オナジ バェン
この馬は何歳ですか？	Энэ морь хэдэн настай вэ?
	エン モリ ヘデン ナスタェ ウェー
乗る／降りる	унах/буух　オナハ／ボーフ
右へ	баруун тийшээ　バローン ティーシェー
左へ	зүүн тийшээ　ズーン ティーシェー
手綱	жолоо　ジョロー
あぶみ	дөрөө　ドゥロー
引っ張れ	Татаарай.　タターラェ
止まれ！	Зогсоорой!　ゾグソーロェ
ゆっくり、ゆっくり	Удаан удаан　オダーン オダーン
歌を歌いましょう	Дуу дуулья.　ドー ドールヤー
戻りましょう	Буцаарай.　ボツァーラェ
休みたい／休む	амаръя/амрах　アマルヤー／アムラハ

トラブル

助けて！	Туслаарай!　トスラーラェ
財布をなくしました	Түрийвч алга болсон.
	トゥリーブチ アルガ ボルソン
パスポートを落としました	Паспортаа хаясан.　パースポルター ハィスン
荷物を盗まれました	Ачаагаа алдсан.　アチャーガー アルドスン
日本語のわかる人はいませんか？	Япон хэл мэдэх хүн байна уу?
	ヤポン ヘル メデフ フン バェノー
おなかが痛いです	Гэдэс өвдөж байна.　ゲデス ウブドゥジ バェン

トラブルに関する単語

銀行	банк　バンク
警察	цагдаа　ツァグダー
パスポート	паспорт　パースポルト
財布	түрийвч　トゥリーブチ
クレジットカード	кредит карт　クレジット カルト

現金	бэлэн мөнгө　ベルン ムング
病気になる	
	өвчин тусах　ウブチン トサハ
痛い	өвдөж байна　ウブドゥジ バェン
苦しい	хэцүү　ヘツー

そのほかの単語

人称代名詞

わたし	би　ビー
あなた／（目下に対して）君	
	та/чи　ター／チー
お父さん	аав　アーウ
お母さん	ээж　エージ
おじいさん	өвөө　ウヴー
おばあさん	эмээ　エメー
息子	хүү　フー
娘	охин　オヒン
子供	хүүхэд　フーフドゥ

方向

右・西	баруун　バローン
左・東	зүүн　ズーン
前・南	өмнө　ウムヌ
後ろ・北	хойно　ホェノ
上	дээр　デール
下	доор　ドール
真っすぐ	чигээрээ　チゲーレー

数字

| 0 | тэг　テグ |
| 1 | нэг(нэгэн)　ネグ（ネグン） |

2 ·········	хоёр	ホィル
3 ·········	гурав(гурван)	ゴロウ(ゴルワン)
4 ·········	дөрөв(дөрвөн)	ドゥルウ(ドゥルワン)
5 ·········	тав(таван)	タウ(タワン)
6 ·········	зургаа(зургаан)	ゾルガー(ゾルガーン)
7 ·········	долоо(долоон)	ドロー(ドローン)
8 ·········	найм(найман)	ナェム(ナェマン)
9 ·········	ес(есөн)	ユス(ユスン)
10 ·······	арав(арван)	アラウ(アルワン)
11 ·······	арван нэг	アルワン ネグ
12 ·······	арван хоёр	アルワン ホィル
20 ·······	хорь(хорин)	ホリ(ホリン)
31 ·······	гучин нэг	ゴチン ネグ
100 ······	зуу(зуун)	ゾー(ゾーン)
1000 ·····	мянга(мянган)	ミャンガ(ミャンガン)
1万 ·······	арван мянга(арван мянган)	アルワンミャンガ(アルワンミャンガン)

時間

今日 ·······	өнөөдөр	ウヌードゥル
昨日 ·······	өчигдөр	ウチグドゥル
おととい ····	уржигдар	オルジグダル
明日 ·······	маргааш	マルガーシ
明後日 ·····	нөгөөдөр	ヌグードゥル
～月 ·······	～сар	～サル
～日 ·······	～өдөр	～ウドゥル
～時 ·······	～цаг	～ツァグ
～分 ·······	～минут	～ミノート
月曜 ·······	Даваа	ダワー
火曜 ·······	Мягмар	ミャグマル
水曜 ·······	Лхагва	サグワ
木曜 ·······	Пүрэв	プルウ
金曜 ·······	Баасан	バーサン
土曜 ·······	Бямба	ビャンバ
日曜 ·······	Ням	ニャム
午前 ·······	үдээс өмнө	ウデース ウムヌ
午後 ·······	үдээс хойш	ウデース ホイシ

疑問

これは何ですか？		
··········	Энэ юу вэ?	エン ヨー ウェー
誰ですか？ ··	Хэн бэ?	ヘン ベー
いつですか？		
··········	Хэзээ вэ?	ヘゼー ウェー
どこですか？		
··········	Хаана вэ?	ハーナ ウェー
いくつですか？		
··········	Хэд вэ?	ヘド ウェー
どれ？ ·····	Аль?	アリ
なぜ？ ·····	Яагаад?	ヤーガード
どのようにして？		
··········	Яаж?	ヤージ
どんな？ ····	Ямар?	ヤマル
どのくらい？		
··········	Хэр?	ヒル

基本動詞・形容詞

食べる ·····	идэх	イデフ
飲む ·······	уух	オーフ
行く ·······	явах	ヤワフ
来る ·······	ирэх	イレフ
会う ·······	уулзах	オールザハ
買う ·······	авах	アワフ
寝る ·······	унтах	オンタハ
見る ·······	үзэх	ウゼフ
書く ·······	бичих	ビチフ
うれしい ····	баяртай	バヤルタェ
悲しい ·····	гунигтай	ゴニグタェ
かわいい ····	хөөрхөн	フールフン
楽しい ·····	хөгжилтэй	フグジルテェ
恐ろしい ····	аймаар	アェマール
疲れた ·····	ядарсан	ヤダルスン
すばらしい	сайхан	サェハン

（モンゴル語教室ノタック　バトアラビン・アリウナ監修、加戸玲子、橋本梨花子）

モンゴルと日本の架け橋となって
NPO法人北方アジア文化交流センターしゃがぁ　理事長　西村幹也氏

30年以上にわたりモンゴルの大地を駆け巡り、遊牧民と遊牧文化に触れ、その魅力を日本で発信し続けている方がいます。彼の名前は西村幹也さん。2023年現在はNPO法人北方アジア文化交流センターしゃがぁの理事長をなさっています。

モンゴルとの出合いは1991年。天安門事件後の混乱のさなか、右も左もわからないまま中国の内モンゴル自治区に留学した西村さんを、現地のモンゴル人たちは無欲に助けてくれました。彼らの心の温かさと受けた恩を忘れないために、「彼らと関わり続ける」ことを決意。

遊牧文化の魅力についていつも熱心に語る

その後、モンゴル国への留学を経て、1994年に「しゃがぁ編集室」を立ち上げ、1996年にモンゴル情報誌『しゃがぁ』を創刊しました。「しゃがぁ」とはモンゴル語で「動物のくるぶしの骨」の意味。骨と骨をつなぐしゃがぁに「遊牧世界と我々をつなぎたい」という意志が表れています。モンゴルではしゃがぁ自体が豊かさを象徴し、「しゃがぁ」に良き善きものが集まり、皆で分かちあえるようにとの願いも込められています。

発行を続けている情報誌『しゃがぁ』には、モンゴル、トゥバ、カザフなどの遊牧文化の魅力が独自の視点で書き綴られています。

2008年からは「しゃがぁ編集室」をNPO法人化し、いっそう活動の幅を広げました。おもな活動は、モンゴル国からモンゴルの楽器・馬頭琴とカザフの楽器・ドンブラの演奏者を招聘して行う「遊牧の民の調べコンサート」。コンサートを2003年以降、全国各地の学校、養護施設やコンサート会場で開催し、

「遊牧の民の調べコンサート」は毎年1〜3月に開催

その回数は延べ800回（2023年現在）を超えています。そのほか、遊牧文化講座や写真展の開催、現地で出会った人の物語と譲り受けた民具を展示する博物館の運営なども行っています。国外では、モンゴル国での遊牧民宅ホームステイや草原を1週間馬で巡るワイルド乗馬ツアー、トナカイに乗って森を往くキャラバンツアーを企画するなど、活動は多岐にわたります。

コンサート後に馬頭琴の弾き方を教えることも

どの活動にも根底にあるのは、「どうすれば相手と同じ視点をもつことができるのか」「どうすれば誤解や争いのない平和な世界を実現できるのか」ということ。常にそれらを意識しながら、文化の紹介を続けています。

そんな「文化の翻訳者」としての一連の活動が評価され、2012年にモンゴル国大統領より友好勲章を授与されました。今後も遊牧文化を知りたいと願う多くの日本人に、わくわくするような世界を見せ続けてくれるでしょう。

「馬に乗ることは、草原を知ること」

（廣田千恵子）

モンゴルの若者

　モンゴルは過去数十年で都市化が進み、地方出身の多くの若者たちも首都ウランバートルに集中して暮らすようになっています。彼らは都市の生活を楽しみつつ、伝統的な生活にも触れ続けています。普段、都市で働いたり勉強したりしている若者も、長い休みや祭りのときは、両親や祖父母の住む故郷に帰ります。そこで家畜の世話をしたり、乳製品を作ったりと、伝統的な遊牧民の生活をしながら過ごします。伝統と現代のライスタイルの釣り合いを上手にとっているのです。

伝統的な生活と都市生活の共存しています

教育の重要性

　モンゴルでは、よい企業で働き、高い給料を得るためには、有名大学を卒業することが重要だとされています。ですから、子供の頃から、教育に力が注がれています。実際、私自身も小学生の頃から祖母に「よい大学に入れば、よい人生を送れる」と言われ、学校の成績もトップでした。

　モンゴルの国家統計データベース（2023年）によると、2022年に高校を卒業した154,135人の学生のうち、大学進学者の数は145,267人で、94.3%を占めています。その内訳は男性38.9%に対して女性61.1%となっており、特に近年は、女性の大学進学率が高い傾向にあるようです。

　モンゴルで最も人気がある大学は、モンゴル国立大学です。1942年設立の国内で最も歴史のある国立大学で、文学部や経済学部、法学部など、さまざまな学部があります。

　モンゴルでは大学生のときに結婚し出産する学生が、日本と比べると多くいます。出産後は半年～1年間休学してから、再び大学に戻ります。仕事も同様で、出産しても仕事を続け、自分のキャリアを構築します。そのためにも学歴が大事になるのです。

モンゴル国立大学

遊牧民の若者の学生生活

　モンゴルの大学は、ウランバートルに集中しています。大学は9月から始まるので、8月頃にはモンゴルの21の県から若者たちが移動してきます。この中には、遊牧民の若者たちも含まれています。彼らは、大学の寮、親戚や知り合いの家、賃貸住宅などに住みます。最初は町なかで道に迷ったり、友達を作ることがむずかしかったりすることもあるようです。かつては都会の若者のなかには、彼らの着ている服や、頬の赤み、モンゴル語の発音の違いなどから、見下す態度をとるような人もいましたが、現在では、そのようなことは減ってきています。

私も遊牧民の友人が多くいます。皆で自然の中で過ごすのが好きです

学生の一日の過ごし方

　ほとんどの学生は、午前中に授業を受け、午後にはサークルや外国語コースに参加し、夕方にはアルバイトをしています。

　私のいた大学では、授業が7時40分から始まり、19時10分に終わります。ウランバートルは渋滞がひどいため、私は毎朝5時に起きて通学していました。弁当を持参することで、食堂とコンビニでの待ち時間を節約します。授業が終わると、図書館で宿題をしたり、日本語の復習をしたりして、21時頃に帰宅します。

　学生たちはたいていアルバイトをしています。多くの学生は、自分の学費や生活費を賄い、両親への大きな経済的負担を避けるためにやっています。アルバイトは、稼ぐためだけではなく、コミュニケーションや自分を正しく表現する方法、仕事のこなし方を学ぶ機会にもなっています。

　私は、高校1年生の頃から、食堂での皿洗い、赤ちゃんの世話、高校生の宿題や入学試験の準備の手伝い、デパートやコンビニでのレジ打ちなど、さまざまなアルバイトの経験をしてきました。

日本法センターの学生や先生と一緒にたこ焼き作り

　また、大学には、スポーツ、言語交換、学問・研究、ボランティア活動などの学生サークルがあります。私は、法学部なので、ディベートのサークルに参加していました。週に2〜3回集まり、グループごとにテーマを選び、ディベートをします。モンゴルではディベート大会がよく行われているので、そのための練習です。卒業生たちも後輩たちにアドバイスをするために参加しています。先輩たちの経験談は、とても参考になります。ディベートのほか、ハロウィン、新年・卒業パーティーなども、楽しんでいます。サークルは、興味が同じ学生が集まるため、友達をつくる場にもなっています。

私の夢の大学

　私は中学生の頃から、法律家になりたいと思っていました。そのきっかけは、法律に関する弁論大会に参加し、1位をとったことです。その後、最も優れた専門性を持つモンゴル国立大学に行きたいと思うようになりました。法学部には毎年約100人の学生が入学しますが、ひとつの県からは2人しか入れません（ウランバートルは別）。モンゴルでは、法律家は非常に人気が高く、競争が激しいのです。

　念願のモンゴル国立大学に進学後、「日本法教育研究センター」について知りました。このセンターは、2006年に日本政府がアジア諸国への法制度整備支援を目的として、モンゴル国立大学法学部内に設立したセンターです。毎年20人の学生が入り、約半数が卒業します。卒業後は、名古屋大学法学部に進学するチャンスがあります。名古屋大学は、日本政府と連携して法整備支援事業を展開しているのです。

　私は現在大学3年生ですが、2023年10月から交換留学生として名古屋大学で学んでいます。1年間の長期セミナーで日本の法制度について学び、比較法の研究ができるようになることを目指しています。モンゴルの法分野はまだ新しく、法律に関する研究が不足していて、曖昧な文言や条文が存在しています。特に「モンゴル国民法」は、ドイツ民法をモデルとしているため、モンゴルの実態に適しておらず、不明瞭な部分があります。私は、ここで学び、将来、モンゴルの法分野の発展に貢献したいと思っています。

留学中の名古屋大学の前で

日本の家族と友人

　私は、2023年2月にも名古屋大学の短期セミナーで名古屋に来たことがあります。そのとき、初めて日本の家庭にホームステイをしました。ステイ先のお父さんとお母さんは、とても優しく、私を自分の娘のように接してくれました。今でも何か困ったことがあればすぐに助けてくれて、とても感謝しています。

　また、2年前にZoomで出会った日本人と友だちになりました。彼は、私の日本語の上達を積極的に手助けしてくれました。彼の家族もとても親切で、いつでも私の力になってくれます。日本の家族と友達のおかげで、

Zoomで出会った日本の友人の家族と一緒に

困ったことがあっても乗り越えて、安心して日本での生活を続けることができています。
（名古屋大学法学部留学生
　　　アリウンバヤル　バトアリウナー）

モンゴル、子連れ旅のススメ

夢を叶える日がやってきた！

　2023年、待ちに待った渡航制限のない夏がやってきました。バックパッカーでひとり旅をしてきた私の夢のひとつに、「子供にもたくさんの世界を見せてあげたい！」というものがありました。

　その夢を叶える日が、ついにやってきたのです！　5歳になったばかりの息子を連れてモンゴルへ飛び立ちました。

　旅の期間は8月19日〜9月1日までの2週間。最初に向かったのはウランバートルから車で1時間半ほどの場所にある、エルデネ近郊の草原でした。ここで4日間の遊牧民宅ホームステイをすることに。

モンゴルの大草原で遊牧民の子供たちと楽しいひととき

　ゲルに着くとすぐにスーテイ・ツァイ（乳茶）が振る舞われ、私たちを歓迎してくれました。ほんのり塩味のミルク茶が日本からの移動で疲れた体に染み渡ります。翌朝は動物の声で目を覚ましました。ゲルの外に出ると、昨夜は暗くて気が付かなかったがヤギがいっぱい！息子の姿を見つけると1頭のヤギが近づいてきて尻尾をフリフリ。どうやら彼らも歓迎してくれた様子でした。

　草原では気の向くままにのんびりと過ごしました。日本では虫も触れなかった息子が、そこら中にいるバッタを捕まえるようになっています。特大バッタを連れてきて、大人たちをびっくりさせることも……。草原を生きいきと走り回り、遊牧民の子供たちの輪に自ら入って一緒に遊んでいる様子は、日本では人見知りでおとなしい息子の姿からは想像もできず、母の私が驚きました。モンゴルという広大な大地が、息子を開放的にさせたのではないでしょうか。

真の食育がそこにあった

　ゲル滞在中には乗馬も体験しました。初めての乗馬だった息子は、遊牧民の方の体の前に座らせてもらい、「おうまさん、たのし〜」

初めての乗馬！ ドキドキがワクワクに変わる瞬間

と、うれしそうにしていました。途中で強い雨が降ってきてしまい、息子を心配したステイ先のお父さんが車で迎えに来てくれましたが、息子は最後まで馬に乗って帰ることを選択。雨が降りしきる中、軽速歩でゲルに帰ったのでした。

滞在中には山羊の解体という貴重な場面にも遭遇しました。排せつ物以外のすべてを無駄にしない解体は、実に滑らかで丁寧でした。その様子を見ながら「普段なにげなく食べているものにも命があって、その命をいただいて生きることができるのだから、感謝しないとね」と伝えると、息子も理解したのか、帰国後にお店に並ぶ肉や魚を見ては、「サバさん、今までありがとう。ブタさん、今までありがとう」などと、感謝の言葉を言うようになりました。当然、食事は残さず食べます。これぞ、最高の食育ではないでしょうか。

将来は恐竜の研究者に!?

ゲルでの滞在を終え、ウランバートルで数日間過ごしたのち、モンゴル南部の町ダランザドガドへ向かいました。長距離バスで片道約11時間の道のりに息子が耐えられるか心配でしたが、飽きることなく車窓からの景色を楽しんでいる様子でした。

ダランザドガドでは砂漠に連れて行ってくれる運転手さんのお宅に1泊し、翌朝出発しました。ここで息子がまさかの食あたり。何度も車を停めてもらったり、途中でタイヤがパンクしたりというアクシデントもあり、砂漠行きを諦めかけましたが、10時間ほどかけてホンゴル砂丘に到着。

息子も驚異の回復力を見せ、砂丘を登りサンセットを2人で眺めることができたのは、

もはや奇跡としか言いようがありませんでした。

翌日は恐竜の化石の大産地、世界で初めて恐竜の卵の化石が発見されたことで有名なバヤンザクへ。息子はここで恐竜の化石を発見するのを楽しみにしていたのですが……。発見したのは化石ではなく、ただの石？でしたが、大喜び！

これが未来の古生物学者への第一歩になるかもしれません。

大自然の中で子供とともに成長する親子の大冒険

モンゴルは子連れ旅に向いている

今回、「現地の人と触れ合える旅がしたい」「大自然の中で過ごしたい」「恐竜好きの息子に本物を感じてほしい」との思いから、モンゴルに行くことを決めましたが、電気も水もなくトイレは青空………と、5歳の子には不自由なことも多くありました。でも、そのすべてを受け入れ、楽しんでいる息子の姿を見て、あらためて子供のたくましさを感じることができ、本当にモンゴルを旅してよかったと思いました。

モンゴルは子連れ旅が難しいと思われがちですが、決してそんなことはありません。東京からモンゴルまで直行便を使って約5時間半、時差が1時間しかないのは子供にとって負担が少ないし、大きな町では日本のベビー用品も簡単に手に入ります。

何よりも人が優しいので困っていたらすぐに手を差し伸べてくれます。ただ観光地を見て回るだけでなく、「体験型の旅」でさまざまな経験ができることも、モンゴル旅の最大の魅力だと思います。ぜひ子連れで行ってみてはいかがでしょうか。　　　（本田千枝）

地名・見どころインデックス

チベット風のカフェからガンダン寺を望む

乗馬の仕事を終えくつろぐ遊牧民の青少年たち

地球の歩き方 関連書籍のご案内

モンゴルとその周辺への旅を「地球の歩き方」が応援します!

地球の歩き方 ガイドブック

A30 バルトの国々 ¥1,870
A31 ロシア ベラルーシ ¥2,090
A32 極東ロシア シベリア サハリン ¥1,980
D01 中国 ¥2,090
D02 上海 杭州 蘇州 ¥1,870
D03 北京 ¥1,760
D04 大連 瀋陽 ハルビン ¥1,980

D05 広州 アモイ 桂林 ¥1,980
D06 成都 重慶 九寨溝 ¥1,980
D07 西安 敦煌 ウルムチ ¥1,980
D08 チベット ¥2,090
D14 モンゴル ¥2,420
D15 中央アジア ¥2,090

地球の歩き方 aruco

13 aruco 上海 ¥1,320

地球の歩き方 Plat

17 Plat ウラジオストク ¥1,430
18 Plat サンクトペテルブルク ¥1,540
23 Plat ウズベキスタン ¥1,650

※表示価格は定価（税込）です。改訂時に価格が変更になる場合があります。

地球の歩き方 旅の図鑑シリーズ

見て読んで海外のことを学ぶことができ、旅気分を楽しめる新シリーズ。
1979年の創刊以来、長年蓄積してきた世界各国の情報と取材経験を生かし、
従来の「地球の歩き方」には載せきれなかった、
旅にぐっと深みが増すような雑学や豆知識が盛り込まれています。

W01
世界244の国と地域
¥1760

W07
世界のグルメ図鑑
¥1760

W02
世界の指導者図鑑
¥1650

W03
世界の魅力的な
奇岩と巨石139選
¥1760

W04
世界246の首都と
主要都市
¥1760

W05
世界のすごい島300
¥1760

W06
世界なんでも
ランキング
¥1760

W08
世界のすごい巨像
¥1760

W09
世界のすごい城と
宮殿333
¥1760

W11
世界の祝祭
¥1760

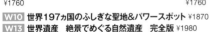

W10 世界197ヵ国のふしぎな聖地&パワースポット ¥1870		**W12** 世界のカレー図鑑 ¥1980	
W13 世界遺産 絶景でめぐる自然遺産 完全版 ¥1980		**W15** 地球の果ての歩き方 ¥1980	
W16 世界の中華料理図鑑 ¥1980		**W17** 世界の地元メシ図鑑 ¥1980	
W18 世界遺産の歩き方 ¥1980		**W19** 世界の魅力的なビーチと湖 ¥1980	
W20 世界のすごい駅 ¥1980		**W21** 世界のおみやげ図鑑 ¥1980	
W22 いつか旅してみたい世界の美しい古都 ¥1980		**W23** 世界のすごいホテル ¥1980	
W24 日本の凄い神木 ¥2200		**W25** 世界のお菓子図鑑 ¥1980	
W26 世界の麺図鑑 ¥1980		**W27** 世界のお酒図鑑 ¥1980	
W28 世界の魅力的な道 178 選 ¥1980		**W29** 世界の映画の舞台&ロケ地 ¥2090	
W30 すごい地球！ ¥2200		**W31** 世界のすごい墓 ¥1980	
W32 日本のグルメ図鑑 ¥1980			

※表示価格は定価（税込）です。改訂時に価格が変更になる場合があります。

地球の歩き方 シリーズ一覧 2024年3月現在

*地球の歩き方ガイドブックは、改訂時に価格が変わることがあります。 *表示価格は定価（税込）です。 *最新情報は、ホームページをご覧ください。 www.arukikata.co.jp/guidebook/

地球の歩き方 ガイドブック

A ヨーロッパ

A01 ヨーロッパ	¥1870
A02 イギリス	¥2530
A03 ロンドン	¥1980
A04 湖水地方＆スコットランド	¥1870
A05 アイルランド	¥1980
A06 フランス	¥2420
A07 パリ＆近郊の町	¥1980
A08 南仏プロヴァンス コート・ダジュール＆モナコ	¥1760
A09 イタリア	¥1870
A10 ローマ	¥1760
A11 ミラノ ヴェネツィアと湖水地方	¥1870
A12 フィレンツェとトスカーナ	¥1870
A13 南イタリアとシチリア	¥1870
A14 ドイツ	¥1980
A15 南ドイツ フランクフルト ミュンヘン ロマンチック街道 古城街道	¥2090
A16 ベルリンと北ドイツ ハンブルク ドレスデン ライプツィヒ	¥1870
A17 ウィーンとオーストリア	¥2090
A18 スイス	¥2200
A19 オランダ ベルギー ルクセンブルク	¥2420
A20 スペイン	¥2420
A21 マドリードとアンダルシア	¥1760
A22 バルセロナ＆近郊の町 イビサ島／マヨルカ島	¥1760
A23 ポルトガル	¥2200
A24 ギリシアとエーゲ海の島々＆キプロス	¥1870
A25 中欧	¥1980
A26 チェコ ポーランド スロヴァキア	¥1870
A27 ハンガリー	¥1870
A28 ブルガリア ルーマニア	¥1980
A29 北欧 デンマーク ノルウェー スウェーデン フィンランド	¥1870
A30 バルトの国々 エストニア ラトヴィア リトアニア	¥1870
A31 ロシア ベラルーシ ウクライナ モルドヴァ コーカサスの国々	¥2090
A32 極東ロシア シベリア サハリン	¥1980
A34 クロアチア スロヴェニア	¥2200

B 南北アメリカ

B01 アメリカ	¥2090
B02 アメリカ西海岸	¥1870
B03 ロスアンゼルス	¥2090
B04 サンフランシスコとシリコンバレー	¥1870
B05 シアトル ポートランド	¥2420
B06 ニューヨーク マンハッタン＆ブルックリン	¥2200
B07 ボストン	¥1980
B08 ワシントンDC	¥2420
B09 ラスベガス セドナ＆グランドキャニオンと大西部	¥2090
B10 フロリダ	¥2310
B11 シカゴ	¥1870
B12 アメリカ南部	¥1980
B13 アメリカの国立公園	¥2640
B14 ダラス ヒューストン デンバー グランドサークル フェニックス サンタフェ	¥1980
B15 アラスカ	¥1980
B16 カナダ	¥2420
B17 カナダ西部 カナディアン・ロッキーとバンクーバー	¥2090
B18 カナダ東部 ナイアガラフォールズ メープル街道 プリンス・エドワード島 トロント オタワ モントリオール ケベック・シティ	¥2090
B19 メキシコ	¥1980
B20 中米	¥2090
B21 ブラジル ベネズエラ	¥2200
B22 アルゼンチン チリ パラグアイ ウルグアイ	¥2200
B23 ペルー ボリビア エクアドル コロンビア	¥2200
B24 キューバ バハマ ジャマイカ カリブの島々	¥2035
B25 アメリカ・ドライブ	¥1980

C 太平洋／インド洋島々

C01 ハワイ オアフ島＆ホノルル	¥2200
C02 ハワイ島	¥2200
C03 サイパン ロタ＆テニアン	¥1540
C04 グアム	¥1980
C05 タヒチ イースター島	¥1870
C06 フィジー	¥1650
C07 ニューカレドニア	¥1650
C08 モルディブ	¥1870
C10 ニュージーランド	¥2200
C11 オーストラリア	¥2200
C12 ゴールドコーストとケアンズ	¥2420
C13 シドニー＆メルボルン	¥1760

D アジア

D01 中国	¥2090
D02 上海 杭州 蘇州	¥1870
D03 北京	¥1760
D04 大連 瀋陽 ハルビン 中国東北部の自然と文化	¥1980
D05 広州 アモイ 桂林 珠江デルタと華南地方	¥1980
D06 成都 重慶 九寨溝 麗江 四川 雲南	¥1980
D07 西安 敦煌 ウルムチ シルクロードと中国北西部	¥1980
D08 チベット	¥2090
D09 香港 マカオ 深圳	¥2420
D10 台湾	¥2090
D11 台北	¥1980
D12 台南 高雄 屏東＆南台湾の町	¥1980
D13 モンゴル	¥2420
D14 中央アジア サマルカンドとシルクロードの国々	¥2090
D16 東南アジア	¥1870
D17 タイ	¥2200
D18 バンコク	¥1980
D19 マレーシア ブルネイ	¥2090
D20 シンガポール	¥1980
D21 ベトナム	¥2090
D22 アンコール・ワットとカンボジア	¥2200

D23 ラオス	¥
D24 ミャンマー（ビルマ）	¥
D25 インドネシア	¥
D26 バリ島	¥
D27 フィリピン マニラ セブ ボラカイ ボホール エルニド	¥
D28 インド	¥
D30 ネパールとヒマラヤトレッキング	¥
D31 スリランカ	¥
D32 ブータン	¥
D33 マカオ	¥
D34 釜山 慶州	¥
D35 バングラデシュ	¥
D37 韓国	¥
D38 ソウル	¥

E 中近東 アフリカ

E01 ドバイとアラビア半島の国々	¥
E02 エジプト	¥
E03 イスタンブールとトルコの大地	¥
E04 ペトラ遺跡とヨルダン レバノン	¥
E05 イスラエル	¥
E06 イラン ペルシアの旅	¥
E07 モロッコ	¥
E08 チュニジア	¥
E09 東アフリカ ウガンダ エチオピア ケニア タンザニア ルワンダ	¥
E10 南アフリカ	¥
E11 リビア	¥
E12 マダガスカル	¥

J 国内版

J00 日本	¥3
J01 東京 23区	¥2
J02 東京 多摩地域	¥2
J03 京都	¥2
J04 沖縄	¥2
J05 北海道	¥2
J06 神奈川	¥2
J07 埼玉	¥2
J08 千葉	¥2
J09 札幌・小樽	¥2
J10 愛知	¥2
J11 世田谷区	¥2
J12 四国	¥2
J13 北九州市	¥2
J14 東京の島々	¥2

地球の歩き方 aruco

●海外

1 パリ	¥1650
2 ソウル	¥1650
3 台北	¥1650
4 トルコ	¥1430
5 インド	¥1540
6 ロンドン	¥1650
7 香港	¥1320
9 ニューヨーク	¥1320
10 ホーチミン ダナン ホイアン	¥1650
11 ホノルル	¥1650
12 バリ島	¥1320
13 上海	¥1320
14 モロッコ	¥1540
15 チェコ	¥1320
16 ベルギー	¥1430
17 ウィーン ブダペスト	¥1320
18 イタリア	¥1760
19 スリランカ	¥1540
20 クロアチア スロヴェニア	¥1430
21 スペイン	¥1320
22 シンガポール	¥1650
23 バンコク	¥1650
24 グアム	¥1320
25 オーストラリア	¥1760
26 フィンランド エストニア	¥1430
27 アンコール・ワット	¥1430
28 ドイツ	¥1430
29 ハノイ	¥1650
30 台湾	¥1650
31 カナダ	¥1320
33 サイパン テニアン ロタ	¥1320
34 セブ ボホール エルニド	¥1320
35 ロスアンゼルス	¥1320
36 フランス	¥1430
37 ポルトガル	¥1650
38 ダナン ホイアン フエ	¥1430

●国内

東京	¥1540
東京で楽しむフランス	¥1430
東京で楽しむ韓国	¥1430
東京で楽しむ台湾	¥1430
東京の手みやげ	¥1430
東京おやつさんぽ	¥1430
東京のパン屋さん	¥1430
東京で楽しむ北欧	¥1430
東京のカフェめぐり	¥1480
東京で楽しむハワイ	¥1480
nyaruco 東京ねこさんぽ	¥1480
東京で楽しむイタリア＆スペイン	¥1480
東京で楽しむアジアの国々	¥1480
東京ひとりさんぽ	¥1480
東京パワースポットさんぽ	¥1599
東京で楽しむ英国	¥1599

地球の歩き方 Plat

1 パリ	¥1320
2 ニューヨーク	¥1320
3 台北	¥1100
4 ロンドン	¥1320
6 ドイツ	¥1320
7 ホーチミン／ハノイ／ダナン／ホイアン	¥1320
8 スペイン	¥1320
10 シンガポール	¥1100
11 アイスランド	¥1540
14 マルタ	¥1540
15 フィンランド	¥1320
16 クアラルンプール マラッカ	¥1650
17 ウラジオストク／ハバロフスク	¥1430
18 サンクトペテルブルク／モスクワ	¥1540
19 エジプト	¥1320
20 香港	¥1100
22 ブルネイ	¥1430
23 ウズベキスタン サマルカンド ブハラ ヒヴァ タシケント	¥1650
24 ドバイ	¥1320
25 サンフランシスコ	¥13
26 パース／西オーストラリア	¥13
27 ジョージア	¥15
28 台南	¥14

地球の歩き方 リゾートスタイル

R02 ハワイ島	¥16
R03 マウイ島	¥16
R04 カウアイ島	¥18
R05 こどもと行くハワイ	¥15
R06 ハワイ ドライブ・マップ	¥19
R07 ハワイ バスの旅	¥13
R08 グアム	¥14
R09 こどもと行くグアム	¥16
R10 パラオ	¥16
R12 プーケット サムイ島 ピピ島	¥16
R13 ペナン ランカウイ クアラルンプール	¥16
R14 バリ島	¥14
R15 セブ＆ボラカイ ボホール シキホール	¥16
R16 テーマパーク in オーランド	¥18
R17 カンクン コスメル イスラ・ムヘーレス	¥16
R20 ダナン ホイアン ホーチミン ハノイ	¥16

この本の発行によせて

前回から4年ぶりのモンゴル取材。その間に世界は分断への道を突き進んでしまったように思います。一方で今回の取材で印象深かったのは、日本語の話せるモンゴルの若者の多さでした。日本人だとわかるとうれしそうに日本語を使って助けようとしてくれる……。こうした親日的な感情は一朝一夕で生まれるものではなく、これまでの膨大な数の人たちによる積み重ねの賜物です。相手の文化に敬意を払い、顔の見えるつき合いを重ねた先には、きっと平和な未来があるはず……と、確信する旅でもありました。

折しも2023年には話題のドラマ『VIVANT』で主役級のキャストたちが、日・モ両国を舞台に数々の名シーンを繰り広げました。

さぁ、次の主役はあなたです。リアルな世界で自分だけの"名シーン"をつくってください。

サイハン・アヤラーライ！（よい旅を！）

＊

今回の改訂にあたり、全面的な調査をバータースレンさんとバーストトヤーバドラフさん、中央部の一部と南部の取材・撮影を古谷が行いました。JICA海外協力隊員をはじめ、多くの方からお力添えをいただきました。この場をお借りして厚く御礼申し上げます（F）。

制　　作：河村保之		Producer	Yasuyuki Kawamura
編　　集：古谷玲子		Editor	Reiko Furuya
写　　真：西村幹也		Photographer	Mikiya Nishimura
イラスト：Chai		Illustrator	Chai
デザイン：山中遼子		Designers	Ryoko Yamanaka
：又吉るみ子			Rumiko Matayoshi
：開成堂印刷株式会社			Kaiseido Printing Co., Ltd.
：大沼園子			Sonoko Onuma
表　　紙：日出嶋昭男		Cover Design	Akio Hidejima
地　　図：高棟博（ムネプロ）		Maps	Hiroshi Takamune（Mune Pro）
校　　正：株式会社東京出版サービスセンター		Proofreading	TOKYO SHUPPAN SERVICE CENTER
校正（キリル文字）：国営モンツァメ通信社『モンゴル通信』編集部		Proofreading	Mongolian National News Agency MONTSAME Japanese weekly

Special Thanks To：Four Season Tour & Guesthouse、Batter Suren、谷口奈保子、志賀 恵、JICAモンゴル事務所、HISウランバートル支店、近 彩、Mongolian Guide Tour LLC、Nyamsurun、Nayanbaatar Amarjargal、Uuganbayar Dolgion、Ariunaa Ariunbayar、衣袋智子、西村幹也、アルタンガダス、ドルジンスレン、ダーク・スカイ・モンゴリア、阿比留美帆、Jandal Lkhagva、鈴木裕子、本田千枝、ツェベクマ・ツーリストキャンプ、Tseden Orig Oyun、内田克二、谷岡菜緒、坂上 直（順不同、敬称略）　写真提供：ⒸiStock

本書についてのご意見・ご感想はこちらまで
読者投稿　〒141-8425　東京都品川区西五反田2-11-8
　　　　　株式会社地球の歩き方
　　　　　地球の歩き方サービスデスク「モンゴル編」投稿係
　　　　　https://www.arukikata.co.jp/guidebook/toukou.html
地球の歩き方ホームページ（海外・国内旅行の総合情報）　https://www.arukikata.co.jp/
ガイドブック『地球の歩き方』公式サイト　https://www.arukikata.co.jp/guidebook/

地球の歩き方 D14
モンゴル 2024〜2025年版

2024年4月2日　初版第1刷発行

Published by Arukikata. Co., Ltd.
2-11-8 Nishigotanda, Shinagawa-ku, Tokyo, 141-8425, Japan

著作編集	地球の歩き方編集室
発 行 人	新井邦弘
編 集 人	由良暁世
発 行 所	株式会社地球の歩き方　〒141-8425　東京都品川区西五反田2-11-8
発 売 元	株式会社Gakken　〒141-8416　東京都品川区西五反田2-11-8
印刷製本	開成堂印刷株式会社

※本書は基本的に2023年8〜9月の取材調査データに基づいて作られています。発行後に料金、営業時間、定休日などが変更になる場合がありますのでご了承ください。更新・訂正情報：https://www.arukikata.co.jp/travel-support/

●この本に関する各種お問い合わせ先
・本の内容については、下記サイトのお問い合わせフォームよりお願いします。
　URL ▶ https://www.arukikata.co.jp/guidebook/contact.html
・広告については、下記サイトのお問い合わせフォームよりお願いします。
　URL ▶ https://www.arukikata.co.jp/ad_contact/
・在庫については　Tel 03-6431-1250（販売部）
・不良品（乱丁、落丁）については　Tel 0570-000577
　学研業務センター　〒354-0045　埼玉県入間郡三芳町上富279-1
・上記以外のお問い合わせ　Tel 0570-056-710（学研グループ総合案内）

※本書は株式会社ダイヤモンド・ビッグ社より1992年6月に初版発行したもの（2020年3月に改訂第17版）の最新・改訂版です。
学研グループの書籍・雑誌についての新刊情報・詳細情報は、下記をご覧ください。
学研出版サイト　https://hon.gakken.jp/